PEARSON
ALWAYS LEARNING

María José De La Fuente • Ernesto Martín Peris
Neus Sans Baulenas

Gente

Volume 2
Second Custom Edition for Fordham University

Taken from:
Gente: Nivel básico, Edición norteamericana,
Tercera Edición, 2015 Release
by María José De La Fuente, Ernesto Martín Peris, and
Neus Sans Baulenas

Cover Art: Cover photograph courtesy of momentimages/Tetra Images/Corbis.

Taken from:

Gente: Nivel básico, Edición norteamericana, Tercera Edición, 2015 Release
by María José De La Fuente, Ernesto Martín Peris, and Neus Sans Baulenas
Copyright © 2016, 2012, 2007 by Pearson Education, Inc.
New York, New York 10013

This special edition published in cooperation with Pearson Learning Solutions.

All trademarks, service marks, registered trademarks, and registered service marks are the property of their respective owners and are used herein for identification purposes only.

Pearson Learning Solutions, 330 Hudson Street, New York, New York 10013
A Pearson Education Company
www.pearsoned.com

Printed in the United States of America

000200010271986822

TM

ISBN 10: 1-323-23688-0
ISBN 13: 978-1-323-23688-8

BRIEF CONTENTS

SCOPE AND SEQUENCE

	TASK	OBJECTIVES

9 Gente de ciudad *146*

Identify the main problems on campus and propose solutions

Communicative
- Describing and comparing cities and places
- Expressing opinions and wishes
- Expressing agreement and disagreement
- Making and defending proposals

Cultural
- Perú
- Hispanics in the United States

---

10 Gente e historias (I) *164*

Write a biography of a famous person using given information.

Communicative
- Relating biographical and historical data
- Talking about past events occurred in specific time frames
- Talking about dates

Cultural
- Chile
- Hispanics in the United States

---

11 Gente e historias (II) *182*

Write a narration related to a specific episode or period of our country's history.

Communicative
- Talking about past and circumstances surrounding them
- Relating biographical data: events, and circumstances surrounding them

Cultural
- Nicaragua
- Hispanics in the United States

---

12 Gente sana *200*

Create a campaign for the prevention of accidents or health problems

Communicative
- Talking about health
- Giving advice and recommendations

Cultural
- Costa Rica
- Hispanics in the United States

GRAMMATICAL/ FUNCTIONAL GOALS	VOCABULARY GOALS	STRATEGIES
■ Comparatives ■ The superlative ■ Comparisons of equality ■ Relative pronouns ■ Expressing and contrasting opinions ■ The weather	■ Cities and services ■ Weather and environment ■ Problems in the city	**Oral communication** ■ Collaboration in conversation (I) **Reading** ■ Word order in Spanish **Writing** ■ Adding details to a paragraph ■ Connecting information using relative pronouns
■ The Preterit tense ■ Uses of the Preterit ■ Talking about dates ■ Sequencing past events	■ Biographies ■ Historical and socio-political events	**Oral communication** ■ Using approximation and circumlocution **Reading** ■ Following a chronology **Writing** ■ Writing a narrative (I): past actions and events ■ Use of time markers in narratives (I)
■ The Imperfect tense ■ Uses of the Imperfect ■ Contrasting Preterit vs. Imperfect ■ Relating past events: cause and consequence	■ Historical and socio-political concepts and events	**Oral communication** ■ Collaboration in conversation (II) **Reading** ■ Summarizing a text **Writing** ■ Writing a narrative (II): including circumstances that surround events ■ Use of time markers in narratives (II)
■ Commands forms ■ Recommendations, advice, and warnings ■ Impersonal *tú* ■ Talking about health ■ Adverbs ending in *-mente*	■ Accidents, symptoms, and illnesses	**Oral communication** ■ Verbal courtesy (II) **Reading** ■ Considering the type of text **Writing** ■ The good foreign language writer ■ Reviewing your text for cohesion

	TASK	**OBJECTIVES**

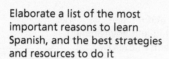

GRAMMATICAL/ FUNCTIONAL GOALS	VOCABULARY GOALS	STRATEGIES
■ Verbs like *gustar*: expressing sensations, feelings, difficulties, and value judgments ■ The Present Perfect ■ The Past Participle ■ Contrasting Present Perfect vs. Preterit ■ Uses of the Gerund	■ Languages ■ Teaching and learning of languages	**Oral communication** ■ Expressing agreement during conversation **Reading** ■ Review of vocabulary strategies (I): using a bilingual dictionary **Writing** ■ Punctuation and capitalization: some differences between Spanish and English
■ Verbs like *gustar* (II): expressing feelings and value judgments ■ The Future tense (form and uses) ■ The Conditional tense (form and uses) ■ Direct questions and indirect questions	■ Personality traits (nouns and adjectives)	**Oral communication** ■ Expressing disagreement during conversation **Reading** ■ Review of vocabulary strategies (II): word formation and Spanish affixes **Writing** ■ Using a bilingual dictionary ■ Cohesive writing (II): using connectors
■ The Present Subjunctive: form ■ Use of Present Subjunctive to state opinion, probability or doubt ■ Talking about arts and entertainment ■ Planning and agreeing on activities ■ Use of *ser* to talk about time and place of events	■ Leisure activities ■ Movies and television ■ Arts and entertainment	**Oral communication** ■ Verbal courtesy (III) **Reading** ■ Review of pre-reading strategies **Writing** ■ Editing your writing for content, organization and cohesion. ■ Expository writing (I): connectors for adding and sequencing ideas, summarizing, and concluding.
■ Describing objects ■ Impersonal *se* ■ Direct and indirect object pronouns ■ Use of subjunctive in relative clauses (subjunctive vs. indicative) ■ Relative clauses with prepositions	■ Materials ■ Science and technology	**Oral communication** ■ Some common expressions used in conversation (I) **Reading** ■ Reading a journalistic text (news) **Writing** ■ Reviewing the vocabulary and grammar of your written work ■ Expository writing (II): connectors for giving examples, restating ideas, generalizing, and specifying

		TASK	OBJECTIVES

Write the end of a mystery story

Communicative
- Narrating stories
- Situating events in time

Cultural
- Bolivia
- Hispanics in the United States

Create a business and an advertisement to promote it

Communicative
- Talking about the future
- Obtaining and giving information about businesses
- Evaluating businesses and services

Cultural
- Panamá
- Hispanics in the United States

Discuss a global problem and prepare an action plan to resolve it

Communicative
- Expressing opinion and doubt about future events
- Debating issues and justifying opinions with arguments

Cultural
- Guatemala
- Hispanics in the United States

GRAMMATICAL/ FUNCTIONAL GOALS	VOCABULARY GOALS	STRATEGIES

- Review: uses of the imperfect
- Preterit vs. imperfect
- The pluperfect
- *Estar* + gerund (preterit vs. imperfect)
- Contrast *pero / sino*

- Literature
- Mystery story

Oral communication
- Some common expressions used in conversation (II)

Reading
- Reading a narration

Writing
- Writing a narrative
- Narrative writing: connectors of time used in narratives

- *Si* clauses with indicative
- *Cualquier* + noun
- *Todo/a/os/as*
- Relative pronouns + subjunctive
- Direct and indirect object pronouns (*se* + *lo/las/los/las*)
- Review: impersonal expressions

- Economy and commerce
- Companies and businesses

Oral communication
- Resources for debating (I)

Reading
- Reading an essay

Writing
- The essay: thesis and development
- Writing an essay: use of connectors and referent words

- Use of subjunctive to state opinions (noun clauses)
- Use of subjunctive to state probability or doubt (noun clauses)
- *Cuando* + subjunctive (talking about the future)
- Expressing continuity or interruption (*continuar/seguir* + gerund; *seguir sin* + infinitive; *dejar de* + infinitive; *ya no* + verb)

- Social groups
- Science and environment
- World affairs

Oral communication
- Resources for debating (II)

Reading
- Reading an argumentative essay

Writing
- Writing argumentative texts (I)
- Connectors for argumentative texts

New digital enhancements to the 2015 Release: *Gente* gets students talking and doing more!

Welcome to the ***Third Edition 2015 Release*** of ***Gente,*** the popular beginning Spanish program that results in students achieving a high level of oral proficiency as they *learn by doing* through a task-based approach. To a degree unmatched by other textbook programs available in North America, ***Gente, Third Edition 2015 Release,*** promotes integration of the four skills and development of cultural awareness by providing a rich context in which students learn by doing, and the teacher acts as the facilitator of this learning process.

The 2015 Release is (8) ways better!

(1) Activities powered by a new **synchronous voice & video recording** tool are now available in **MySpanishLab**.

(2) The **eText** now includes interactive activities to practice vocabulary and grammar before they move on to more communicative practice and to the culminating task.

(3) The new cultural video program, ***Club cultura,*** takes a contemporary and journalistic approach as student hosts explore the Spanish-speaking world. Shot on location in all 21-Spanish speaking countries, viewers are immersed in the cultural nuances, customs, language varieties, and beauty of the the Spanish-speaking world.

(4) The **mobile Dynamic Study Modules powered by amplifire**™, which have been so popular with students using other Pearson beginning Spanish programs, are available in **MySpanishLab.** They are designed to improve learning and long-term retention of vocabulary and grammar via an application based on the latest research in neuroscience and cognitive psychology on how we learn best. Students master critical course concepts within the **Dynamic Study Modules,** leading to a livelier and more communication-centered classroom.

(5) **Learning Catalytics,** a "bring your own device" learner engagement and classroom intelligence system first developed at Harvard, is available with content specific to *Gente.* **Learning Catalytics** also allows instructors to create a variety of their own activities that promote interaction and communication, deliver them to learners via mobile devices and receive feedback in real time making it even easier to engage students.

(6) Communicate "live" with native speakers around the world. Using guided activities available in **MySpanishLab,** students practice language, share cultures, and explore interests within WeSpeke, a social network for online practice and cultural exchange, and then summarize their interactions. Rubrics are also available for instructors.

(7) **MediaShare,** Pearson's one-stop media share tool available in **MySpanishLab**, includes activities specific to *Gente.* **MediaShare** is a comprehensive file-upload tool that allows language learners to create and to post video assignments, role-plays, group projects, and more in a variety of formats including video, Word, PowerPoint, and Excel. Structured much like a social networking site, **MediaShare** helps promote a sense of community among learners. Instructors can create and post assignments—or copy and use pre-loaded assignments for *Gente*—and then evaluate and comment on learners' submissions online. Integrated video-capture functionality allows learners and instructors to record video directly from a webcam or smartphone using the **MediaShare app.**

(8) The electronic **Student Activities Manual** in **MySpanishLab** has been enhanced to include video activities to accompany *Club cultura* and synchronous voice & video recording activities that further engage students in the learning process.

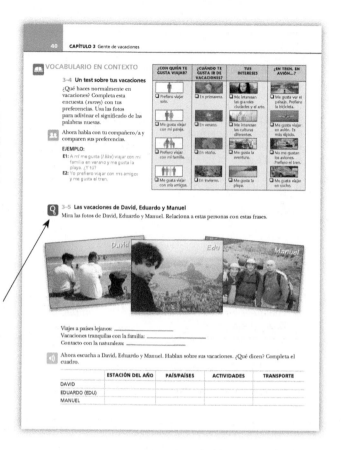

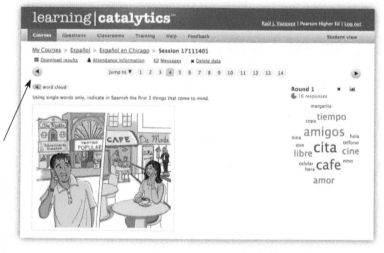

CLUB CULTURA

Embark on a delightful journey of discovery as members of *Club cultura* introduce viewers to the Spanish-speaking world via vibrant video footage shot on location in all 21 countries. Students learn about cultural customs and daily life from native speakers, including their traditions, geography, history, and festivals, among other engaging aspects of their lives. Students are immersed in the nuances of culture and the Spanish language while being exposed to topics that are dynamic and engaging. Fun and probing, entertaining and educational, indigenous and international, the *Club cultura* video program offers students a culturally rich tour of some of the most dynamic aspects of today's Spanish-speaking world.

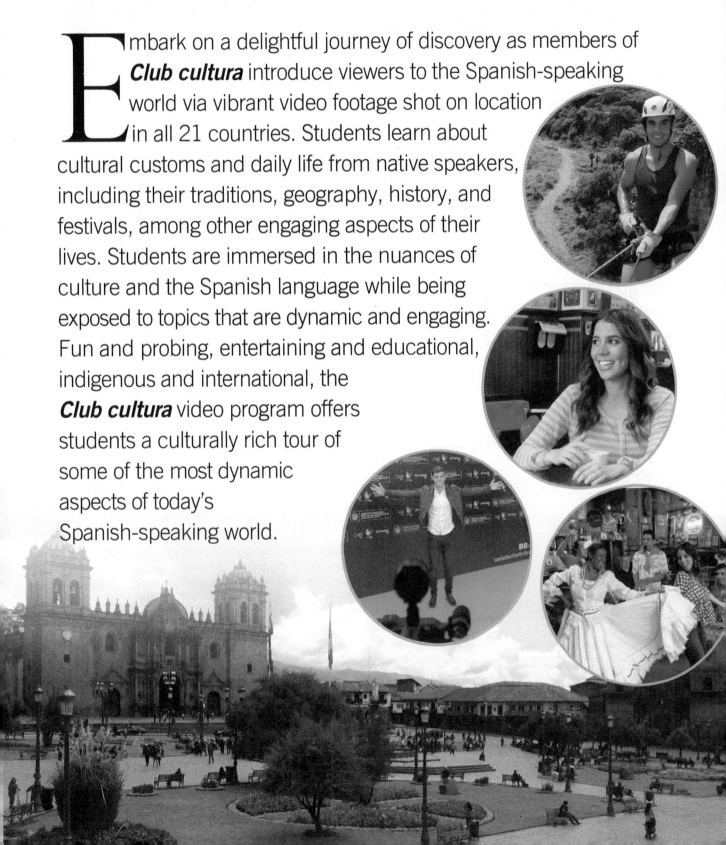

LEARN SMARTER

Boost performance with powerful, personalized learning!

Powered by **amplifire** and accessible in **MySpanishLab**, new **Dynamic Study Modules** combine leading brain science with big-data adaptivity to engage students, drive proficiency, and improve outcomes like never before.

As the language learning and teaching community moves to digital learning tools, Pearson is supercharging its Spanish content and optimizing its learning offerings with personalized **Dynamic Study Modules,** powered by **amplifire** and **MySpanishLab**. And, we're already seeing significant gains. Developed exclusively for *beginning Spanish learners*, each study module offers a differentiated digital solution that consistently improves learning results and increases levels of user confidence and engagement with the course materials.

Language instructors observe that they are able to maximize their effectiveness, both in and out of the classroom, because they are freed from the onerous task of basic knowledge transfer and empowered to:

> reclaim up to 65 more class time for peer to peer communication in the target language;
> tailor presentation and focused practice to address only the most prevalent student knowledge gaps;
> enable livelier, more engaged classrooms.

How do Dynamic Study Modules powered by amplifire improve learning?

1 **Dynamic Study Modules** consist of a comprehensive online learning process that starts with modules of 25 vocabulary and grammar questions that drive deep, contextual knowledge acquisition and understanding.

Based on a Test–Learn–Retest adaptive module, as students respond to each question the tool assesses both knowledge and confidence to identify what students do and don't know. Asking students to indicate their level of confidence engages a different part of the brain than just asking them to answer the question.

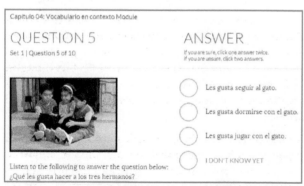

2 Results, embedded explanations, and review opportunities are extremely comprehensive and ideal for fast learning and long-lasting retention.

After completing the first question set, students are given embedded and detailed explanations for their correct answers, as well as why other answer choices were incorrect. This approach, taken directly from research in cognitive psychology, promotes more accurate knowledge recall. Embedding the learning into the application also saves students valuable study time because they have the learning content at their fingertips!

3 **Dynamic Study Modules** cycle students through learning content until they demonstrate mastery of the information by answering all questions confidently and correctly.

Once students have reviewed the first set of answers and explanations, modules **amplifire** presents them with a new set of questions. The **amplifire** methodology cycles students through an adaptive, repetitive process of test-learn-retest, until they achieve mastery of the material.

RESULTS!

Based on GAMING and LEARNER ENGAGEMENT techniques, **Dynamic Study Modules** powered by **amplifire** and **MySpanishLab** take basic knowledge transfer out of the classroom and improve performance.

Improved student performance and long-term retention of the material ensures students are not only better prepared for their exams, but also for their future classes and careers.

PREFACE

How do you think your students would feel if, by the end of their beginning Spanish course, they could *talk about* and *do* the following?

- Choose a Spanish-speaking country for an end-of-the-year class trip.
- Meet important Hispanic-Americans and divide them into groups for dinner.
- Plan a vacation to Venezuela.
- Plan a class party and decide on gifts for classmates and their instructor.
- Create a health guide for new students on campus.
- Select an apartment and a roommate. Furnish the apartment.
- Organize a trip to the Dominican Republic.
- Write a recipe in Spanish.
- Identify the main problems on campus and propose solutions.
- Write a biography of a famous person using given information.
- Create a campaign for the prevention of accidents or health problems.
- Conduct an interview with an interesting person in the community.
- Plan a weekend in a city in Spain.
- Design a "smart" dorm.
- Write an ending for a mystery novel.
- Set up a business and create an advertisement to promote it.
- Discuss a global problem and prepare an action plan to resolve it.

New to the Third Edition

A New Intermediate level program has been added for instructors who wish to use a task-based approach over four semesters. Ten chapters in length, the intermediate level of the *Gente* program relies on negotiation of meaning through collaborative work. Like *Gente: nivel básico, Gente: nivel intermedio* exposes learners to rich input and authentic language as they practice within highly engaging, relevant contexts.

Expanded *Annotated Instructor's Edition.* The expanded *Annotated Instructor's Edition* is based on feedback from program coordinators and graduate teaching assistants of previous editions of *Gente.* Comprehensive, practical teaching tips and notes appear throughout the margins of the *Annotated Instructor's Edition* to *Gente,* making the program easy to implement successfully, regardless of teaching experience.

Fewer chapters allow for easy implementation. In response to second edition users' suggestions, the number of chapters in the third edition has been reduced to 20. This streamlined format allows for easier implementation and lesson planning.

Expanded cultural content provides students with cultural insights into the entire Spanish-speaking world, including the United States. *Hispanic/Latinos in the United States* sections promote awareness of Spanish-speaking communities in the United States. New activities foster comparisons and cross-cultural awareness. Relevant and authentic cultural input has been revised to reinforce connections between language and culture. Carefully selected readings and writing tasks, maps, and extensive visuals encourage students to make connections between the cultures of Spanish-speaking countries and their own.

The chapter-culminating *tareas* include a new reflection step. At the end of each *tarea,* a new linguistic focus stage clarifies key structures, meaning, and function, so that students can reflect on the content of the chapter and their overall language learning.

The *Consultorio gramatical* is now in English for easier comprehension. The *Consultorio gramatical,* an easy-to-understand grammar reference section, is written in English with Spanish examples and English equivalents, to facilitate processing and understanding.

Streamlined *Nuestra gente* sections and the end-of-chapter *Vocabulario* make work in each chapter more efficient and meaningful. The *Nuestra gente* section in every chapter has been reduced to three pages, and end-of-chapter vocabulary lists have been shortened to help students learn critical new words and phrases.

MySpanishLab **tutorials, activities, and point-of-need support facilitate learning.** Over one million language learners have used *MyLanguageLabs* to improve results in their beginning and intermediate language courses. Pearson's popular suite of online products combine a learning management system with instructional materials to improve outcomes.

Learning by Doing: the Task-Based Approach

We all learn better by doing. Imagine trying to learn to play golf, swim, cook, or develop computer skills—

almost anything—through explanation *about* rather than immersion *in* the actual experience. When we learn any new skill, we need lots of structured input at the beginning as we begin to try out our fledgling abilities. As we become better at it, we produce more (output) and benefit from continued input (but less of it) as we refine our ability to do the **task** at hand.

task (*in second-language pedagogy*): *A collaborative project with a goal and an observable product.*

Gente provides resources that create a dynamic, communicatively oriented classroom through activities and tasks that require student collaboration and communication. In task-based language learning, students become active users of the language as they participate in the learning process. Students who have experience with task-based learning report that they gain confidence in speaking and interacting soon after beginning a task-based course. They can cope with natural spontaneous speech quite easily and tackle tough reading texts in an appropriate way. Most importantly, they become independent learners. Independent learners never stop learning!

Hallmark Features of *Gente*

Consistent Learning Sequence

The instructional sequence of each of **Gente**'s brief 20 chapters (a feature that serves to motivate students by giving them a greater sense of accomplishment) progresses from a focus on input to a focus on output (that is, contextualized input to guided output, to free output, to the global/integrative task). The **Gente** learner-centered program has a single, overarching goal: to provide resources for use in a task-based, dynamic, communicatively oriented classroom.

When acquiring knowledge of new material, learners often feel overwhelmed if they are asked to learn and produce simultaneously, raising their affective filter. Learners need time to process information before they are able to produce language.

Each chapter begins with a focus on contextualized input that provides an initial approach to the thematic, cultural, and linguistic contents of the chapter. They are also introduced to the *tarea* they will be doing later in the chapter, which is intended to give them a specific purpose and provide a framework for their work. Learners also receive preliminary information on the country that is the cultural focal point of the chapter.

Learners do better with vocabulary and grammar acquisition if they learn them within a cultural context that provides clear goals for their use.

After receiving contextualized input and a context for the goals of the chapter in the chapter-opening spread, learners receive culturally authentic language input (vocabulary and grammar) to achieve those goals. They are also given opportunities for guided output with activities that focus on comprehension and require minimal output.

Learners need explicit communication strategies to learn to manage conversation.

Learners are now ready for open-ended output through communicative practice, employing the vocabulary and grammar structures newly acquired.

Even successful learners may feel that although they have learned the linguistic aspects of language, they are uncertain about what they can actually do with that language.

Learners now put their acquisition of language and their practice of that language to use through a global, integrative task—the *tarea*. A task is a real-world activity that has a non-linguistic outcome and does not limit itself to any grammatical structures.

Approach to Grammar Instruction

The focus on form, meaning, and use gives learners a true understanding of the Spanish language while providing a three-point grammar support for independent learning.

Learners learn grammar best when there is a clear focus on form, meaning, and the precise purpose of use.

Gente's approach to grammar involves more than the study of grammar forms. Each activity encourages the establishment of connections between *forms* and *meanings*, as well as the *use* of those forms in context, with varied levels of emphasis on the three aspects. **Gente** presents explicit grammar instruction from a functional, usage-based perspective. Students learn grammar forms outside the classroom. Grammar explanations are provided in English for immediate access.

Learners often have individual issues with learning grammar. Clearing up those issues for individual students in class can drain valuable class time. Additionally, learners often do not know the language of English grammar, which impedes their acquisition of Spanish grammar.

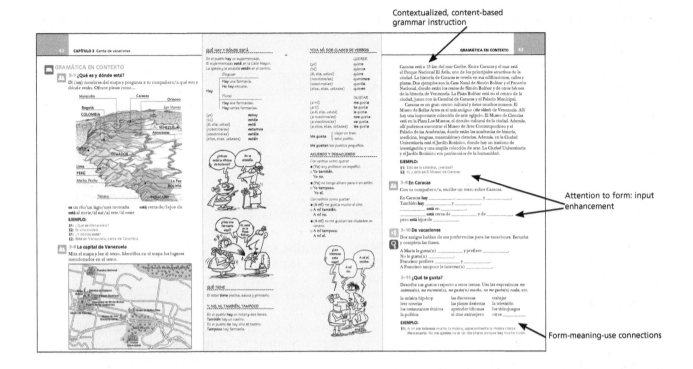

Contextualized, content-based grammar instruction

Attention to form: input enhancement

Form-meaning-use connections

Learners are given the opportunity to practice the acquisition of grammar before coming to class with form-based activities found within the online component of **Gente**, *MySpanishLab*. *MySpanishLab* also provides animated grammar tutorials organized by chapter and/or by topic. Tutorials are also provided for English grammar for those students who need help in learning and understanding grammar language and usage.

When learners are doing in-class grammar activities, they often have a hard time remembering the grammar forms they have learned. This impedes their ability to communicate freely.

Yellow, in-text grammar-summary boxes are found at the point-of-need next to the grammar activities. These boxes synthesize and correspond to the structures that are taught in the end-of-chapter *Consultorio gramatical.*

Emphasis on Interaction and Collaborative Learning

Interaction is much more than an opportunity to practice language; the authors of **Gente** believe it is the way language is learned.

Learners need a lot of time to talk in the classroom with their peers in order to achieve a high level of oral proficiency, but limited contact hours and large class sizes make this difficult to achieve.

Gente provides extensive opportunities for cooperative learning in pairs and groups to further promote classroom-negotiated interaction. New synchronous voice and video recording activities found in *MySpanishLab* also encourage online partner collaboration and communication.

Learners often feel inhibited when speaking the target language and don't have effective strategies to help them focus on their specific communication needs.

Learners are exposed to strategies for effective interaction, such as how to focus on specific information, how to interact in given contexts, or how to ask for clarification.

Even learners who study and practice the structures have difficulty applying what they have learned in the context of speaking spontaneously.

Gente emphasizes the development of discourse abilities. Every *tarea* requires the learner to carry out a plan. Each *Gente que escribe* section includes a *Más allá de la frase* box giving learners linguistic tools to increase their discourse abilities.

In order to be a good participant in a conversation, learners also need to learn how to listen effectively. Learners need listening activities that help them develop listening skills to increase their comprehension.

All listening tasks expose the learners to naturally spoken Spanish in conversations, and include practice in top-down and bottom-up listening skills. Top-down strategies are listener based; the listener taps into background knowledge of the topic, the situation or context, the type of text, and the language. Top-down strategies include listening for the main idea, predicting, drawing inferences, and summarizing.

Bottom-up strategies are text based; the listener relies on the language in the message, that is, the combination of sounds, words, and grammar that creates meaning. Bottom-up strategies include listening for specific details, recognizing cognates, and recognizing word-order patterns.

Raising Cultural Consciousness and Cross-Cultural Awareness

Culture plays an intrinsic role in foreign language development. Learners develop a critical understanding of the cultures of Spanish-speaking countries.

Most learners have little prior understanding of the Spanish-speaking cultures and do not understand the connection between language and culture.

Every chapter in **Gente** is content based and culturally oriented, revolving around a specific Spanish-speaking country. Relevant and authentic cultural input (both visual and written) is included throughout the chapter.

Learners develop cultural awareness within the context of language learning, helping them understand the intrinsic role that culture plays in language development. Providing contextualized cultural content throughout the chapter reinforces the connections between form and meaning, and between language and culture.

Not only do most learners not have an awareness of Spanish-speaking cultures, they often do not have an objective awareness of their own cultural precepts.

The *Nuestra gente* section gives learners the opportunity to reflect on and make comparisons within the Hispanic world, as well as within their own context. Learners develop an increased *cross-cultural awareness,*

which leads to better communication and fewer misunderstandings with people from other cultures.

Development of Culture-Based, Strategic Reading and Writing

Learners often lack basic reading skills and strategies, a weakness that is accentuated when negotiating text or writing in the target language.

Gente que lee section helps learners develop reading skills through an exploration of the Spanish-speaking countries. Readings are based upon a variety of authentic sources that cover a wide range of topics, countries, and genres. This section provides extensive strategic reading instruction, along with focused pre- and post-reading activities.

Gente que escribe activities assign real-life writing tasks that promote an interactive, discourse-based approach to writing through a wide range of writing topics. Students learn to write as a process of creating, sharing, and revising ideas and sentences.

How *Gente* Works: Chapter Organization

The task-based approach in **Gente** is highly communicative and creates an immersion-like experience in the elementary and intermediate Spanish classrooms. The chart below offers a visual representation of **Gente**'s chapter organization and its evolving ratio of input to output (page references are taken from Chapter 3, *Gente de vacaciones*).

Chapter Organization

Chapter Opener and *Acercamientos*. This section is high input, and sets the stage for the "task at hand," the *tarea* that is the focal point in every chapter. Students are introduced to the theme, culture, and linguistic content of the chapter through activities that activate the learner's background knowledge.

In Chapter 3, the topic is *Gente de vacaciones,* and the *tarea* that learners will be asked to complete is to plan a vacation in Venezuela (the country of focus in the chapter). The topic is introduced through language and visuals (photographs, line art, and realia) that activate the learner's knowledge. The input/output ratio is heavily weighted towards input with minimal expectation of output. All production at this stage is limited to confirming comprehension. Objectives are non-linguistic. Learners are focused on what they will learn *to do*. With *Gente* students learn by doing. Throughout the program activity direction lines are in Spanish; glosses are provided as needed to help students understand the procedural aspects of the activities and tasks.

Vocabulario en contexto. The *Vocabulario en contexto* section presents the thematic content that will serve as the context for the tasks to come. Learners negotiate meaning through the rich, culturally authentic input presented in the form of documents with images, language, and audio. Active vocabulary is introduced in context and is followed by a series of activities and micro-tasks that focus primarily on comprehension with some guided output. Visuals, text, audio, and instructor discourse combine to create the broad and varied sources of input. Some structures are previewed lexically in context and will be presented in the subsequent *Gramática en contexto* section. (See activity 3-4 in Chapter 3, for example.)

A *Vocabulario* section at the end of the chapter contains the active vocabulary, that is, the words that learners need to understand and use in order to successfully complete the chapter's learning sequence. Students can listen to these words pronounced by a native speaker within *MySpanishLab* and practice their pronunciation.

Gramática en contexto. This section focuses on content-based grammar by presenting the target structures in context. Activities encourage attention to form, form-meaning-usage connections, and effective use of the grammar forms. Input is provided with minimal output, but production is now increased in a guided manner

Chapter Structure

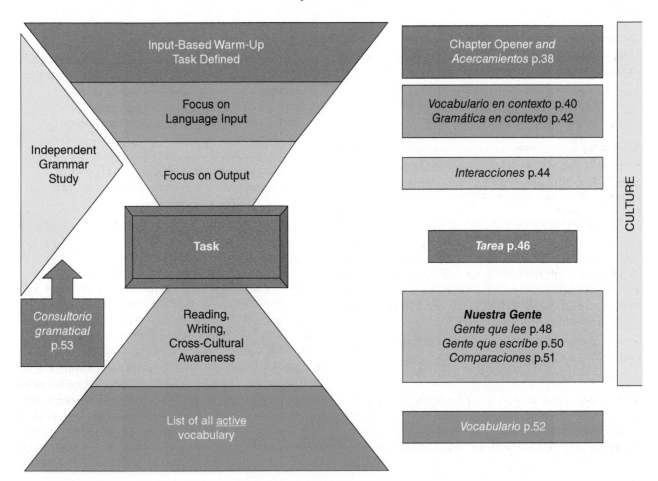

through the activities and micro-tasks. Summary grammar boxes are placed strategically to remind students of what they studied before class and serve as a quick in-class reference while they do the activities and micro-tasks. Grammar input is provided within a culturally rich context. Cultural knowledge is an ongoing process throughout the chapter. *Gente*'s unique approach to grammar allows students to master essential structures while ensuring that valuable class time is devoted to meaningful, communicative use of the target language.

Interacciones. This section targets the development of oral discourse and interactional strategies by engaging students in collaborative, pair- and group-work activities that focus on meaning. Although input continues to be provided, there is now a greater emphasis upon production; it is less guided than in the previous vocabulary and grammar sections, thus moving the student along to freer output. The progression within this section shifts from a more controlled format to a more open one, which culminates in *Situaciones,* a role-play activity.

Tarea. The *tarea* (see illustration next page) is the central element (the main event!) in every chapter in which students use the contents of the previous four sections of the chapter to carry out a collaborative task. The focus here is on free output. The task has various steps (*pasos*) that represent different skills and levels of difficulty. The final linguistic focus of each task gives students an opportunity to reflect on the content of the chapter and progress in their overall language learning. *Ayuda* boxes provide specific grammatical and functional aids to help students as they carry out the collaborative task.

The ***Gente en acción*** video serves as a support and preview for students for the *tarea* in the chapter. Provided online in *MySpanishLab,* each chapter has a video clip of about five minutes showing five recurring native speakers carrying out a task similar to the one in the chapter. The video is supported by pre-viewing, while-viewing, and post-viewing activities.

Nuestra gente. The final part in every chapter targets the development of reading and writing, as well as cross-cultural awareness. Sections include *Gente que lee, Gente que escribe,* and *Comparaciones.*

- *Gente que lee* sections emphasize the development of discourse-based, strategic reading through content-based, process-oriented reading tasks. This section helps students develop reading skills through an exploration of the Spanish-speaking cultures. Readings are based on a variety of authentic sources that cover a wide range of topics. *Gente que lee* provides extensive strategic reading instruction designed to build a core set of reading skills. Focused pre- and post-reading activities develop a range of reading comprehension skills, such as predicting content, understanding the main idea, and identifying topic sentences. As a result, students begin to read purposefully, efficiently, and effectively.

- *Gente que escribe* sections emphasize the development of discourse-based, strategic writing through content-based, process-oriented writing tasks. *Gente que escribe* includes real-life writing tasks that promote an interactive, discourse-based approach to writing and encourage students to be aware of their audience and its culture. Students learn to write as a process of creating, sharing, and revising ideas and sentences. Each writing task requires brainstorming, drafting, revising, proofreading, and editing. A wide range of writing topics inspires students' self-expression.

- *Comparaciones* sections focus on culture. Although culture is integrated throughout the *Gente* chapters, these special sections encourage students to further explore the Spanish-speaking cultures, including the United States. Activities foster development of cultural consciousness, cross-cultural awareness, and critical thinking. A *Cultura* box at the end of each *Comparaciones* section provides information on Hispanics/ Latinos who are descendents from the target country of the chapter.

Vocabulario. All active vocabulary from the chapter is listed in the *Vocabulario* section at the end of every chapter.

Consultorio gramatical. This grammar reference section appears on shaded pages at the very end of the chapter. However, students will study this section outside of class before beginning the in-class grammar section. The *Consultorio gramatical* gives explicit instruction on the target grammar points of the chapter. The structures are presented from a notional-functional, discourse point of view, which provides students with a deeper understanding of the structures. This section is in English for easier student comprehension, and to help them facilitate processing and understanding of the linguistic and metalinguistic aspects of the

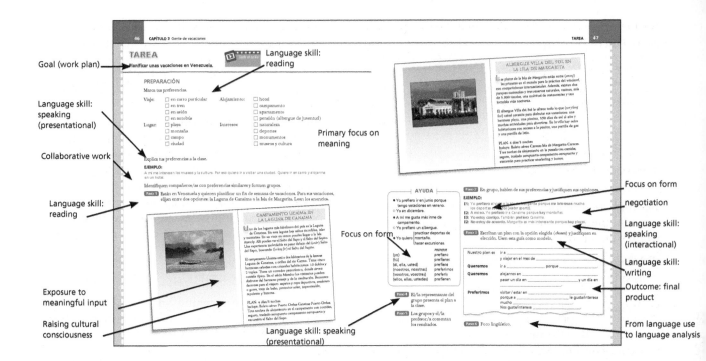

language. Note that extensive out-of-class grammar instruction and practice is also provided through *MySpanishLab* tutorials and practice activities, including assessment and tutorials on the students' knowledge of English grammar, which is essential for their successful acquisition of the target language.

Activity Sequence

The instructional sequence in *Gente* progresses from contextualized input to guided output to free output to a global, integrative task; this sequence is consistent in every chapter. The program has been designed to achieve a single, overarching goal: to provide resources for language use in a dynamic, communicatively and culturally oriented language classroom.

Below is a description of the progression of activities (mini-tasks), which lead to the chapter's main *tarea* for Chapter 3, *Gente de vacaciones*. The walk-through demonstrates how each chapter's activities build progressively, giving students the ability to do the task at hand.

CHAPTER OPENER

3-1 Un viaje a Venezuela (p. 38). Students are informed about their task for the chapter (*Planifica unas vacaciones en Venezuela*) and learn of some places of interest in Venezuela and identify their location on the map.

ACERCAMIENTOS

3-2 and 3-3 ¿Caracas o el Parque Nacional Canaima? / **¿Adónde va la clase?** (p. 39). Students learn to express preference through two possible destinations and then vote collaboratively with their class on where they will go.

VOCABULARIO EN CONTEXTO

3-4 Un test sobre tus vacaciones (p. 40). Students use visuals and texts to learn relevant vocabulary as they express their preferences when taking a vacation.

3-5 and 3-6 Las vacaciones de David, Eduardo y Manuel *and* Busco compañero/a de viaje (pp. 40-41). Students use visuals, text, audio, and realia to learn more vacation vocabulary, listen to others express their vacation preferences while identifying those preferences, and decide which of three vacation trips they would personally prefer.

GRAMÁTICA EN CONTEXTO

3-7 ¿Qué es y dónde está? (p. 42). Students use a map of Venezuela and surrounding countries to identify some geographic features and cities of Venezuela and its surrounding geographic context.

3-8 and 3-9   La capital de Venezuela/En Caracas (pp. 42-43). Students read a map of Caracas and identify the places mentioned in the accompanying text about the city. Students then complete a paragraph in which they describe Caracas and also see **hay** and **está(n)** used correctly.

3-10 and 3-11 De vacaciones / ¿Qué te gusta? (p. 43). Students listen to two friends talking about their vacation preferences and complete some phrases in order to identify the likes and dislikes of each. Then, they create statements describing their own personal preferences.

INTERACCIONES

3-12 ¿De acuerdo o no? (p. 44). Students express their opinions about the kind of vacations they like to take and their agreement or disagreement with their group's preferences.

3-13 Tus preferencias para viajar (p. 44). Students express their preferences for different modes of transportation for their vacation destination and state their agreement or disagreement with their partner's preferences and opinions.

3-14 ¿De acuerdo? (p. 45). Students fill out a chart to express their preferences for specific activities; they identify two things about which they agree with their partner and two things about which they disagree. They then present their findings to the class.

3-15 Situaciones: En el hotel (p. 45). Students carry out a role-play activity about a U.S. student on vacation in Venezuela. That traveler has just walked into a hotel lobby and is asking the receptionist for information about the hotel's facilities. One student plays the traveler and the other is the hotel receptionist.

TAREA

Planificar unas vacaciones en Venezuela (pp. 46-47).

Preparación: Students choose their preferences for mode of transport, location, lodging, and interests on planning their vacation in Venezuela, and they explain their preferences to the class. Students then divide themselves into groups based upon similar interests for their vacation so that they can now plan together.

Paso 1 and 2: Students work in their groups to plan their weekend activities while in Venezuela. They have two options: *la Laguna de Canaima* or *la Isla de Margarita*. After reading information provided in the text about both locations, they talk with their group to explain and justify their individual preferences.

Paso 3: Students work collaboratively to write up their weekend plans.

Paso 4: A chosen representative from each group orally presents the group's plan to the class.

Paso 5: The other groups and the instructor comment on the results.

Paso 6: Foco lingüístico. Students reflect upon the content of the chapter and their overall progress in language learning.

Tarea **finished!** Students will then move on to learning how to *do* something new in Chapter 4—planning a class party and deciding on gifts for their classmates and their teacher! And, while they are doing that, they will learn the new words they need to accomplish their task, strategies for formulating direct questions, the use of the indefinite articles, how to express obligation, and asking for and stating prices.

Program Components

Gente is a complete teaching and learning program that includes a variety of resources for instructors and students, including an innovative offering of online resources.

For the Instructor

Annotated Instructor's Edition (AIE)

The **AIE** contains an abundance of marginal annotations designed especially for novice instructors, instructors who are new to the *Gente* program, and instructors who have limited time for class preparation. Ample space is provided for annotations alongside full-size pages of the student text. Marginal annotations suggest warm-up and expansion exercises and activities, and provide teaching tips and additional cultural information. Answers to discrete-point activities are printed in blue type for the instructor's convenience. Note that the marginal annotations align with the activities on the page making it easier for instructors to use.

La enseñanza por tareas describes the benefits of task-based teaching for languages and gives practical and proven tips on teaching with task-based materials.

Teaching with *Gente* video

The **Teaching with *Gente* video** demonstrates an instructor teaching with *Gente* using the task-based approach, modeling how to approach each section of the chapter (*Vocabulario en contexto, Gramática en contexto, Interacciones,* and so on.). Each clip also provides a description of and goals for each section and a sample lesson plan.

Instructor's Resource Manual

The **Instructor's Resource Manual** contains complete lesson plans, integrated syllabi for face-to-face and hybrid courses, as well as helpful suggestions for new instructors. It also provides videoscripts for all episodes of the *Gente en acción* video, audioscripts for listening activities in the **Student Activities Manual**, and a complete guide to all components in the **Gente** program. The **Instructor's Resource Manual** is available to instructors online at the *Gente* **Instructor Resource Center**.

Testing Program with Audio

Available online, testing content is closely coordinated with the vocabulary, grammar, culture, and skills materials presented in the program. For each chapter, a bank of testing activities is provided in modular form; instructors can select and combine modules to create customized tests tailored to the needs of their classes. Complete, ready-to-use tests are also provided for every chapter. The tests and testing modules are available to instructors in the online **Instructor Resource Center** and in *MySpanishLab*. Recordings to accompany all listening comprehension activities are also available within *MySpanishLab*.

For the Student

The student text is available in a variety of formats at different price points: paper-bound version (full or partial chapters), à la carte loose-leaf edition, or completely digital.

MySpanishLab for *Gente*

Student Activities Manual (printed or online through *MySpanishLab*)

Acknowledgments

I am indebted to many members of the Spanish teaching community for their time, candor, and insightful suggestions as they reviewed the drafts of the third edition of *Gente*. Their critiques and recommendations helped me to sharpen the pedagogical focus and improve the overall quality of the program. I gratefully acknowledge the contributions of the following reviewers:

Carole Cloutier, *University of Massachusetts*
Gerardo I. Cruz-Tanahara, *Cardinal Stritch University*
Gustavo Fares, *Lawrence University*
Marlene Gottlieb, *Manhattan College*
Jason Jolley, *Missouri State University*
Pedro Koo, *Missouri State University*
Ana López-Sánchez, *Haverford College*
Brian Mann, *North Georgia College and State University*
Frances Matos-Schultz, *University of Minnesota*
Liliana Paredes, *Duke University*
Luisa Piemontese, *Southern Connecticut State University*
Amy Rossomondo, *University of Kansas*
Guadalupe Ruiz-Fajardo, *Columbia University*
Barry Velleman, *Marquette University*
Marianne Verlinden, *College of Charleston*
Joseph Weyers, *College of Charleston*

I am also grateful for the guidance of Scott Gravina, Senior Development Editor and Lisa DeWaard, Developmental Editor, for all of their work, suggestions, attention to detail, and dedication to the text. I would also like to thank the contributors who assisted me in the preparation of the third edition: my colleague and friend Margarita Moreno for the Student Activities Manual, Margaret Snyder for the Feedback for the Student Activities Manual and MySpanishLab, and Frances Matos-Schultz for the Syllabi and Lesson Plans found in the Instructor's Resource Manual. I am very grateful to other colleagues and friends at Pearson: Nathalie Murray, Editorial Assistant; Samantha Alducin, Senior Digital Product Manager, for her outstanding work on the MySpanishLab platform; Sandra Fisac Rodríguez, Digital Editorial Assistant; Annemarie Franklin, Program Manager, for managing all contributions for this release and ensuring timely development and production of the text; Kristine Suárez, Director of Market Development; and World Languages consultants Mellissa Yokell, Yesha Brill, and Raúl J. Vázquez López.

I would like to express my most sincere thanks to Marlene Gassler, Project Manager, for guiding me through all the stages of this project; and Tiziana Aime, Senior Acquisitions Editor, for believing in this product and giving me the chance to help make it better, and for her support. I am most grateful to Bob Hemmer, Editor in Chief, and Steve Debow, Marketing Director of World Languages, for supporting my vision. Last, but not least, I thank my husband, John, my daughter, Noelle, and my son, Nico, for their infinite patience, encouragement, and unconditional love. I dedicate this work to them.

María José de la Fuente
The George Washington University

To the Fordham University Student:

This custom textbook has been carefully selected by your instructor to provide maximum value.

Please note the content/chapters of the text have been separated into 2 Volumes for affordability and accessibility.

Thank you.

Pearson Learning Solutions

9 GENTE de CIUDAD

9-1 Ciudades peruanas ☑

Mira las fotos de estas tres ciudades. Descríbelas con detalle. ¿Qué ves en ellas? ¿En qué se parecen y en qué se diferencian?

TAREA

Identificar y evaluar los problemas de una ciudad universitaria y proponer soluciones.

NUESTRA GENTE

Perú
Hispanos/latinos en Estados Unidos

Explore Peru with *Club cultura!*

Lima

Arequipa

Cuzco

CULTURA

Perú es el quinto país más poblado de Sudamérica. El 76% de la población vive en ciudades y el 24% en el campo. Las mayores ciudades se encuentran en la costa, como Piura, Chiclayo, Trujillo y Lima, su capital. En la sierra se destacan las ciudades de Arequipa, Cajamarca, Ayacucho y Cuzco. Finalmente, en la selva la más importante es Iquitos.

ACERCAMIENTOS

9–2 ¿Qué ciudad es?

¿A qué ciudades creen que corresponden estas informaciones? Hay algunas que pueden referirse a varias ciudades. Traten de averiguarlo con la ayuda de las fotos, el mapa y su profesor/a.

	a	b	c	d	e	f	g	h	i	j	k	l	m	n	ñ	o	p
Cuzco		✓			✓			✓		✓			✓		✓	✓	
Iquitos			✓			✓			✓		✓			✓			✓
Lima	✓	✓		✓			✓	✓			✓	✓	✓			✓	
Arequipa	✓	✓	✓										✓		✓	✓	

a. Es una de las 28 ciudades más pobladas del mundo.
b. Es la segunda ciudad más importante de Perú.
c. Está situada en la sierra al sur de Perú.
d. Es la capital de Perú y la ciudad más grande del país.
e. Es la capital del antiguo imperio inca y patrimonio de la humanidad.
f. Está ubicada a orillas del río Amazonas y es la ciudad más importante de la amazonía peruana.
g. Está a orillas del océano Pacífico y tiene playas por toda su costa.
h. Es una ciudad moderna y cosmopolita con mucho entretenimiento y vida cultural.
i. Su clima es tropical, cálido, húmedo y lluvioso, con una temperatura promedio anual de unos 28°C. La temporada de lluvias es de diciembre a marzo y la seca de mayo a septiembre.
j. En el idioma quechua, su nombre significa "ombligo" o centro del mundo. *Center of world*
k. Sus principales industrias son la madera, el ecoturismo y el comercio fluvial.
l. Tiene un puerto marítimo muy importante: El Callao.
m. Su clima es templado, seco y soleado todo el año, con una temperatura diurna de entre 15°C y 18°C, y una temperatura nocturna de hasta 0°C.
n. Solo se puede llegar a esta ciudad por vía aérea o fluvial.
ñ. Está rodeada de tres volcanes: Misti, Chachani y Pichu Pichu.
o. Hay muchas iglesias y monumentos de estilo colonial.
p. Su clima es templado, nublado y extremadamente húmedo. La temperatura varía entre 13°C y 22°C en el invierno y entre 24°C y 32°C en el verano.

ECUADOR
COLOMBIA
Iquitos •
BRASIL
PERÚ
Lima ✪
• Cuzco
OCÉANO
PACÍFICO
Arequipa •

EJEMPLO:

E1: Me parece que la A es Lima porque es la capital de Perú.
E2: Y la B es Cuzco.
E1: ¿Cuzco? No, yo creo que es Arequipa.

Creo – I think

9–3 Otras ciudades

¿Saben en qué países están estas ciudades? Gana el grupo con más respuestas correctas.

Guadalajara México   Guayaquil Ecuador   Mendoza Argentina   Medellín Columbia
Sucre Bolivia   Maracaibo Venezuela   Valparaíso Chile   Sevilla Spain

VOCABULARIO EN CONTEXTO

9–4 Calidad de vida

El ayuntamiento (*city council*) de la ciudad donde estás estudiando te da este cuestionario para conocer la opinión de los estudiantes sobre la calidad de vida de ese lugar.

Contesta individualmente al cuestionario. Luego lee tus respuestas y dale una "calificación" global a la ciudad o pueblo (máximo 10, mínimo 0).

AYUNTAMIENTO DE...
Área de Urbanismo

Encuesta sobre la calidad de vida

	SÍ	NO
TAMAÑO		
¿Cree usted que es una ciudad demasiado grande?	☐	☐
¿Piensa que es demasiado pequeña?	☐	☐
¿Cree que tiene el tamaño apropiado?	☐	☐
TRANSPORTES Y COMUNICACIÓN		
¿Está bien comunicada?	☐	☐
¿Hay mucho tráfico? ¿Hay embotellamientos?	☐	☐
¿Funciona bien el transporte público?	☐	☐
¿Se puede caminar? ¿Hay aceras?	☐	☐
CULTURA Y OCIO		
¿Hay suficientes instalaciones deportivas?	☐	☐
¿Tiene monumentos o museos interesantes?	☐	☐
¿Hay suficiente vida cultural (conciertos, teatros, cines, conferencias...)?	☐	☐
¿Hay ambiente nocturno (discotecas, restaurantes...)?	☐	☐
¿Son bonitos los alrededores?	☐	☐
ECOLOGÍA		
¿Hay mucha contaminación?	☐	☐
¿Tiene suficientes zonas verdes (jardines, parques...)?	☐	☐
¿Se recicla en esta ciudad?	☐	☐

CLIMA	sí	no	**COMERCIO**	sí	no
¿Nieva mucho?	☐	☐	¿Es caro/a?	☐	☐
¿Hace demasiado frío/calor?	☐	☐	¿Hay suficientes tiendas?		
¿Llueve demasiado?	☐	☐			

LA GENTE	sí	no	**PROBLEMAS SOCIALES**		
¿La gente es amable?	☐	☐	¿Existen problemas de drogas?	☐	☐
¿La gente participa?	☐	☐	¿Hay mucha delincuencia?	☐	☐
¿La gente es solidaria?	☐	☐	¿Hay violencia?	☐	☐

Para mí, lo mejor es...
Lo peor es...
Yo pienso que falta/n...

9–5 Mi opinión

Informa a tus compañeros/as de tu decisión. Coméntales los aspectos positivos o negativos que consideras más importantes. Compara tus opiniones con las de tus compañeros/as de grupo.

EJEMPLO:

E1: Mi calificación es cuatro. A mí me parece que no hay suficientes instalaciones deportivas. Además, hay demasiado tráfico.

E2: Pues yo creo que es un siete porque hay mucha vida cultural y entretenimiento, y eso es muy importante.

9–6 Prioridades

Imagina que, por razones de trabajo, tienes que vivir dos años en una ciudad de Perú. ¿Qué es para ti lo más importante que tiene que tener una ciudad? Repasa los aspectos (ecología, clima, cultura y ocio, etc.) del cuestionario de la actividad 9–4 y establece tus prioridades.

Para mí, lo más importante es _____ y también _____.

Lo menos importante es _____ y _____.

9–7 Dos ciudades peruanas para vivir

Lee los textos. Después, haz una lista de los pros y contras de cada ciudad y luego decide qué ciudad prefieres. Explícales a tus compañeros/as de clase las razones de tu elección.

Lima

La ciudad de Lima es una metrópoli de ocho millones y medio de habitantes situada a orillas del río Rímac, frente al océano Pacífico. Es una ciudad moderna en constante crecimiento, pero que mantiene la riqueza de su casco antiguo, declarado por la Unesco patrimonio cultural de la humanidad. Lima es el primer centro industrial y financiero de Perú. Es una ciudad donde se pueden ver muestras del período de la cultura prehispánica (como por ejemplo el santuario de Pachacamac) y del período colonial (como la Catedral, la plaza de Armas o el Convento de Santo Domingo). Además de su maravilloso casco antiguo con impresionantes conventos e iglesias, y de sus museos y plazas, también está la Lima moderna, con sus grandes edificios, centros comerciales, modernos hoteles, restaurantes, discotecas, bares y una animadísima vida nocturna. Por supuesto, como toda gran ciudad, Lima sufre de problemas como la contaminación, el tráfico y la inseguridad.

Iquitos

La ciudad de Iquitos, con unos 250.000 habitantes, está a orillas del Amazonas. A pesar de ser la ciudad más grande de la amazonía peruana, solo se puede acceder a ella por vía aérea o fluvial. En Iquitos sobreviven algunas muestras arquitectónicas de interés, como la Casa Eiffel, o los lujosos hoteles y casonas de estilo *art nouveau*, decorados con objetos traídos directamente de Europa. Su Biblioteca Amazónica es una de las más importantes de América. En los alrededores de la ciudad existen algunas etnias nativas que mantienen rasgos culturales originales. Iquitos tiene además una vida nocturna de gran vitalidad en el boulevard del Malecón Maldonado, en el que hay pubs y restaurantes muy concurridos.

		LIMA	IQUITOS
pros	1.		1.
	2.		2.
	3.		3.
contras	1.		1.
	2.		2.
	3.		3.

GRAMÁTICA EN CONTEXTO

 9–8 Mi ciudad

Compara tu ciudad natal con la ciudad donde estudias. Contrasta tu información con la de tu compañero/a.

EJEMPLO:

E1: Mi ciudad tiene **más** discotecas y restaurantes y es **más** bonita **que** esta. Es divertid**ísima**.

E2: En mi ciudad no hay **tantos** museos **como** en esta y además es **más** aburrida. Es aburrid**ísima**.

 9–9 Atención a la gramática

Lee este texto sobre Cuzco. Fíjate en los pronombres relativos en negrita y clasifícalos en tres grupos. Identifica a qué o quién se refieren.

CUZCO

De día o de noche, Cuzco es una ciudad **que** tiene miles de encantos y atractivos, y **en la que** se puede disfrutar de tantas actividades y diversiones como en una gran ciudad. Es un lugar **donde** se funden la influencia española con el pasado andino, **en el que** todavía hoy se celebra el Inti Raymi o Fiesta del Sol durante el solsticio de invierno el 24 de junio de cada año. Es una ciudad **que** vive principalmente de la agricultura y el turismo. También tiene varias universidades **a las que** asisten miles de estudiantes cada año. Cuzco es una ciudad **a la que** viajan casi todas las personas **que** visitan Perú y tiene un aeropuerto **al que** se necesita ir para volar a las ruinas de Machu Picchu. En fin, es un lugar **del que** nunca puedes olvidarte.

	PRONOMBRES	SE REFIERE A...
Grupo 1	que	*ciudad*
Grupo 2		
Grupo 3		

9–10 ¿Qué tipo de ciudad te gusta?

Completa estas frases:

A mí me gustan las ciudades **que** _____

A mí me gustan las ciudades **en las que** _____

A mí me gustan las ciudades **donde** _____

A mí me gustan las ciudades **a las que** _____

A mí me gustan las ciudades **de las que** _____

A mí me gustan las ciudades con/sin _____

Ahora comparte la información con tu compañero/a.

COMPARACIÓN

Lima: 8.000.000 de habitantes
Arequipa: 1.000.000 de habitantes

Lima tiene **más** habitantes **que** Arequipa.
Arequipa tiene **menos** habitantes **que** Lima.

Lima es **más** grande **que** Arequipa.
Arequipa es **más** pequeña **que** Lima.

más bueno/a ——————➤ mejor
más malo/a ——————➤ peor

SUPERLATIVO

Lima es **la** ciudad **más** grande **de** Perú.

COMPARACIONES DE IGUALDAD

CON UN NOMBRE

Lima tiene { **tanto** encanto / **tanta** contaminación / **tantos** monumentos / **tantas** iglesias } **como** Cuzco.

Luis y Héctor tienen { **la misma** edad. / **el mismo** color de pelo. / **los mismos** problemas. / **las mismas** ideas. }

CON UN ADJETIVO
Cuzco es **tan** importante **como** Lima.

Son iguales.

Sí, ese es tan guapo como ese.

PRONOMBRES RELATIVOS

Lima es una ciudad...

en la que / donde	se vive muy bien.
que	tiene muchos museos.
a la que	vamos todos los veranos.

Son unas ciudades...

en las que / donde	se puede ver arte.
que	tienen muchos museos.
a las que	vamos todos los veranos.

EXPRESAR Y CONTRASTAR OPINIONES

A mí me parece que...
(Yo) pienso / creo que...

Yo (no) estoy de acuerdo { con Juan.
{ contigo.
{ con eso.

Sí, tienes razón.

Sí, claro, pero...
Eso es verdad, pero... } + OPINIÓN
Bueno, pero...

Me parece que la economía está muy mal.

Sí, tienes razón.

A mí me parece que se vive mejor en el campo.

Sí, es verdad.

ME GUSTARÍA

Me gustaría { ir a Lima.
{ visitar Lima.

Me gustaría vivir cerca del mar.

Le gustaría vivir cerca del mar.

9–11 Ciudades del mundo

Piensa en una ciudad mundialmente famosa y escribe cuatro frases para describirla. El resto de la clase va a adivinar qué ciudad es.

EJEMPLO:

Es una ciudad **donde** hay muchos rascacielos.
Es una ciudad **a la que** van muchos turistas.

9–12 ¿París, Londres o Lima?

Elige ciudades para completar las frases.

París	Tokio	Berlín	Moscú
Rabat	Calcuta	Lima	La Habana
Barcelona	Acapulco	Monte Carlo	Ámsterdam
Dublín	Hong Kong	Managua	Las Vegas
Helsinki	Ginebra	Viena	Jerusalén

- A mí **me gustaría** pasar unos días en _____ porque _____
- A mí **me gustaría** ir de vez en cuando a _____ porque _____
- Yo quiero visitar _____ porque _____
- A mí **me gustaría** trabajar una temporada en _____ porque _____
- A mí **me gustaría** vivir en _____ porque _____
- No **me gustaría** nada tener que ir a _____ porque _____

Ahora compara tus deseos (*wishes*) con los de tu compañero/a.

9–13 ¿Campo o ciudad?

Escucha las opiniones de estos dos amigos sobre el campo y la ciudad. ¿Qué prefieren y por qué?

	¿QUÉ PREFIERE?	¿POR QUÉ?
Gonzalo		_____ tiene menos/más _____ que _____.
		_____ hay menos/más _____ que _____.
		Hace menos/más _____ que _____.
Gabriela		_____ tiene menos/más _____ que _____.
		_____ hay menos/más _____ que _____.
		Hace menos/más _____ que _____.

9–14 ¿Y tú?

Piensa en más ventajas y desventajas de vivir en el campo o en la ciudad y después comparte tus opiniones con tu compañero/a. ¿Están de acuerdo?

EJEMPLO:

E1: **A mí me parece que** en el campo necesitas el carro para todo.
E2: **No estoy de acuerdo** porque en la ciudad también lo necesitas.
E1: **Tienes razón**, pero en el campo es **más** difícil vivir sin carro **que** en la ciudad.

INTERACCIONES

ESTRATEGIAS PARA LA COMUNICACIÓN ORAL

Collaboration in conversation (I)

Communicating in conversation is very different from communicating in writing. When having a conversation, speakers need to make sure they are understood, and that they understand. In real-life conversations there is ambiguity, sentences are shorter and often incomplete, there are many pauses and repetitions... and there is no time for planning. Speakers usually help each other out. This is even more the case when you are speaking a foreign language you are just acquiring.

At certain points in the conversation you need to ascertain whether others are following what you are saying and whether or not they are agreeing with you. These are some of the most common ways that Spanish speakers request this confirmation:

¿(Me) entiendes? / ¿(Me) comprendes?	Do you understand?
¿Sabes?	You know?
¿Entiendes/sabes lo que quiero decir?	Do you understand / know what I mean?
¿OK? ¿Ya? ¿Mmmm?	

Likewise, you can show that you understand by using expressions such as:

(Sí), claro	(Yes), of course
(Sí), entiendo / comprendo	(Yes), I understand
Ya (veo)	I see

These rhetorical questions are important for maintaining the natural flow of conversation, and therefore you should try to incorporate them into your regular interactions.

¿Verdad?	Right?
¿No? ¿No te parece? ¿No crees?	Right? Don't you think?

 Escucha otra vez el diálogo de 9–13. Fíjate en estas expresiones que usan Gonzalo y Gabriela. ¿Puedes cambiar las palabras en negrita por otras que expresen lo mismo?

-En el campo se está más fresco, **¿no?**
-**Ya**, pero es aburrido, no hay nada, **¿comprendes?**
-**Sí, claro**, pero tiene otras ventajas, **¿sabes?** La tranquilidad, el aire puro... A mí me encanta la naturaleza. Hay personas a las que no les gusta el ruido, **¿entiendes?**
-**Sí, pero** viviendo en el campo no tienen acceso a la vida cultural. Pierden algo, **¿no crees?**

 9–15 **¿Frío o calor?**

Uno de ustedes va a defender las ventajas de vivir en una ciudad como Fargo (ND) donde hace mucho frío. El otro va a defender las ventajas de vivir en una ciudad donde hace mucho calor como Brownsville (TX). Luego compartan sus opiniones con su compañero/a. ¿Están de acuerdo o no?

EJEMPLO:

E1: **Yo prefiero el calor. Pienso que** en una ciudad como Fargo el invierno debe ser my aburrido, **¿no?**
E2: **No estoy de acuerdo**. Hay nieve y los deportes de invierno son divertidos, **¿no crees?**

9–16 ¿El Barrio Chino o Barranco?

Están en Lima visitando la ciudad. Hoy tienen que decidir qué área de la ciudad desean visitar. Después de leer la información, decidan adónde van. No olviden que deben hacer comparaciones y llegar a un acuerdo.

El Barrio Chino

La colonia china en Perú es la tercera en importancia fuera de la República Popular China, con una población de más de 300.000 habitantes. El Barrio Chino está ubicado en pleno casco antiguo de Lima, a muy pocas cuadras del Congreso y del Palacio Presidencial. En esta parte de la ciudad, bohemios, compositores e intelectuales visitan sus conocidos salones de té, pastelerías y restaurantes (chifas) de comida china cantonesa acriollada que hoy forman parte importante de la gastronomía peruana. En esta zona de la capital peruana destacan el Arco Chino, la iglesia de las Trinitarias y el Molino de Santa Clara, entre otros monumentos interesantes.

Puente de los Suspiros, Lima

Barranco

Actualmente, Barranco es el principal barrio bohemio y nocturno de Lima. Aquí se ven casonas de estilo colonial y floridos parques, calles y avenidas, además de acogedores sitios frente al mar. Su clima es seco, a diferencia de otros distritos de la ciudad que son húmedos. En esta parte de la ciudad hay numerosos restaurantes donde se puede degustar la variada gastronomía peruana a cualquier hora. Los espectáculos musicales y culturales abundan en sus calles y en acogedores rincones a orillas del mar. Se debe visitar el viejo Puente de los Suspiros, rincón predilecto de los enamorados, y su malecón.

EJEMPLO:

E1: A mí me parece que el Barrio Chino es **más interesante que** Barranco porque es más exótico, **¿no?**

E2: ¿Más interesante que Barranco? Yo creo que no... creo que Barranco tiene más cosas que ver... **¿no creen?**

E3: Bueno, los dos tienen muchas cosas, pero el Barrio Chino es **el** tercero **más importante del** mundo...

 9–17 Situaciones: *¿Nueva York o Los Ángeles?*

A Peruvian student wants to visit the United States in February. He/she needs to decide between New York and Los Angeles, and calls a friend in the United States to ask for his/her opinion.

ESTUDIANTE A

You will be visiting the United States for the first time. You love big cities but can't decide between New York and Los Angeles. Call a friend in the United States to ask for his/her opinion. You want to compare different aspects in order to make the best decision. Also, keep in mind that

- you don't like to drive and prefer public transportation.
- you don't like cold weather.
- you love nightlife.
- you enjoy museums.

ESTUDIANTE B

A friend from Lima is coming to the United States for the first time. He/she loves big cities, but can't decide between New York and Los Angeles. Help him/her by comparing different aspects of both cities.

TAREA

Gente en acción

Identificar y evaluar los problemas de una ciudad universitaria y proponer soluciones.

PREPARACIÓN

Una ciudad universitaria o campus universitario se parece bastante a una ciudad real, con sus calles, tiendas, lugares de ocio, viviendas o dormitorios universitarios... Lean esta información sobre una ciudad universitaria que tiene 45.000 estudiantes. Van a tener que tomar decisiones importantes sobre el futuro del campus.

CAMPUS UNIVERSITARIO VILLANUBLA

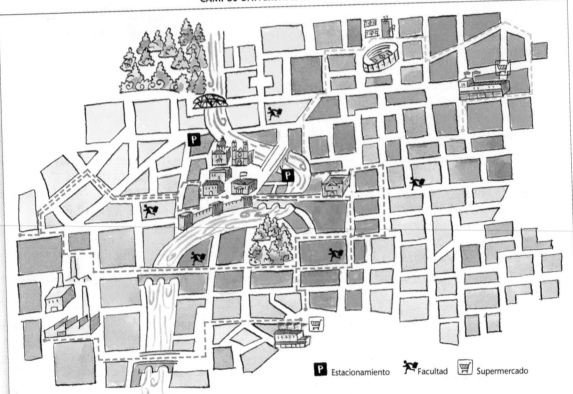

P Estacionamiento   Facultad   Supermercado

TRANSPORTES Y COMUNICACIÓN

- Pocas líneas de transporte público llegan al campus.
- No hay transporte para ir de una parte a otra del campus.
- Hay graves problemas de estacionamiento, ya que solo existen dos estacionamientos con capacidad para 600 carros. El decanato dice que no va a construir más estacionamientos.

COMERCIO

- Hay pocas tiendas y solo dos supermercados en el campus (uno de ellos está muy lejos).
- Todo es carísimo.
- Una cadena de hamburgueserías quiere construir dos restaurantes, pero no hay otras alternativas.
- La comida de las cafeterías es muy mala.

CULTURA Y OCIO

- Solamente hay un cine y un teatro. El teatro tiene graves problemas económicos y el edificio está en muy mal estado.

- La biblioteca es muy pequeña.
- Hay dos bares.
- Instalaciones deportivas: Hay un estadio de fútbol, una piscina al aire libre y un complejo deportivo (baloncesto, tenis y gimnasio). No hay piscina cubierta ni canchas de tenis.

VIVIENDA

- Las residencias estudiantiles son muy pequeñas y las habitaciones también.
- No hay casas para los estudiantes.

SALUD

- Hay un ambulatorio estudiantil pero no hay hospital. Hay pocos médicos.

SERVICIOS PARA FAMILIAS

- No hay guardería para estudiantes con hijos.

SEGURIDAD

- La delincuencia ha aumentado un 22% con respecto al año anterior.
- No hay policía en el campus.

Escucha ahora la encuesta de radio hecha a algunos estudiantes. Escribe cuáles son los problemas que ellos señalan.

1. _____

2. _____

3. _____

4. _____

5. _____

6. _____

Paso 1 Identifiquen ahora los problemas de su propio campus o escuela. Decidan cuáles son los cuatro problemas más urgentes y ordénenlos según su importancia, de mayor a menor.

AYUDA

Para mí / nosotros...

lo más { grave / urgente / importante / necesario } es...

Es { urgente / fundamental / importante } hacer... / construir...

Paso 2 Piensen en las soluciones posibles para cada uno de estos problemas. Ustedes tienen 1.000 millones de dólares. ¿Cómo van a gastarlos?

	Problema	Solución
1.	_____	_____
2.	_____	_____
3.	_____	_____
4.	_____	_____

Paso 3 Ahora escriban un informe con toda la información.

EJEMPLO:

Lo más importante es la falta de estacionamientos. Es fundamental construir más. Por eso vamos a invertir 200 millones para construir tres nuevos estacionamientos.

Paso 4 Informe para la clase.
Su representante va a defender las decisiones de su grupo ante las autoridades del campus.

Paso 5 La clase, con la ayuda de su profesor/a, compara los planes de los diferentes grupos.

EJEMPLO:

El grupo 2 piensa que el estacionamiento es más importante que la comida, pero nosotros creemos que no es tan importante.

Paso 6 Foco lingüístico.

NUESTRA GENTE

GENTE QUE LEE

ESTRATEGIAS PARA LEER

Word order in Spanish

In Spanish, the order of the words that make up a sentence is quite flexible. This means that

1. the subject of a sentence can appear before or after the verb. Look at these examples:

Juan me llama todos los días.   *Todos los días me llama Juan.*

2. the direct object can appear before or after the verb. Look at these examples:

Juan compra los boletos para Perú.   *Los boletos para Perú los compra Juan.*

The most important elements are moved to the front of the sentence for emphasis. Thus, in the case of 1.2, the speaker or writer wants to emphasize the fact that it is everyday that Juan calls him/her. In the case of 2.2, the emphasis is on the tickets and not on who purchases them.

Identify the subject and object in the following sentences:

1. La lengua quechua la habla el 28% de la población peruana.
2. En Perú está la antigua ciudadela inca de Machu Picchu.
3. A la costa peruana puedes viajar de diciembre a abril (verano).

ANTES DE LEER

 9–18 Grandes ciudades

Contesta a siguientes preguntas y después intercambia la información con tu compañero/a.

1. ¿Eres de una gran ciudad, de una ciudad pequeña o de un pueblo? ¿Cuál de estos tres lugares prefieres? ¿Por qué? Compara unos con otros.

2. ¿Qué tiene de atractivo tu ciudad? ¿Cuáles son los lugares más interesantes, las zonas más conocidas? ¿Hay buenas comunicaciones con otras ciudades o países?

9–19 Activando estrategias

1. Lee por encima el texto, su título y el mapa. ¿De qué crees que trata?
2. Observa su estructura y lee las frases temáticas de cada párrafo. ¿Qué información vas a leer?

DESPUÉS DE LEER

9–20 ¿Comprendes?

1. ¿Por qué Lima es una ciudad superpoblada?
2. Según el mapa, ¿qué está más lejos del casco antiguo: San Isidro, Barranco o Miraflores?
3. ¿Dónde puedo ir para ver cerámica precolombina? ¿Y para ver construcciones precolombinas?
4. ¿Y si quiero salir por la noche a divertirme?

A LEER

LIMA, CIUDAD DE LOS REYES

Lima es una ciudad de ocho millones y medio de habitantes (un tercio de la población total de Perú) y está en proceso de megalopolización. Es la quinta ciudad más poblada de América Latina y una de las 30 áreas metropolitanas más grandes del mundo. Esta **superpoblación** es producto de la migración rural de las últimas décadas. En esta ciudad se aplica como en ninguna otra ciudad del país el concepto de **comodidad**, ya que facilita la vida de sus habitantes manteniendo muchos de los restaurantes, farmacias, supermercados, **gasolineras** (en Perú llamadas *grifos*), bancos, centros comerciales y tiendas abiertos al público 24 horas al día.

Lima ofrece impresionantes construcciones coloniales, museos que recrean el milenario pasado peruano en arqueología, historia y arte, y yacimientos arqueológicos **preincaicos**. El casco antiguo, declarado patrimonio de la humanidad en 1988, **alberga** monumentos de valor incalculable. La plaza de Armas es el punto de partida para conocer Lima y la Catedral está a un costado de la plaza. El Palacio de Gobierno es la vivienda del presidente. Muy cerca está la Plaza de San Martín, dedicada al famoso libertador y considerada una de las más lindas de Lima. Para conocer mejor la cultura peruana, lo mejor es visitar alguno de los numerosos museos de Lima, como el Museo Arqueológico Rafael Larco Herrera, que expone la mayor colección de cerámica precolombina, o el Museo del Oro. Es posible también encontrar un legado arqueológico en diferentes construcciones y templos prehispánicos como Pachacamac, centro de peregrinación prehispánico, o el centro ceremonial de Huallamarca.

Lima cuenta además con una amplia variedad de restaurantes donde se puede probar la cocina peruana, reconocida en todo el mundo. En 2006 Lima fue (*was*) declarada capital gastronómica de América Latina en la Cumbre Internacional de Gastronomía. En la cocina peruana se encuentra el aporte de las culturas preincaicas, de la cocina española, de los esclavos africanos, de los chefs franceses de la época de la revolución y de chinos-cantoneses, japoneses e italianos (llegados entre los siglos XIX y XX).

San Isidro, Barranco y Miraflores son los distritos de mayor **atractivo** turístico. San Isidro es un área residencial con buenos restaurantes, centros comerciales y un bonito parque. El distrito de Barranco alberga a artistas y escritores, y por las noches ofrece espectáculos de todo tipo. Finalmente, los mejores hoteles, restaurantes, centros comerciales y discotecas están en el distrito de Miraflores. En Miraflores está también el Parque Kennedy, punto de reunión de artistas y bohemios.

9-21 Activando estrategias

1. ¿Qué significa la palabra "superpoblación"? ¿Es: nombre o adjetivo? ¿Puedes dividirla en partes?
2. Si "gasolina" significa *gas*, ¿qué significa la palabra "gasolinera"?
3. ¿Qué significa la palabra "comodidad"? ¿De qué palabra viene? ¿Es nombre o adjetivo?
4. Divide la palabra *preincaico* en tres partes. ¿Es nombre o adjetivo? ¿Qué significa?
5. Busca la palabra *atractivo* en el diccionario. Elige su significado según el contexto.
6. Según su contexto, ¿qué significa la palabra *alberga*? ¿Es nombre o verbo?
7. Lee las dos frases subrayadas e identifica el sujeto y el complemento en cada una.

9-22 Expansión

¿Cuáles son las otras cuatro ciudades más grandes de América Latina? ¿Y de tu país? ¿En qué se parecen estas megalópolis y en qué se diferencian?

GENTE QUE ESCRIBE

ESTRATEGIAS PARA ESCRIBIR

Adding details to a paragraph

Every sentence in a paragraph should contribute details that develop the idea stated in the topic sentence. Make a list in Spanish of related ideas that develop the topic. Then, organize them in a logical sequence. Write the paragraph and try to make it flow smoothly by using discourse markers. Eliminate anything you don't consider important. Lastly, rewrite your paragraph.

Look at the following topic sentence:

> *Cuzco es un ejemplo de ciudad inca precolombina.*

Which of the following sentences gives unrelated information?

- *Es una ciudad construida con piedra tallada o adobe.*
- *En Perú hay muchas ciudades precolombinas.*
- *Cuzco tiene una gran plaza en el centro.*
- *Las calles de Cuzco son estrechas y rectas.*

Look at the final paragraph, which includes two connectors: *y* and *que* (relative pronoun):

> *Cuzco es un ejemplo de ciudad inca precolombina. Es una ciudad construida con piedra tallada o adobe **que** tiene una gran plaza en el centro **y** calles estrechas y rectas.*

MÁS ALLÁ DE LA FRASE

Connecting information using relative pronouns

Relative pronouns are used to connect two sentences, one dependent on the other. These sentences have two pieces of information: the main idea and the secondary one. Thus, instead of writing two separate sentences such as:

> *Lima es una ciudad muy bonita. Tiene muchos monumentos.*

You may want to integrate both sentences:

> *Lima es una ciudad muy bonita **que** tiene muchos monumentos.*

Don't forget to use prepositions when needed.

> *Lima es una ciudad muy bonita. Voy **a** Lima todos los veranos.* ⟶ *Lima es una ciudad muy bonita **a la que** voy todos los veranos.*

9–23 Carta al alcalde de tu ciudad

Haz una lista de los tres problemas principales que tiene la ciudad en la que vives (tráfico, contaminación, falta de servicios, etc.) y otra lista de tres soluciones posibles. Después escribe una carta al alcalde (*mayor*) para exponerle los problemas y ofrecer soluciones.

Toma en cuenta cuál es el propósito de esta carta y quién es el lector. Elige el registro adecuado. Después escribe un párrafo inicial donde presentas el tema, seguido de (*followed by*) tres párrafos con sus respectivas frases temáticas. Presta atención al desarrollo de cada párrafo.

 ¡ATENCIÓN!

Tu trabajo escrito debe seguir los Pasos 1 a 8 y tener contenidos bien organizados y relevantes. Usa conectores para organizar la información.

COMPARACIONES

9–24 ¿Desde cuándo existen las ciudades?

Las primeras ciudades conocidas aparecen en Mesopotamia y Egipto hace 5.000 años. ¿De cuándo crees que datan estas ciudades?

Chichén Itzá (México)   Teotihuacán (México)   Cádiz (España)   Jamestown (Virginia)
Tikal (Guatemala)   Cholula (México)   San Agustín (Florida)   Cuzco (Perú)

9–25 Caral

¿Sabes cuál es la ciudad más antigua del mundo? ¿Y de América? Lee este texto y responde a las preguntas.

Caral, la primera ciudad de América

El descubrimiento arqueológico de una ciudad de 5.000 años de antigüedad en el norte de Perú es de una magnitud extraordinaria porque permite mostrar que una civilización florecía (*was flourishing*) en el antiguo Perú al mismo tiempo que las civilizaciones de Mesopotamia, China, Egipto e India. La ciudad preincaica de Caral está en el valle de Supe, a 200 kilómetros al norte de Lima. Se trata de la ciudad y la cultura más antiguas del continente americano. El sitio arqueológico de Caral-Supe es una de las primeras "cunas de la civilización" del mundo.

Entre los años 3000 y 1600 a.C., Caral fue (*was*) una ciudad de 65 hectáreas y alrededor de 3.000 habitantes. Sus construcciones de arquitectura monumental y residencial indican la existencia de una economía sólida y de una sociedad con una organización sociopolítica estatal, con una élite gobernante y una población dedicada a la producción agrícola y a la construcción. Con el paso del tiempo, las construcciones en Caral adquieren estructuras cada vez más complejas, lo que indica la evolución de las técnicas de construcción y el conocimiento de las ciencias exactas (aritmética, geometría, astronomía) de las antiguas culturas peruanas.

Caral tiene edificios con plataformas en las que caben dos estadios de fútbol y construcciones de cinco plantas. Algunas de las 32 pirámides encontradas tienen hasta 18 metros de altura. Al pie del Templo Mayor hay grandes plazas circulares, espacios de congregación para los habitantes de la ciudad.

1. ¿Qué similitudes y qué diferencias hay entre una ciudad antigua como esta y una ciudad moderna?
2. ¿Por qué es importante recuperar los restos de estas ciudades? ¿Qué nos muestran las ruinas de una ciudad milenaria sobre las sociedades que las habitan?
3. ¿Cuáles son otros ejemplos de restos arqueológicos importantes en países hispanohablantes?

CULTURA

En Estados Unidos la comunidad de origen peruano asciende a unas 600.000 personas, siendo aproximadamente la mitad ciudadanos estadounidenses. Es una comunidad relativamente reciente; gran parte llegó (*arrived*) al país después de 1990. Esta comunidad vive en muchos lugares pero particularmente en el norte de Nueva Jersey, Nueva York, el Sur de Florida y el área metropolitana de Washington, DC. La cocina peruana es muy popular en Estados Unidos, especialmente el ceviche y el pollo asado. La Inca Kola, el refresco de Perú, y el pisco, el licor nacional, se venden en muchas áreas con población latina. Los estadounidenses Carlos Noriega (astronauta) y Benjamin Bratt (actor) son de origen peruano.

Mario Vargas Llosa

El tenor Juan Diego Flórez, considerado uno de los mejores del mundo, y el escritor Mario Vargas Llosa, uno de los más importantes novelistas de América Latina y Premio Nobel de Literatura en 2010, son dos de los peruanos más famosos en todo el mundo.

Go to **MySpanishLab** to review what you have learned in this chapter.

Flashcards | Oral Practice | Practice Test / Study Plan | amplifire Dynamic Study Modules | Tutorials | Videos | Extra Practice

 ## VOCABULARIO

La ciudad y los servicios (Cities and services)

la acera	sidewalk
el alcalde, la alcaldesa	mayor
los alrededores	outskirts
el aparcamiento	parking lot
el ayuntamiento	city council
el barrio	neighborhood
la cafetería	coffee shop
la carretera	road
el casco antiguo	historic district
la ciudad universitaria	college campus
el edificio	building
los espectáculos	shows
el estacionamiento	parking lot
el estadio	stadium
la gasolinera	gas station
la guardería	daycare, preschool
el habitante	inhabitant
la iglesia	church
el jardín	garden
las obras públicas	public works
el parque	park
el peatón	pedestrian
la plaza	square
la población	population
el puerto	harbor
los rascacielos	skyscrapers
la residencia estudiantil	dorm
el semáforo	traffic light
la señal de tráfico/tránsito	traffic sign
la urbanización	housing development
la vida nocturna	nightlife
la zona peatonal	pedestrian zone
la zona verde	green zone

Problemas de la ciudad (Problems of the city)

la basura	garbage, trash
la calidad de vida	quality of life
el caos	chaos
la delincuencia	crime
el desempleo	unemployment
la droga	drugs
el embotellamiento	traffic jam
el humo	smoke
el olor	smell
la pobreza	poverty
el ruido	noise
la violencia	violence

El clima y el medio ambiente (Weather and environment)

el aire	air
el calor	heat
el clima	climate, weather
la contaminación	pollution
la ecología	ecology
la lluvia	rain
el medio ambiente	environment
la niebla	fog
la nieve	snow
la polución	pollution

Adjetivos (Adjectives)

acogedor/a	welcoming, friendly, warm
ambiental	environmental
bien/mal situado/a	well/badly located
cálido/a	warm
caluroso/a	hot (weather)
colorido/a	colorful
grave	serious
húmedo/a	humid
limpio/a	clean
nublado/a	foggy
peligroso/a	dangerous
poblado/a	populated
seco/a	dry
soleado/a	sunny
sucio/a	dirty
superpoblado/a	overpopulated
templado/a	cool (weather)

Verbos (Verbs)

aburrirse	to get bored
construir	to build
contaminar	to pollute
crecer (zc)	to grow
criticar	to criticize, to critique
destinar	to assign
disponer de algo	to have something
faltar	to lack
funcionar	to function, to work
instalar	to install
instalarse	to settle down
llover (ue)	to rain
manejar	to drive
ocurrir	to happen
rebasar	to exceed
recibir	to receive
reciclar	to recycle
rodear	to surround

CONSULTORIO GRAMATICAL

1 Comparatives

We compare things that are different. The comparative forms **más... que...** and **menos... que...** can be used to compare nouns or adjectives.

Lima tiene **más** habitantes **que** Arequipa.
Lima has **more** inhabitants **than** Arequipa.

Arequipa tiene **menos** habitantes **que** Lima.
Arequipa has **fewer** inhabitants **than** Lima.

Lima es **más** grande **que** Arequipa.
Lima is **bigger than** Arequipa.

Arequipa es **más** pequeña **que** Lima.
Arequipa is **smaller than** Lima.

Some adjectives have special forms.

más bueno/a, *más bien	=	**mejor** (*better*)	El campo es **mejor que** la ciudad.
más malo/a, *más mal	=	**peor** (*worse*)	La ciudad es **peor que** el campo.
más grande / de más edad	=	**mayor** (*older*)	Ana es **mayor que** mi padre.
más pequeño/a / de menos edad	=	**menor** (*younger*)	Raúl es **menor que** su novia.

When referring to size you can use one of two forms: **mayor** or **más grande**, and **menor** or **más pequeño**.

Comparatives can also be used to compare actions (verbs).

VERB + **más / menos** + QUE

Raúl trabaja **más que** su novia.
Raúl works **more than** his girlfriend.

2 The Superlative

We use this form when we want to stress the superiority of something or someone against all others.

Lima es **la** ciudad **más** grande de Perú.
Lima is the **biggest** city in Peru.

El Amazonas es **el** río **más** caudaloso de Perú.
The Amazon is the **largest** river in Peru.

When it is clear from the context, we do not need to mention the others.

● ¿Cuál es **la ciudad más grande de** Perú?
○ Lima es **la más grande**.

—Which is the **largest** city in Peru?
—Lima is the **largest**.

3 Comparisons of Equality

Nouns

We use **tanto** + noun + **como**... The adjective **tanto** must agree in gender and number with the noun: **tanto/a/os/as... como**.

Arequipa
- (no) tiene **tanto** turismo **como**
- (no) tiene **tanta** contaminación **como**
- (no) tiene **tantos** restaurantes **como**
- (no) tiene **tantas** zonas verdes **como**

Iquitos.

Arequipa
- doesn't have / has **as much** tourism **as**
- doesn't have / has **as much** pollution **as**
- doesn't have / has **as many** restaurants **as**
- doesn't have / has **as many** green areas **as**

Iquitos.

Verbs

With comparisons of equality involving actions (verbs), the form of **tanto** never changes: **tanto... como**.

María (**no**) duerme **tanto como** Laura.
María doesn't sleep / sleeps **as much as** Laura.

Adjectives

When comparing using an adjective, we use **tan... como...** The adverb **tan** never changes.

Lima es **tan** bonita **como** Arequipa. Tu país es **tan** bonito **como** mi país.
Lima is **as** beautiful **as** Arequipa. Your country is **as** beautiful **as** my country.

We can also use **igual de... que ...**

Lima es **igual de** bonita **que** Arequipa.
Lima is **as** beautiful as **Arequipa**.

Another way to compare two things is to use the adjective **mismo/a/os/as**.

Son dos regiones muy diferentes.

Claro, no tienen el mismo clima.

Las dos ciudades tienen
- **el mismo** tamaño.
- **la misma** reputación.
- **los mismos** problemas.
- **las mismas** instalaciones deportivas.

Both cities have
- **the same** size.
- **the same** reputation.
- **the same** problems.
- **the same** sports facilities.

4 Relative Pronouns

Relative pronouns introduce clauses that have the same function as an adjective.

Es una ciudad **que tiene mucha belleza** = Es una ciudad muy bella.

The relative pronoun **que** doesn't require a preposition when it relates to a subject or a direct object (except when the direct object requires the personal **a**).

Es una ciudad **que** tiene mucho encanto.
Es un plato **que** comemos mucho en Perú.

Relative pronouns require a preposition when they relate to any other part of the sentence that originally had a preposition.

Es un lugar	**en el que** (*in which*)	
Es una ciudad	**en la que** (*in which*)	se vive muy bien.
Es un lugar/una ciudad	**donde** (*where*)	

(**En** ese lugar / **En** esa ciudad se vive muy bien.)

Es un lugar	**al que** (*to which*)	
Es una ciudad	**a la que** (*to which*)	voy mucho.
Es un lugar/una ciudad	**adonde** (*where*)	

(**A** ese lugar / **A** esa ciudad voy mucho.)

Es una persona que hace yoga.

Es un lugar	**por el que** (*through which*)	
Es una ciudad	**por la que** (*through which*)	
Es un lugar	**por donde** (*where*)	paso cada día.

(**Por** ese lugar paso cada día.)

5 Expressing and Contrasting Opinions

To give your opinion, you can use:

Yo pienso/creo que } + OPINION
A mí me parece que } la ciudad necesita otra escuela.

Yo no estoy de acuerdo con él.

¡Sí, tiene razón!

Bla, Bla, Bla...

	PENSAR
(yo)	pienso
(tú)	piensas
(él, ella, usted)	piensa
(nosotros/as)	pensamos
(vosotros/as)	pensáis
(ellos, ellas, ustedes)	piensan

When others give their opinion, you can react by agreeing, disagreeing, and/or adding more arguments to theirs.

In Spanish the preposition **with** in the first and second persons is just one word and has a special form: **conmigo, contigo**.

Dice que quieren ir **contigo**. (= He/She says they want to go **with you**.)

Yo (no) estoy de acuerdo	con Juan.	I (don't) agree	with Juan.
	contigo.		with you.
	con eso.		with that.

Sí, tienes razón.			Yes, you are right.		
Sí, claro,		+ OPINION	Yes, of course,		+ OPINION
Eso es verdad, pero			That's true, but		
Bueno, pero			Right, but		

In this context **lo más** + **adjective** expresses the highest priority. The neuter article **lo** expresses the Spanish equivalent of the English **the thing** or **the idea**. For example: **The most** important thing now is to talk to her. (= **Lo más** importante ahora es hablar con ella.)

To establish priorities:

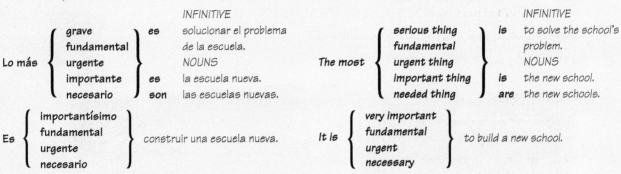

Lo más	grave	es	INFINITIVE solucionar el problema de la escuela.		The most	serious thing	is	INFINITIVE to solve the school's problem.
	fundamental					fundamental		
	urgente		NOUNS			urgent thing		NOUNS
	importante	es	la escuela nueva.			important thing	is	the new school.
	necesario	son	las escuelas nuevas.			needed thing	are	the new schools.

Es	importantísimo	construir una escuela nueva.	It is	very important	to build a new school.
	fundamental			fundamental	
	urgente			urgent	
	necesario			necessary	

Me gustaría

*To express wishes or desires, it is common to use the conditional form of the verb gustar: **gustaría**. It can only be followed by a verb.*

Me gustaría vivir en esta ciudad.
I would like to live in this city.

Me gustaría solucionar los problemas de la escuela.
I would like to solve the school's problems.

6 The Weather

Tiene un clima	muy bueno / suave / agradable.
	tropical / templado / húmedo / seco.

In English one talks about the weather using the "dummy subject" **it**, a pronoun for inanimate subjects. In Spanish the same idea is conveyed without using a subject pronoun at all: **Hace calor / Llueve...** (= **It's hot / It's raining...**)

En	verano invierno primavera otoño	(no) llueve / llueve. (*it does (not) rain*)
		(no) nieva (*it does (not) snow*)
		(no) hace frío (*it is (not) cold*)
		calor (*it is (not) hot*)
		sol (*it is (not) sunny*)
		viento (*it is (not) windy*)
		buen / mal tiempo (*the weather is (not) good / bad*)
	(no) hay	niebla (*fog*)
		tormentas (*storms*)
		huracanes (*hurricanes*) / ...

10 GENTE e HISTORIAS (I)

10–1 Acontecimientos (*events*) en la historia de América

Mira las imágenes y asocia cada una con un acontecimiento y una fecha. ¿Por qué son importantes en la historia de América?

1492
1521
1565
1776
1821

1. MÉXICO SE INDEPENDIZÓ DE ESPAÑA
2. CRISTÓBAL COLÓN LLEGÓ A AMÉRICA
3. LOS ESPAÑOLES FUNDARON SAN AGUSTÍN (FLORIDA)
4. HERNÁN CORTÉS CONQUISTÓ EL IMPERIO AZTECA
5. THOMAS JEFFERSON ESCRIBIÓ LA DECLARACIÓN DE INDEPENDENCIA DE ESTADOS UNIDOS

¿Con qué conceptos asocias cada acontecimiento?

la conquista   *la libertad*   *la colonización*   *la esclavitud*   *la independencia*

TAREA

Escribir la biografía de un personaje famoso a partir de datos previos.

NUESTRA GENTE

Chile
Hispanos/latinos en Estados Unidos.

Explore Chile with *Club cultura!*

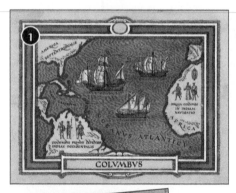

ACERCAMIENTOS

 10–2 Acontecimientos en la historia de Chile

Miren las fechas y asocien cada una con un acontecimiento de la historia de Chile.

1535
1550
1818
1970
11/09/1973
11/03/1990
01/2006

1. SALVADOR ALLENDE ES ELEGIDO PRESIDENTE DE CHILE.
2. CHILE RECUPERA LA DEMOCRACIA DESPUÉS DE LA DICTADURA DE AUGUSTO PINOCHET.
3. HAY UN GOLPE DE ESTADO EN CHILE Y COMIENZA LA DICTADURA DE AUGUSTO PINOCHET.
4. EL CONQUISTADOR DIEGO DE ALMAGRO LLEGA A CHILE.
5. COMIENZA LA GUERRA DE ARAUCO, ENTRE EL PUEBLO INDÍGENA MAPUCHE Y LOS HISPANO-CRIOLLOS DE CHILE.
6. CHILE SE INDEPENDIZA DE ESPAÑA.
7. MICHELLE BACHELET GANA LAS ELECCIONES PRESIDENCIALES.

EJEMPLO:

E1: La guerra de Arauco en 1818.
E2: ¡Nooool En 1550.

Comparen sus respuestas con las de otros/as compañeros/as de clase.

10–3 Personajes famosos de la historia de América

Piensa en dos personajes de la historia de América. ¿En tu opinión, por qué son importantes? Puedes usar el presente para compartir esta información con la clase.

Ahora mira las fotos y relaciona a estos cuatro personajes con las descripciones.

Simón Bolívar (1783–1830)
Nació en Caracas, Venezuela, el 24 de julio de 1783. En 1813 luchó contra el ejército español y fue proclamado "El Libertador" de Venezuela. Además, dirigió las guerras independentistas de Colombia, Perú y Ecuador. También fundó Bolivia. Bolívar es considerado uno de los militares más brillantes de todos los tiempos. Murió en Colombia en 1830.

Cristóbal Colón (1451–1506)
Nació en 1451 (hay muchas teorías sobre su lugar de nacimiento) y murió en España en 1506. Fue navegante, almirante y gobernador general de las Indias al servicio de la Corona de Castilla, y es famoso por iniciar la conquista de América en 1492. Hizo cuatro viajes a tierras americanas en 1492, 1495, 1498 y 1502.

Bernardo O'Higgins (1778–1842)
Nació en Chile el 20 de agosto de 1778. En 1808 comenzó su vida política y más tarde su actividad revolucionaria. En 1813 se inició la guerra de la independencia y O'Higgins se incorporó al ejército. Consiguió la independencia de Chile en 1818. Murió en Perú en 1842.

Abraham Lincoln (1809–1865)
Fue el decimosexto presidente de Estados Unidos desde 1861 hasta 1865 cuando fue asesinado. Durante este período ocurrió la Guerra Civil. Lincoln consiguió la abolición de la esclavitud con su Proclamación de Emancipación en 1863.

VOCABULARIO EN CONTEXTO

10-4 Cuatro décadas

Estas son las descripciones de cuatro décadas del Siglo XX: los sesenta, los setenta, los ochenta y los noventa. Incluyen algunos de los acontecimientos más importantes. Lean las descripciones e identifiquen a qué década se refiere cada una.

EJEMPLO:

E1: Yo creo que la número dos es de los setenta.

E2: No, no puede ser, porque la invasión de Panamá es de los ochenta.

1

Los ___1969 – 1974___

70s

La Unión Soviética **invade** Afganistán y **comienza** la Revolución Islámica en Irán. Richard Nixon **dimite** después del escándalo de Watergate. También en esta década **ocurre** el golpe de estado en Chile contra Salvador Allende y el General Augusto Pinochet **toma** el poder para establecer una dictadura militar. En esta década aparecen los primeros microprocesadores, las calculadoras de bolsillo y los videojuegos. Además Estados Unidos **lanza** el primer trasbordador espacial. **Termina** el período de crecimiento y prosperidad económica de las naciones desarrolladas y **comienza** uno de crisis. **Muere** Elvis Presley y los Beatles **se separan**.

2

80s

Los ___1980___

Se **descubre** el virus del SIDA. También se popularizan las computadoras personales, los videocasetes y los discos compactos. **Ocurre** el accidente nuclear de Chernobyl. La Guerra Fría **se intensifica**. Gorbachev **instaura** la Perestroika en la Unión Soviética. El muro de Berlín **cae** y las dos Alemanias **se unifican**. Israel **invade** Líbano. La guerra Irán-Irak **causa** cientos de miles de muertos. Unas 120.000 personas **salen** de Cuba en el barco Mariel con destino a Estados Unidos. En Chile, Augusto Pinochet **proclama** una nueva Constitución, **pierde** las elecciones y **se restaura** la democracia. Estados Unidos **invade** Panamá. David Chapman **asesina** a John Lennon.

3

60s

Los ___1968___

Esta década **es** muy turbulenta y **está** llena de revoluciones. La Unión Soviética **pone** al primer hombre (Gagarin) en el espacio y Estados Unidos pone al primer hombre en la Luna. **Se construye** el muro de Berlín. Estados Unidos trata de terminar con el régimen comunista de Fidel Castro en Cuba. En Estados Unidos **tiene lugar** el movimiento de derechos civiles y **asesinan** a Martin Luther King Jr. Un gran terremoto en el sur de Chile **causa** miles de muertos. Hay muchas protestas estudiantiles en Francia, México y Checoslovaquia. Muchos países europeos **experimentan** un gran crecimiento económico. **Nace** el *rock and roll* y los Beatles **se convierten** en el grupo musical más popular del mundo.

4

90s

Los ___Present.___

En esta década **crece** la globalización y el capitalismo global. **Aumentan** los ataques terroristas en el mundo. **Ocurre** la explosión de Internet y se inventa el DVD. Los científicos **consiguen** clonar a un animal y **empiezan** a usar el ADN para la investigación criminal. La Unión Soviética se desintegra y **termina** la Guerra Fría. En Sudáfrica **se declara** el fin del apartheid. En Chile comienza la Transición a la democracia y en Irlanda **del Norte** el proceso de paz. **Desaparece** la Comunidad Económica Europea y **se crea** la Unión Europea. La música rap y el tecno pop son muy populares.

10–5 Historia y política

Fíjate en los verbos en negrita de los textos anteriores. Expresan acciones relacionadas con contextos históricos o sociopolíticos. Algunos se refieren a personas o países y otros se refieren a acontecimientos. ¿Puedes hacer dos listas?

CAMPO	VERBOS
PERSONAS/PAÍSES	Ejemplo: invadir
ACONTECIMIENTOS	Ejemplo: ocurrir

Ahora haz otra lista con sustantivos relacionados con la historia y la política que aparecen en el texto.

CAMPO	SUSTANTIVOS
HISTORIA/POLÍTICA	Ejemplo: revolución

 10–6 Una biografía: Michelle Bachelet, la primera presidenta de Chile

Lean los datos biográficos de Michelle Bachelet. Asocien los datos con el vocabulario de esta lista.

casarse	vivir	tener
crecer	enamorarse	separarse
la infancia	el nacimiento	la vida
estudiar	la juventud	la niñez
ser	nacer	estar

Datos biográficos
— Santiago, 29 de septiembre de 1951
— Bases aéreas de Chile (1952–1962)
— Washington, DC (1962–1965)
— Medicina–Universidad de Chile (1972–1975; 1979–1982)
— Exilio en Australia y Alemania (1975–1979)
— Esposo Jorge Dávalos (1977–1984)
— Tres hijos
— Ministra de Salud en 2000 y de Defensa en 2002
— Presidenta de Chile (2006–2010 y 2014–)
— Primera presidenta de la historia de Chile

EJEMPLO:

E1: Santiago, 29 de septiembre de 1951 se refiere al **nacimiento**, ¿no?
E2: Sí, **nació** en 1951.

¿Conocen otros presidentes de América? Compartan esta información con la clase.

GRAMÁTICA EN CONTEXTO

 10–7 La vida de Marcelo Ríos

 Escucha este fragmento de una entrevista con Marcelo Ríos, tenista chileno ex-campeón del mundo. Luego completa el cuadro con los acontecimientos mencionados.

1975	**Nació** en Santiago
1992	
1993	
1994	
1995	
1998	

 10–8 ¿Cuándo fue?

Escucha las respuestas de dos concursantes del programa "¿Cuándo fue?" ¿Cuál de los dos tiene más respuestas correctas? Completa el cuadro.

	Pregunta 1		Pregunta 2		Pregunta 3	
	Correcto	Incorrecto	Correcto	Incorrecto	Correcto	Incorrecto
Concursante 1						
Concursante 2						

10–9 Años muy importantes

Piensa en años y acontecimientos específicos especialmente importantes en tu vida y completa el cuadro.

	Familia/relaciones	Estudios	Trabajo	Viajes	Otros
2004					

Ahora compartan y comparen sus datos. ¿Hay algún año importante?

EJEMPLO:

E1: Yo **comencé** mis estudios en la universidad **en 2014**.
E2: Yo también, ¿y tú?
E3: Yo **en el 2013**.

EL PRETÉRITO

VERBOS REGULARES

TERMINAR	CONOCER	VIVIR
terminé	conocí	viví
terminaste	conociste	viviste
terminó	conoció	vivió
terminamos	conocimos	vivimos
terminasteis	conocisteis	vivisteis
terminaron	conocieron	vivieron

VERBOS IRREGULARES

SER/IR	TENER	ESTAR
fui	tuve	estuve
fuiste	tuviste	estuviste
fue	tuvo	estuvo
fuimos	tuvimos	estuvimos
fuisteis	tuvisteis	estuvisteis
fueron	tuvieron	estuvieron

HACER	DECIR
hice	dije
hiciste	dijiste
hizo	dijo
hicimos	dijimos
hicisteis	dijisteis
hicieron	dijeron

SABER	DAR
supe	di
supiste	diste
supo	dio
supimos	dimos
supisteis	disteis
supieron	dieron

FECHAS

¿Cuándo	}	nació?
¿En qué año/mes		fue?
¿Qué día		llegó?

Nació	}	en 1997/en el 97.
Fue		en junio.
Llegó		el (día) 6 de junio de 1997.

Tuve un accidente.

No me digas... ¿cuándo fue?

USO DEL PRETÉRITO

Presenta la información como aconteci-mientos. Se usa con marcadores como:

Ayer
Anteayer
Anoche
El otro día
El lunes/martes

fui a Santiago.
de Chile.

El día 6
La semana pasada
El mes pasado
El año pasado

¿Y cuándo la conociste?

El mes pasado, cuando fui a Chile.

SECUENCIA DE ACONTECIMIENTOS

Luego
Después
Entonces
Antes

viajamos a Valparaíso.

Fui a la facultad pero **antes** estuve en la biblioteca.

Estuve en la biblioteca y **después** fui a casa.

Antes de + INFINITIVE
Antes de ir a casa, fui a la biblioteca.

Después de + INFINITIVE
Después de ir a la biblioteca, fui a casa.

Antes de ir a Santiago fuimos a Valparaíso.

¿Y luego?

BIOGRAFÍAS
a los cinco años...

de niño / joven / soltero / estudiante

10–10 Dos poetas chilenos

Estos dos chilenos universalmente famosos tuvieron muchas cosas en común. Coméntalas con tu compañero/a.

EJEMPLO:

E1: No **usaron** sus nombres reales.
E2: Sí, es verdad, los dos **usaron** pseudónimos.

	Gabriela Mistral	Pablo Neruda
Nombre verdadero:	Lucía Godoy	Neftalí Ricardo Reyes Basualto
Profesiones:	Periodista, maestra, escritora	Maestro, escritor
Género literario:	Poesía	Poesía
Países de residencia:	México, Puerto Rico, Italia, Guatemala, Brasil, Portugal, Estados Unidos	Birmania, Ceilán, Singapur, España, Francia, México, Italia
Premio Nobel de Literatura:	1945	1971
Otros trabajos:	Cónsul	Cónsul, Embajador
Otros premios:	Premio Nacional de Literatura, Chile	Premio Nacional de Literatura, Chile
Muere en:	Nueva York, Estados Unidos	Santiago (Chile)
Obra más famosa:	*Desolación*	*Veinte poemas de amor y una canción desesperada*

¿Y ustedes? ¿Qué tienen en común? Hablen con su compañero/a para ver qué cosas tienen en común. Después compartan la información.

10–11 El detective privado

Un detective privado está siguiendo a un hombre llamado Valerio Guzmán. Ayer Valerio hizo estas cosas.

7:45 Sale de su casa. Entra en su casa otra vez.
8:00 Sale otra vez a la calle. Camina durante
      15 minutos.
8:15 Un carro con una mujer para a su lado. Él
      sube.
8:35 Baja en la Plaza de Armas. Sigue a pie.
8:50 Entra en un edificio de oficinas.

Escribe tú ahora el informe del detective usando el pretérito y expresiones de secuencia.

📖 INTERACCIONES

Using approximation and circumlocution

Having a conversation in Spanish can be challenging for an English speaker due to a lack of vocabulary. There are many strategies available to you that can keep the conversation flowing. Asking for the Spanish equivalent of a word is an easy strategy you can employ (*Perdona, ¿cómo se dice "envelope" en español?*). There are two other strategies:

1. Approximation: You can try a Spanish word that, although you know is not quite right, has a related meaning. It could be a more general word or a synonym. For example, you may not know the verb *limpiar* (to clean), but you may use *lavar* (to wash) instead. They are not interchangeable, but they are close. Your interlocutor might even provide you with the correct word.
2. Circumlocution: You can "work around" the word or concept that you don't know without switching to English. For example, if you don't know the word *cuchara* (spoon), you may say *la cosa que usas para comer sopa*.

Avoiding conversation or giving up entirely on conveying your message are poor strategies. Likewise, switching back and forth between Spanish and your first language may not be productive if your interlocutor doesn't speak your first language. Approximation and circumlocution, which are strategies that only involve the target language, can be successfully used with any Spanish speaker.

👥 10–12 **¿Quién lo inventó?**

Observen estos seis inventos. Su profesor/a les va a dar el nombre de tres inventos a cada uno. Un/a estudiante describe un invento y otro/a estudiante debe tratar de averiguar qué es. Luego pregunten quién lo inventó, cuándo y dónde.

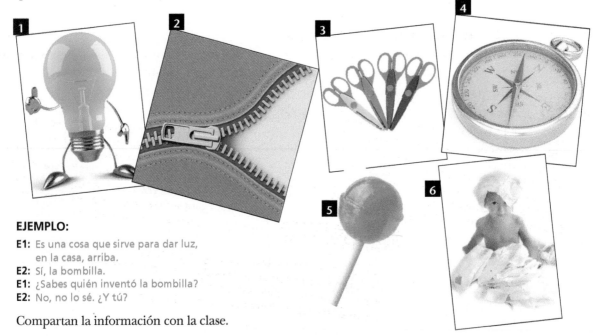

EJEMPLO:

E1: Es una cosa que sirve para dar luz, en la casa, arriba.
E2: Sí, la bombilla.
E1: ¿Sabes quién inventó la bombilla?
E2: No, no lo sé. ¿Y tú?

Compartan la información con la clase.

10–13 ¿Qué hicieron?

Aquí tienen un listado de personas famosas. Háganse preguntas el uno al otro para saber por qué son famosas. Si no saben algunas palabras, usen aproximaciones o circunloquios.

EJEMPLO:

E1: ¿Qué hizo Cristóbal Colón?
E2: Inició la colonización de América.

Louis Pasteur	Isaac Newton	Gabriel García Márquez	Diego de Almagro
Miguel de Cervantes	Alexander Graham Bell	Bernardo O'Higgins	Bill Gates
Dom Perignon	Vincent Van Gogh	Albert Einstein	Alexander Fleming

 10–14 Un concurso

La clase se va a dividir en cuatro equipos. Primero juegan dos equipos y después los otros dos.

REGLAS DEL CONCURSO

- Hay dos equipos. Cada equipo prepara, por escrito, seis preguntas sobre hechos del pasado de su país (fechas, personajes, acontecimientos importantes). Luego le hace las preguntas al otro equipo.
- Cada pregunta bien construida vale un punto. Solo valen las preguntas de las que se conocen las respuestas. El/la profesor/a las va a corregir antes de empezar el concurso. Deben usar interrogativos.
- Cada respuesta correcta vale dos puntos.
- Gana el equipo que obtiene más puntos.

¿Quién...?	¿En qué siglo...?	¿Cuál...?
¿Cuándo...?	¿Con quién...?	¿Desde cuándo...?
¿En qué año...?	¿Por qué...?	

EJEMPLO:

E1: ¿Quién fue el primer presidente de Estados Unidos?

 10–15 Situaciones: *un robo en el dormitorio*

There was a robbery in a dorm last night. A detective is interrogating two students who seem suspicious. S/he is asking questions about their whereabouts the night before.

ESTUDIANTE A

You are a student living in the dorm where the robbery occurred. A detective wants to ask you some questions about the night before. Answer all his/her questions with as much detail as possible, so that s/he can rule you out as a suspect. Don't forget to mention that you were with Student B between 7:00 p.m. and 9:00 p.m.

ESTUDIANTE B

You are a student living in the dorm where the robbery occurred. A detective wants to ask you some questions about the night before. Answer all his/her questions with as much detail as possible, so that s/he can rule you out as a suspect. Don't forget to mention that you were alone in your room between 8:00 p.m. and 9:00 p.m.

ESTUDIANTE C

You are a dectective investigating this robbery. Ask the two suspects what they did the day before from the moment they woke up. The robbery occurred sometime between 7 p.m. and 9 p.m.

TAREA

Gente en acción

Escribir la biografía de un personaje famoso a partir de datos previos.

PREPARACIÓN

Elige cuál de estos dos personajes de Chile te interesa más. Luego, busca a tres compañeros/as interesados/as en el mismo personaje. Juntos van a escribir una biografía y después la van a presentar a la clase.

Dos vidas apasionantes

**El primer presidente socialista de Chile
SALVADOR ALLENDE**
Colaboró en la fundación del Partido Socialista de Chile en 1933. Fue el primer marxista elegido presidente por voto popular en la historia del mundo occidental.

El marino que incorporó la isla de Pascua a Chile

POLICARPO TORO: 1851–1921
Su vida estuvo unida al mar y gracias a él la isla de Pascua se convirtió en territorio de Chile en 1888.

Paso 1 Escuchen a estos estudiantes chilenos que comentan dos acontecimientos o datos importantes en la vida de cada uno de estos personajes. Tomen nota del año también.

Toro   1: En ——————, ———————————————————————
        2: En ——————, ———————————————————————

Allende 1: En ——————, ———————————————————————
        2: En ——————, ———————————————————————

Paso 2 Ahora busquen en las cajas de la página siguiente los fragmentos que se refieren a su personaje.

Paso 3 Preparen una ficha con toda la información que tienen. Ordenen la información. Muestren el orden a su profesor/a para comprobar que es correcto.

Paso 4 Incorporen a su narración varios de estos **marcadores de secuencia** para dar fluidez a su narración.

(Número) + día(s) / mes(es) / año(s) después...
Después de (número) día(s) / mes(es) / año(s)...
Ese / aquel día / mes / año...
Más tarde...
Entonces, luego, después,...
Después de + *infinitivo*...
Antes de + *infinitivo*...
Poco / mucho tiempo después...

┤ **AYUDA** ├

a los... años...
De 1986 **a** 1990...
Desde 1986 **hasta** 1990 vivió en París.
Vivió en París **durante** cuatro años.
El año **en el que**...
La época **en la que**...

Paso 5 Preparen una presentación oral para la clase. Cada miembro del grupo presenta una parte, en orden cronológico.

▸ Fue senador entre 1945 y 1969 y durante esos años se postuló tres veces a la presidencia de Chile sin éxito. La cuarta vez que se postuló ganó las elecciones.

▸ En 1972, asistió a la Asamblea de las Naciones Unidas, donde denunció la agresión internacional hacia su país. Al final de su discurso, la Asamblea lo ovacionó de pie durante varios minutos.

▸ Nació en 1851 en Melipilla, Chile, e ingresó en la Escuela Naval a los 19 años.

▸ Estudió medicina y recibió su título de médico cirujano en 1932.

▸ En 1870 llegó a la isla de Pascua o Rapa Nui, ubicada a 3.760 kms. de la costa chilena. Este era un territorio desconocido para el resto del mundo hasta su descubrimiento el 5 de abril de 1722 por el holandés Roeggeween, en la época de Pascua de Resurrección.

▸ Recorrió las costas de la Patagonia, llegando hasta el río Santa Cruz. Al estallar la guerra ruso-turca se enroló en la Marina británica y recorrió el Mediterráneo y el Medio Oriente.

▸ En 1973 dijo: "...mucho más temprano que tarde, se abrirán las grandes alamedas, por donde pasará el hombre libre para construir una sociedad mejor. ¡Viva Chile, viva el pueblo, vivan los trabajadores!"

▸ En 1887 comenzó las gestiones para la incorporación a Chile de la isla de Pascua. Redactó un documento de estudio sobre el lamentable estado de la población. Negoció con las autoridades francesas y suscribió un compromiso de compraventa. Tomó posesión de Rapa Nui el 9 de septiembre de 1888.

▸ Vivió sus últimos años en Santiago, ciudad donde falleció en 1921.

▸ Gobernó desde 1970 hasta 1973, ya que el 11 de septiembre de 1973 se produjo el golpe de estado que lo destituyó.

Paso 6 Foco lingüístico.

NUESTRA GENTE

GENTE QUE LEE

ESTRATEGIAS PARA LEER

Following a chronology

When reading biographical or historical texts, you should be able to follow the sequence of events. Writers do not always present data in chronological order, and this may lead to misunderstandings. It is important to be familiar with:

(a) time expressions (*la semana pasada, el año siguiente, de niño, en esa época, antes, después,* etc.)
(b) cohesive markers, especially demonstratives (*este, ese, aquel...*), object pronouns (*lo, la...*), and relative pronouns (*el que, la que...*).

Take a look at this example:

> *Diego de Almagro llegó a América en 1514. Viajó a Perú con Pizarro en 1532 y **a los tres años** partió hacia Chile.*

You need to know that *a los tres años* means "three years later" to understand the sequence of events (first he was in Peru, then in Chile).

Now take a look at this example:

> *Almagro llegó a Chile en 1535. A **este** le sucedió Valdivia.*

It is important to know that *este* refers to Almagro (and also that Valdivia is the subject of the sentence) in order to understand that, chronologically, Almagro arrived to Chile before Valdivia.

ANTES DE LEER

10–16 Islas

¿Conoces estas islas? ¿Dónde están? ¿Son países o partes de un país? ¿Cuáles están en Sudamérica?

Groenlandia	Gran Bretaña	Hawai	Islas Canarias	Granada
Cuba	Malvinas	Japón	La Española	Puerto Rico

10–17 Activando estrategias

1. Lee el título de la lectura y mira la foto. ¿De qué trata este texto?
2. Identifica la frase temática de cada párrafo. ¿Qué tipo de información vas a encontrar?
3. Busca en el texto fechas (días, años, siglos). ¿Sobre qué período histórico crees que vas a leer?

DESPUÉS DE LEER

10–18 ¿Comprendes?

1. ¿Cuáles son las dos hipótesis sobre el origen de los pobladores de esta isla?
2. ¿Qué originó las guerras tribales en los siglos XVII y XVIII?
3. ¿Qué causó la disminución de población entre 1859 y 1877?
4. ¿Qué representan los moais?

A LEER

LA ISLA RAPA NUI

La isla de Pascua está ubicada en la Polinesia, en medio del océano Pacífico. Tiene una superficie de 163,6 km² y una población de unos 5.700 habitantes. El nombre tradicional que recibe esta isla es Rapa Nui, que significa "isla grande" en el idioma rapanui.

Según la tradición oral, el pueblo rapanui llegó a esta isla desde una **mítica** isla llamada Hiva, guiados por Hotu Matu'a, su primer rey, hacia el siglo IV. De acuerdo con algunas investigaciones arqueológicas, esta etnia proviene de la Polinesia, pero otros postulan un origen **preincaico**. Esta sociedad **tribal** estableció centros religiosos, políticos y ceremoniales, y construyó los moai, unas gigantescas cabezas **talladas** en piedra volcánica que representan a sus ancestros deificados. Todavía no se sabe cómo se realizó la construcción y **desplazamiento** de aquellas esculturas, de las que existen cerca de mil distribuidas por toda la isla. La población de Rapa Nui sufrió una crisis de **sobrepoblación** en los siglos XVII y XVIII, lo que provocó guerras entre las tribus. Estas guerras causaron la destrucción de muchos moais.

El capitán de la Armada de Chile, Policarpo Toro, llegó a la isla en 1870. Sin embargo, muchos años antes, en 1722, el holandés Jakob Roggeveen realizó el primer contacto europeo. Más tarde varias expediciones europeas visitaron la isla, que se

convirtió en un punto de escala de viajes hacia Oceanía. Entre 1859 y 1863, unos veinte barcos se llevaron alrededor de 2.000 **isleños** a trabajar como esclavos a las haciendas de Perú, matando a gran número de los que no pudieron llevarse. El exterminio de la clase sacerdotal significó una enorme pérdida. Años más tarde, en 1877, las epidemias de tuberculosis y viruela redujeron la población a un mínimo de 110 personas.

Dieciocho años después de llegar a la isla, Policarpo Toro la incorporó a Chile. El 9 de septiembre de 1888, Chile consiguió la firma de un tratado con los nativos, representados por su rey Atamu Tekena. Se redactó un documento en español y otro en rapanui. La tradición oral cuenta que el rey Atamu Tekena tomó un **trozo** de **pasto** con **tierra**; luego le entregó el pasto a los **emisarios** chilenos y se quedó con (*kept*) la tierra. La antropóloga Paloma Hucke dice que, con ese acto Atamu Tekena le dio la soberanía a Chile, pero se reservó el derecho sobre sus tierras. El gobierno chileno reservó una zona en la costa occidental para la población indígena y utilizó el resto del terreno para el pastoreo de ovejas y vacas. Los isleños no tuvieron derechos de ciudadanía hasta 1966.

10–19 Activando estrategias

1. Di qué significan estas palabras del texto (en negrita), y de qué palabras vienen: "preincaico", "tribal", "sobrepoblación", "isleños". ¿Son nombres o adjetivos?

2. Busca en el diccionario las siguientes palabras: "mítica", "talladas", "desplazamiento", "trozo", "pasto" y "emisarios".

3. Busca la palabra "tierra". ¿Cuántos significados tiene? ¿Cuál es el más adecuado en este contexto?

4. Identifica en los párrafos 3 y 4 todas las expresiones usadas para marcar la secuencia de acontecimientos. ¿Puedes hacer una línea temporal?

5. ¿A qué o a quién se refieren las expresiones subrayadas en el texto?

10–20 Expansión

1. Reflexionen sobre los efectos de la anexión de la isla de Pascua sobre las poblaciones originarias.

2. Piensen en otros ejemplos de islas que ahora son parte de otros países. ¿Cómo fue el proceso de anexión? ¿Qué efectos tuvo en la población?

GENTE QUE ESCRIBE

ESTRATEGIAS PARA ESCRIBIR

Writing a narrative (I): past actions and events

When you write a narrative, you are telling a story, recounting an event or a series of events in the past. These are some important factors to consider:

1. The actions and events of a narrative may be told in any order, but the most straightforward way is to narrate them in chronological order.
2. The time expressions and cohesive markers are the elements that help you (and your reader) to establish a coherent chronological sequence.
3. You can tell a story about yourself or about someone else. Be sure to pay close attention to the verb forms (first vs. third person) when narrating so that you don't confuse the reader.
4. A narrative consists of (a) past actions or events, and (b) situations and descriptions of the backgrounds in which those actions happened. For now, we will concentrate on actions: what happened and when. In the next chapter we will work on situations and backgrounds.

MÁS ALLÁ DE LA FRASE

Use of time markers in narratives

Time markers are used to give coherence and carry the story forward. Besides the ones you have already learned (Tarea section), you can use the following ones:

Hace (número) *día(s) / mese(s) / año(s)…*	(number) day(s) / month(s) / year(s) ago…
El mes / año / siglo *pasado…*	Last month / year / century…
La semana *pasada…*	Last week…
Al día / mes / año *siguiente…*	The following day / month / year…
A los (número) *días / meses / años…*	(number) day(s) / month(s) / year(s) later…
Desde entonces…	Since then…
Desde ese / aquel día / año / momento / instante…	Since that day / year / moment / instant…
En ese/aquel momento / instante…	At that moment / instant…
De repente…	Suddenly…

10–21 Una biografía

Escribe la biografía de una persona que conoces (puede ser un miembro de tu familia, un amigo de la universidad o de tu ciudad, un profesor) o de un personaje famoso.

Piensa en lo que esta persona hizo y en acontecimientos relevantes de su vida y haz una lista. Luego decide la estructura: piensa en los párrafos y las frases temáticas y ordena la información de forma relevante.

 ¡ATENCIÓN!

Para escribir esta biografía debes seguir los Pasos 1 a 8. Presta atención a la organización cronológica. Usa una variedad de marcadores de tiempo y otros recursos cohesivos. No olvides revisar las formas del pretérito.

COMPARACIONES

10–22 Héroes americanos

¿Qué es un héroe? ¿Cuáles son los héroes de la historia de tu país? ¿De qué época son?

Ahora lee este texto sobre un héroe mapuche. Luego responde a las preguntas.

Lautaro (*Levtraru* en la lengua mapuche) fue un destacado líder militar mapuche en la guerra de Arauco durante la primera fase de la conquista española. Fue prisionero de los españoles durante seis años y en ese tiempo aprendió sus tácticas militares. En 1552 se escapó y regresó a su pueblo. Poco después dirigió una gran sublevación militar contra los españoles. Con la muerte de Lautaro, desapareció una figura notable de la guerra de Arauco.

 Escucha ahora a Joaquín, quien nos da más datos sobre la historia de Lautaro. Anota dos datos importantes.

—¿Cuál fue la causa de Lautaro? ¿Crees que es una causa justa? ¿Por qué?
—¿Qué características del héroe tiene Lautaro?

10–23 Héroes indígenas

¿Conocen a alguno de estos héroes indígenas? Relacionen los nombres con los datos. ¿En qué se parecen a Lautaro? Expliquen las similitudes y diferencias.

A. Toro sentado   B. Caupolicán
C. Atahualpa   D. Tupac Amaru II

1. Jefe indio de la tribu de los sioux Hunkpapa. Vivió entre los años 1831 y 1890. Luchó contra el Séptimo de Caballería, bajo las órdenes del general Custer, en la batalla de Little Big Horn. Esta batalla fue ganada por los nativo-americanos el 25 de junio de 1876.
2. Fue un caudillo mapuche de la guerra de Arauco y sucesor de Lautaro. Junto con Lautaro fue uno de los conductores de los araucanos en las guerras del siglo XVI.
3. Vivió entre 1502 y 1533 y fue gobernante del imperio incaico entre 1532 y 1533. Fue apresado por Pizarro y condenado a muerte.
4. Su verdadero nombre fue José Gabriel Condorcanqui. A finales del siglo XVIII condujo una rebelión indígena contra la burocracia colonial española. Es considerado uno de los precursores de la independencia de Perú.

CULTURA

La comunidad chilena en Estados Unidos es bastante pequeña (unas 126.000 personas). La mayoría reside en Florida, California, Nueva York o Nueva Jersey. Una parte de esta población salió de Chile por motivos políticos (dictadura de Pinochet); otros vinieron para realizar estudios universitarios de posgrado y otros por motivos económicos. California tiene una presencia chilena desde la época de la "fiebre del oro" y varias calles en San Francisco y otras ciudades del norte de California tienen nombres chilenos.

Posiblemente los dos hispanos de ascendencia chilena más conocidos en Estados Unidos sean la escritora Isabel Allende y el académico Arturo Valenzuela. Isabel Allende, ciudadana de Estados Unidos desde 2003, es considerada la más popular novelista iberoamericana y sus novelas están traducidas a más de 27 idiomas. Entre las más importantes están *La casa de los espíritus* (1982) y *Cuentos de Eva Luna* (1989).

Arturo Valenzuela es un experto en análisis político y socioeconómico de Chile, México y el Cono Sur. Es director del Centro de Estudios Latinoamericanos de la Universidad de Georgetown. Fue consejero del presidente Bill Clinton para asuntos de Latinoamérica y Subsecretario de Asuntos Hemisféricos entre 2009 y 2011, nombrado por el presidente Barack Obama.

Go to **MySpanishLab** to review what you have learned in this chapter.

| Flashcards | Oral Practice | Practice Test / Study Plan | amplifire Dynamic Study Modules | Tutorials | Videos | Extra Practice |

 VOCABULARIO

Biografías (Biographies)

la amistad	*friendship*
el amor	*love*
el crecimiento	*growth*
el destino	*destiny*
la generación	*generation*
la infancia	*childhood*
la juventud	*youth*
la muerte	*death*
la niñez	*childhood*
el nacimiento	*birth*
el pensamiento	*thought*
el sentimiento	*feeling*
la vejez	*old age*
la vida	*life*

Conceptos históricos y socio-políticos (Socio-political and historical concepts)

el acontecimiento	*event*
el acuerdo	*agreement*
el asesinato	*murder*
la conquista	*conquest*
el conquistador	*conqueror*
la costumbre	*custom*
los derechos civiles	*civil rights*
el descubrimiento	*discovery*
el discurso	*speech*
el ejército	*military*
las elecciones	*elections*
la esclavitud	*slavery*
el/la explorador/a	*explorer*
la firma	*signature*
el golpe de estado	*coup d'état*
la guerra	*war*
el/la indígena	*native*
la leyenda	*legend*
la libertad	*freedom*
la manifestación	*demonstration, protest*
el mito	*myth*
el movimiento	*movement*
la patria	*homeland*
la paz	*peace*
el premio	*award*
el pueblo	*people, nation*
la riqueza	*wealth*
el territorio	*territory*
el tratado	*treaty*

Verbos (Verbs)

anunciar	*to announce*
aumentar	*to increase*
casarse	*to get married*
casarse con alguien	*to marry someone*
comprometerse	*to get engaged*
conseguir (i)	*to achieve*
crecer (zc)	*to grow up*
darse cuenta de	*to realize*
desarrollar	*to develop*
descubrir	*to discover*
dimitir	*to resign*
divorciarse	*to divorce*
elegir (i)	*to choose, to elect*
enamorarse de	*to fall in love*
fundar	*to found*
ganar	*to win*
interrumpir	*to interrupt*
liberar	*to free*
llegar	*to arrive*
morir (ue)	*to die*
nacer (zc)	*to be born*
ocurrir	*to happen*
partir	*to depart*
perder (ie)	*to lose*
pertenecer zc)	*to belong*
preocuparse	*to worry*
regresar	*to come back*
suceder	*to happen, to follow*
trasladarse	*to move, to relocate*
unirse a	*to join*

Adjetivos (Adjectives)

conocido/a	*known*
conservador/a	*conservative*
desconocido/a	*unknown*
extraño/a	*strange*
feliz	*happy*
progresista	*progressive*
sorprendente	*surprising*

CONSULTORIO GRAMATICAL

1 The Preterit Tense

Regular verbs:

	-AR	-ER	-IR
	TERMINAR	CONOCER	VIVIR
(yo)	terminé	conocí	viví
(tú)	terminaste	conociste	viviste
(él, ella, usted)	terminó	conoció	vivió
(nosotros/as)	terminamos	conocimos	vivimos
(vosotros/as)	terminasteis	conocisteis	vivisteis
(ellos, ellas, ustedes)	terminaron	conocieron	vivieron

Two of the most frequently used irregular verbs:

	SER	IR
(yo)	fui	fui
(tú)	fuiste	fuiste
(él, ella, usted)	fue	fue
(nosotros/as)	fuimos	fuimos
(vosotros/as)	fuisteis	fuisteis
(ellos, ellas, ustedes)	fueron	fueron

*In many irregular verbs, the stressed syllable in the Preterit is shifted from the final syllable to the stem. This occurs in the first person singular (**yo**) and in the third person singular (**él, ella, usted**).*

tuve, **tu**vo

vine, **vi**no

Verbs that are irregular in the Preterit adopt a different stem and usually have these endings:

(yo)	-e
(tú)	-iste
(él, ella, usted)	-o
(nosotros/as)	-imos
(vosotros/as)	-isteis
(ellos, ellas, ustedes)	-ieron

PODER:	pud-	VENIR:	vin-
PONER:	pus-	ESTAR:	estuv-
QUERER:	quis-	SABER:	sup-
TENER:	tuv-		

	HACER	DECIR	DAR
(yo)	hice	dije	di
(tú)	hiciste	dijiste	diste
(él, ella, usted)	hizo	dijo	dio
(nosotros/as)	hicimos	dijimos	dimos
(vosotros/as)	hicisteis	dijisteis	disteis
(ellos, ellas, ustedes)	hicieron	dijeron*	dieron

*Almost all **-er** and **-ir** verbs take **-ieron** in the third person plural; **decir** and some other verbs that end in **-cir** take **-eron**.

2 Use of the Preterit Tense

The preterit tense presents information as an event.

Ayer **llovió.**
It rained yesterday.

Ayer por la noche **estuvimos** en un restaurante muy bueno.
Last night **we were** in a very good restaurant.

Ayer Ana **fue** a una tienda y **se compró** un par de zapatos. Luego **volvió** a casa en taxi.
Yesterday Ana **went** to a store and **bought** a pair of shoes. Then she **went back** home by taxi.

These types of markers often accompany the preterit:

ayer	**anteayer**
(yesterday)	(the day before yesterday)
anoche	**el otro día**
(last night)	(the other day)
el lunes / martes...	**el (día) 6 / 21 /...**
(on Monday / Tuesday...)	(on the 6th, the 21st... [day])
la semana pasada	**el mes pasado**
(last week)	(last month)
el año pasado	
(last year)	

3 Talking about Dates

- ● ¿Qué día nació su hija?   —*On what day was your daughter born?*
- ○ **El (día)** 14 de agosto de 1992.   —**On** *August 14, 1992.*

- ● ¿Cuándo llegaste a Chile?   —*When did you arrive in Chile?*
- ○ **En** marzo de 1992.   —**In** *March of 1992.*

- ● ¿Cuándo terminó Juan sus estudios? —*When did Juan finish his studies?*
- ○ **En el** 2014.   —**In** *2014.*

- ● ¿En qué año se casó?   —*In what year did he get married?*
- ○ **En** 1985.   —**In** *1985.*

4 Sequencing Past Events

To indicate order, use **antes (de)**, **después (de)** *y* **luego.**

Fui a la facultad, pero **antes** estuve en la biblioteca.
*I went to the school, but **before that** I went to the library.*

Estuve en la biblioteca y **después** fui a la facultad; **luego** volví a casa.
*I was at the library and **afterwards** I went to the school; **then** I went back home.*

Antes de + INFINITIVE

Antes de ir a la facultad, estuve en la biblioteca.

Después de + INFINITIVE

Después de estar en la biblioteca, fui a la facultad.
After being at the library, I went to the school.

Entonces is a very common connector that is used...

● to refer to a time period that has already been mentioned:

Me fui a vivir a Italia en el 71. **Entonces** yo era muy joven.
*I went to live in Italy in '71. I was very young **then**.*

● to refer to what happened next:

Juan fue a la bibioteca pero no pudo encontrar a su amigo. **Entonces** fue al apartamento pero tampoco lo encontró.
*Juan went to the library but couldn't find his friend. **Then** he went to the apartment but couldn't find him there either.*

To sequence actions or events in chronological order:

antes = *before*
después = *after/afterwards*

Note that in Spanish the words for *after* and *before* are followed by an infinitive rather than by an *-ing* form:

Después de **ver** el partido fuimos a cenar. (= *After **watching** the match, we went to get dinner.*)

¡...y entonces me besó!

¡Qué romántico!

11 GENTE e HISTORIAS (II)

11-1 Historia de Nicaragua

Indica cuándo ocurrieron los siguientes acontecimientos.

1821	1. Centroamérica fue una república federal (Costa Rica, El Salvador, Nicaragua, Honduras y Guatemala).
1824–1838	2. Ocurrieron las primeras elecciones democráticas.
1838	3. Ocurrió la revolución sandinista.
1927–1933	4. Augusto Sandino luchó contra la ocupación estadounidense.
1934–1979	5. Fue un período de gobiernos militares.
1979	6. Se declaró la independencia de Nicaragua.
1990	7. Nicaragua se separó de la República Federal de Centroamérica.
2006	8. Daniel Ortega, del Frente Sandinista de Liberación Nacional, ganó las elecciones.

¿Con qué conceptos asocias cada período o acontecimiento?

dictadura	*independencia*	*libertad*	*paz*
democracia	*héroe*	*guerra*	*gobierno*

TAREA

Escribir el relato de un episodio o período de la historia de nuestro país.

NUESTRA GENTE

Nicaragua
Hispanos/latinos en Estados Unidos

Explore
Nicaragua with
Club cultura!

CULTURA

Nicaragua es un país centroamericano con una población de seis millones de habitantes, compuesta por: 69% de mestizos, 17% de descendientes de europeos, 9% de descendientes de africanos y 5% de población indígena. La lengua oficial es el español, pero en la costa atlántica se hablan inglés criollo, miskito y otras lenguas nativas.

Su capital es Managua, una ciudad rodeada de lagunas volcánicas.

CULTURA

La ciudad de Managua, la capital de Nicaragua, no tiene un centro porque el terremoto de 1972 lo destruyó. En los años sesenta, Managua era una de las principales capitales de América Latina. Sin embargo, tras el terremoto quedó totalmente devastada. Fueron afectados el 90% de sus edificios y 320.000 personas perdieron sus casas. El total de muertos fue de más de 10.000.

ACERCAMIENTOS

11–2 Geografía de Nicaragua

Mira el mapa en la página anterior y lee estos textos. Después identifica los lugares que se mencionan. ¿Qué información te parece más interesante? Escribe dos frases, cada una con una fecha específica.

En la época colonial, la zona del Pacífico era española, pero la zona del Caribe era inglesa. Las ciudades más importantes de aquella época, fundadas por los españoles, eran León y Granada. Los ingleses tenían influencia en la Costa de Mosquitos, un área que abarcaba toda la costa este de Nicaragua. La ciudad más importante del territorio era Bluefields. Los británicos mantuvieron su influencia sobre el área hasta 1860, cuando reconocieron la soberanía de Nicaragua.

Los Cayos Miskitos son un archipiélago situado en la costa nordeste caribeña de Nicaragua. La reserva biológica Cayos Miskitos es una de las 78 áreas protegidas de Nicaragua desde 1991.

Las Islas del Maíz están ubicadas a unos 70 kms. de la costa caribeña de Nicaragua. Son dos islas descubiertas por Cristóbal Colón en su cuarto viaje a las Indias en el año 1504. Las Islas del Maíz fueron un protectorado británico desde 1655 hasta 1894, y después Estados Unidos tuvo el derecho al uso de las islas hasta 1971.

EJEMPLO:

E1: Cristóbal Colón descubrió las Islas del Maíz en 1504.

11–3 Ometepe, la isla del fin del mundo

Lee ahora este texto sobre otra isla de Nicaragua.

La Isla de Ometepe es la más grande del mundo situada dentro de un lago de agua dulce, el Cocibolca, en pleno centro de Nicaragua. Tiene unos 35.000 habitantes, descendientes de toltecas, mayas, aztecas, nahuas, olmecas y chibchas, además de pueblos indígenas que poblaron la isla, que ya estaba habitada desde 1500 a.C. Cuando llegaron a la isla los colonizadores españoles, los indios que la habitaban se refugiaron en las cumbres de los volcanes Concepción y Madera, considerados durante generaciones el hogar de los dioses, y dejaron atrás los petroglifos de sus antepasados, llenos de imágenes misteriosas, que datan aproximadamente del año 300 d.C.

1. El origen y significado de los petroglifos de Ometepe está lleno de misterios e incógnitas. Aunque todo parece indicar que los petroglifos son ejemplos del desarrollo de las civilizaciones indígenas, algunas personas piensan que estos dibujos y grabados fueron hechos por extraterrestres. ¿Qué opinas?

2. ¿Conoces ejemplos similares a los de los petroglifos de Ometepe en otros países de América?

VOCABULARIO EN CONTEXTO

 11–4 Los miskitos

Lean estos textos sobre una etnia de la región de Nicaragua. Después traten de identificar qué palabras faltan.

Los miskitos son un grupo étnico indígena de Centroamérica. Su _____ , que se extiende desde el sur de Honduras hasta el sur de Nicaragua, es muy inaccesible y por eso estuvieron aislados de la _____ española del área. Su origen étnico no está claro pero se cree que provienen de la mezcla de caribes (la población autóctona) y africanos. El rey miskito y los británicos llegaron a un _____ de amistad y alianza en 1740 y después, en 1749, la nación miskita se convirtió en un protectorado. El reino de los miskitos ayudó durante las _____ revolucionarias americanas atacando _____ españolas, y consiguieron numerosas victorias junto a los británicos. Aún así, después de la _____ del tratado de _____ en 1783, los británicos tuvieron que ceder el control sobre la costa.

tratado   firma   guerras   paz   conquista   territorio   colonias

Los colonos españoles comenzaron a llegar a las tierras miskitas en 1787, pero los miskitos continuaron dominando la región debido a su superioridad numérica y a su experiencia _____. Los miskitos nunca se sintieron controlados por el _____ nicaragüense, y muchos miskitos aún hoy día no se consideran nicaragüenses. El _____ miskito desapareció en 1894, cuando Nicaragua lo ocupó. El 16 de abril de 2009 el pueblo miskito, una comunidad de unas 500.000 personas, se declaró independiente de Nicaragua en una ceremonia en la que nombraron a su máximo _____ , el "wihta tara" o rey de la comunidad. Su objetivo es crear una _____ miskitia.

gobierno   líder   nación   estado   militar

11–5 ¿Cómo eran?

¿Recuerdas algunos de estos personajes que estudiamos en la *Lección 10* (p. 165)? ¿Cómo crees que eran? Usa el banco de adjetivos para describirlos.

valiente	misterioso	honrado	comprometido
cobarde	delgado	atractivo	innovador
conservador	malvado	fuerte	misterioso
liberal	bueno	débil	convincente

1. Simón Bolívar
2. Cristóbal Colón
3. Abraham Lincoln

EJEMPLO:

E1: Creo que Lincoln era un hombre muy valiente y comprometido.

E2: Sí, estoy de acuerdo. Y físicamente era muy delgado y no muy alto.

4.

Toro Sentado

5.

Tupac Amaru II

Mireille Vautier\Picture Desk, Inc./ Kobal Collection

11-6 Augusto Sandino

Mira la foto y lee la descripción de Augusto César Sandino (1895–1934), revolucionario nicaragüense y uno de los personajes más destacados de la historia reciente de Nicaragua.

Sandino era alto y delgado. Tenía una cara ovalada pero angulosa. En sus ojos oscuros brillaba con frecuencia la simpatía, pero también reflejaban gravedad y reflexión. Su voz era suave, convincente; no dudaba de sus conceptos, y sus palabras eran precisas. Sandino era un ferviente nacionalista y era considerado un buen militar y estadista. Se dice que era muy humano y popular, y que le gustaba mucho hablar con la gente.

¿Puedes pensar ahora en un familiar o amigo muy querido que ya no está vivo o al que no ves desde hace mucho tiempo?

- ¿Cómo se llamaba? _____
- ¿De dónde era? _____
- ¿Qué era (profesión, ocupación)? _____
- ¿Cómo era físicamente? _____
- ¿Cómo era (personalidad)? _____
- ¿Qué aficiones tenía? _____

Ahora comparte esta información con tu compañero/a.

11-7 Antes y ahora

Completen estas frases para cada uno de estos momentos de la historia de su país.

1. Antes de la llegada de los conquistadores…

2. Antes de la Declaración de Independencia…

3. Antes de la Declaración de Emancipación…

4. A principios del Siglo XX…

5. En la época de la Gran Depresión…

6. Después de la segunda Guerra Mundial…

1. _____(no) había / existía(n)_____. Ahora _____.

2. _____(no) tenía(n)_____. Ahora _____.

3. _____(no) era(n) / estaba(n) / existía(n) _____. Ahora _____.

EJEMPLO:

E1: Antes de la conquista de América había muchos indígenas. Ahora hay pocos.

E2: Sí, y Estados Unidos no existía. Ahora sí.

CULTURA

El primer explorador que recorrió Nicaragua fue Gil González de Ávila. La leyenda dice que cuando González de Ávila llegó a Nicaragua, el cacique Nicarao gobernaba la región y el nombre "Nicaragua" se deriva del nombre de Nicarao; sin embargo muchos historiadores creen que en realidad deriva del idioma náhuatl, dialecto hablado por sus primitivos pobladores en épocas precolombinas.

GRAMÁTICA EN CONTEXTO

 11–8 La vida antes de Internet

Escucha esta entrevista con tres jóvenes nicaragüenses. Hablan sobre los efectos de Internet en su vida cotidiana. Escribe una de las cosas que estas personas **hacían** antes de Internet y que ahora no hacen.

1. Antes _____ y ahora _____.

2. Antes _____ y ahora _____.

3. Antes _____ y ahora _____.

Ahora escucha otra vez la entrevista e identifica los verbos **en el pasado**. Haz dos grupos: (1) verbos que se refieren a las **circunstancias o el contexto de un acontecimiento o actividad**, y (2) verbos que se refieren a **actividades o acontecimientos habituales** en el pasado.

 11–9 Leyenda de Oyanka

Escucha y lee al mismo tiempo esta leyenda nicaragüense. Después clasifica los verbos en pasado de acuerdo a su significado y uso.

Oyanka, la princesa que se convirtió en montaña

Allá por 1590, en el Valle de Sébaco, habitaba una nación de indígenas matagalpas que trabajaba el oro. Su líder era el cacique Yamboa. Mientras tanto en Córdoba, España, vivía José López de Cantarero. José era un joven guapo y muy ambicioso que quería ir a Nicaragua a buscar tesoros. Un día se fue al puerto de Cádiz y tomó un barco a América. Cuando llegó a Nicaragua se instaló en Sébaco y allá conoció a la hija del cacique, que se llamaba Oyanka. Oyanka era bellísima y llevaba siempre muchas joyas de oro. José se enamoró de ella y ella de él. Pero José era muy ambicioso y quería saber de dónde extraía Yamboa el oro. Entonces Oyanka condujo a José hasta las montañas, donde había una cueva escondida. José, viendo todo aquel oro, se guardó siete pepitas grandes en su bolso. Cuando salían de la cueva, el caquique los encontró; vendió a José y encerró a la princesa. Oyanka se deprimió tanto que no quiso comer más y se durmió en un sueño profundo esperando el regreso de José. Pero José nunca regresó. Oyanka se convirtió en montaña y hoy puede verse, al norte del valle de Sébaco, el cerro de Oyanka.

SIGNIFICADO / USO	VERBOS
Circunstancias / contexto	habitaba
Descripción	
Actividad / acontecimiento habitual	trabajaba
Acción puntual	se fue
Acción en progreso (*ongoing*)	

EL IMPERFECTO

Verbos regulares:

ESTAR	TENER, VIVIR
est**aba**	ten**ía**
est**abas**	ten**ías**
est**aba**	ten**ía**
est**ábamos**	ten**íamos**
est**abais**	ten**íais**
est**aban**	ten**ían**

Verbos irregulares:

SER	IR	VER
era	iba	veía
eras	ibas	veías
era	iba	veía
éramos	íbamos	veíamos
erais	ibais	veíais
eran	iban	veían

USOS DEL IMPERFECTO

Imperfecto: contraste **ahora / antes**

Ahora
Actualmente } todo el mundo tiene Internet.

Antes
Cuando yo era niño/a
Entonces
En esa/aquella época } no **teníamos** Internet.

Imperfecto: **actividades** o **acontecimientos habituales**

De niño/a
En esa/aquella época } **jugaba** con trenes eléctricos.
visitaba con frecuencia a mis abuelos.

Imperfecto: **circunstancias, descripciones**

Era Navidad.
Hacía frío.
No **había** nadie en la calle.
Estaba muy cansado.

Pretérito: información presentada como **acontecimientos** o **acciones puntuales**, con marcadores como:

Ayer...
Anteayer...
Anoche...
El otro día...
El lunes / martes...   } estuve en
El día 6...   Nicaragua.
La semana pasada...
El mes / año pasado...
Entre 2006 y 2009...
Durante tres meses...

Imperfecto: información presentada como **circunstancias** en que una acción (pretérito) ocurre:

No **tenía** dinero. Por eso / Así que no pudo comer en el restaurante.

No llevaba corbata y por eso no me dejaron entrar en el club.

Cuando me encontré con Elvira **llovía** mucho.

Imperfecto: **acción en proceso** cuando otra acción (pretérito) ocurre

Caminaba por la calle cuando vi a Elvira.

Imperfecto: acción repetida o habitual en el pasado, no puntual

Antes **hacía** ejercicio todos los días.

Pretérito: acción repetida o habitual en el pasado durante un límite de tiempo específico

Hice ejercicio cada día durante tres meses.

 11–10 **Historia de William Walker**

Lean este episodio de la historia de Nicaragua. Después pongan los verbos en pretérito o imperfecto según su uso: (1) acciones puntuales o acontecimientos, (2) estados o descripciones, (3) circunstancias y (4) acciones habituales en el pasado.

A mediados del Siglo XIX **COMENZAR** la "fiebre del oro" en California. En aquella época la mayor parte de los viajeros **IR** de la costa este a la costa oeste por mar. Normalmente **VIAJAR** a través de Nicaragua, que **SER** una ruta muy común. Esto **ATRAER** a muchos aventureros, como por ejemplo el estadounidense William Walker. William Walker **SER** un aventurero de Tennessee que **LLEGAR** a Nicaragua en 1855 con 56 hombres, llamados *filibusteros,* para participar en una guerra contra los conservadores. William Walker **QUERER** establecer un estado y controlar la ruta de tránsito a California, y por eso **APODERARSE** del país y **PROCLAMARSE** presidente. Entre 1855 y 1857 **OCURRIR** en Nicaragua la guerra nacional contra William Walker. En aquella época el idioma oficial **SER** el español pero bajo el dominio de Walker **DECLARARSE** el inglés como idioma oficial de Nicaragua. El 19 de marzo de 1857, cuando Walker **ESTAR** en La Hacienda Santa Rosa con sus hombres, las tropas nicaragüenses los **ATACAR** y los **EXPULSAR** del país.

11–11 El detective privado (II)

¿Recuerdas a Valerio Guzmán, en la Lección 10 (p. 169)? Esto es lo que Valerio hizo.

7:45 Salió de su casa. Entró en su casa otra vez.
8:00 Salió otra vez a la calle. Caminó durante 15 minutos.
8:15 Un carro con una mujer se detuvo a su lado. Él se subió.
8:35 Se bajó en la Plaza de Armas. Siguió a pie.
8:50 Entró en un edificio de oficinas.

Ahora escucha lo que Valerio explica a sus colegas a las 9:00 de la mañana. ¿Puedes completar el informe del detective?

ACCIÓN	CIRCUNSTANCIAS

1. **Salió** de casa sin darse cuenta de que _____.
   No _____.

2. **Salió** a la calle otra vez pero _____ y _____.

3. Entonces **vio** a su amiga Elvira que _____.

CIRCUNSTANCIAS	ACCIÓN

4. _____ y por eso Elvira y Valerio **tardaron** veinte minutos.

5. _____, así que Valerio **llegó** mojado a la oficina.

INTERACCIONES

ESTRATEGIAS PARA LA COMUNICACIÓN ORAL

Collaboration in conversation (II)

When narrating a story or event, the speaker applies certain strategies to make sure that the listener is following the narration. Likewise, the listener uses expressions to show that he/she is understanding. We saw this in *Lección 9*.

As a listener, you may also want to show interest, surprise, and other reactions, with expressions like this:

¡No me digas!	No way!
¿De verdad?	Really? Is that right?
¿En serio?	Seriously?
¿Sí?	Really?
¡Qué bien!	Great!
¡Qué horror!	How awful!
¡Qué miedo!	How scary!
¡Qué pena / lástima!	What a shame!
¡Qué suerte!	How lucky!
¡Qué interesante / aburrido / divertido!	How interesting / boring / fun!
¡Qué gracioso / chistoso!	How funny!
¡Qué desastre!	What a disaster!
¡No lo puedo creer!	I can't believe it!
¡No te creo!	I don't believe you!
¡Qué mala suerte!	How unlucky!

11–12 Imprevistos, sorpresas, anécdotas

Piensa en tres sorpresas, anécdotas o cosas imprevistas que te ocurrieron en algún momento. Completa este cuadro.

	¿CUÁNDO?	¿DÓNDE?	¿EN QUÉ CINCUNSTANCIAS?	¿QUÉ PASÓ?
1.				
2.				
3.				

 Comparte ahora estas historias con tu compañero/a.

EJEMPLO:

E1: Un verano, cuando era pequeño, mi hermano y yo estábamos en una barca en un lago, en un pueblo pequeño donde vivían mis abuelos. Yo remaba y mi hermano pequeño se cayó al agua. ¡Y yo no sabía nadar!

E2: ¿De verdad? **¡Qué susto, ¿no?!** ¿Y qué hiciste?

E1: Pues lo agarré por la camiseta y lo subí a la barca.

E2: ¡Qué horror!

Ahora algunos/as voluntarios/as cuentan sus propias historias a la clase. Los demás deben reaccionar con expresiones de interés, sorpresa, etc.

11–13 **Antes y ahora**

Usa este esquema para describir ciertos aspectos de tu vida que contrastan entre antes y ahora.

	ANTES	FRECUENCIA	AHORA	FRECUENCIA
La comida				
El ejercicio				
Las bebidas				
La lectura				
Los restaurantes				
Las aficiones				
La ropa				
Los viajes / las vacaciones				

Ahora compara tus datos con los de tu compañero/a.

EJEMPLO:

E1: Yo antes **comía** muchas frutas, cada día, pero ahora casi nunca las como.
E2: Sí, yo también. Yo **comía** mejor que ahora. Ahora como mal.

11–14 **Entrevista**

Prepara una lista de cinco preguntas para tu compañero/a sobre una de estas etapas de su vida. Luego entrevista a tu compañero/a.

1. Cuando eras niño/a.

2. Cuando estabas en la escuela secundaria.

3. Antes de llegar a la universidad.

EJEMPLO:

¿Qué hacías cuando eras niño? ¿Quiénes eran tus mejores amigos?

11–15 **Situaciones:** *Viaje al futuro*

A historical figure travels to the future where a journalist interviews him/her. The journalist wants to focus on two main events in the life of this person.

ESTUDIANTE 1

You are a journalist who has the opportunity to interview an important figure from the past. Prepare some questions for him/her related to two events or episodes in his/her life.

ESTUDIANTE 2

You are _____ . You have traveled to the future and are now being interviewed by a journalist. Think about two important events in your life: what happened, what did you do, when, where, and under what circumstances?

TAREA

Gente en acción

Escribir el relato de un episodio o período de la historia de nuestro país.

PREPARACIÓN

Para comenzar vamos a conocer un período importante de la historia de otro país: Nicaragua.

Primero miren la foto y comenten con su profesor/a la relevancia de este personaje en la historia de Nicaragua.

Lean este breve esquema que resume un período de la historia de Nicaragua. El esquema presenta acontecimientos puntuales.

La revolución sandinista (1962–1979)

1962: Se funda el Frente Sandinista de Liberación Nacional (FSLN) para luchar contra la dictadura de los Somoza.

1963: Daniel Ortega se une al FSLN.

1974: El FSLN toma como rehenes a unos funcionarios del gobierno. Consigue la liberación de algunos presos políticos. Se difunde la causa del FSLN en todo el mundo.

1976: El Frente Sandinista se divide en varias tendencias. El apoyo popular crece.

1979: El FSLN lanza la ofensiva final. Somoza renuncia el 17 de julio y huye a Estados Unidos. El 19 de julio los sandinistas celebran el triunfo de su revolución.

Daniel Ortega

Ahora lean estos párrafos descriptivos y colóquenlos en el lugar apropiado del esquema anterior.

■ Hay una dictadura militar muy represiva en el país desde 1933. El país es muy pobre y tiene muchos problemas sociales y económicos. La gente quiere un cambio.

■ El presidente Luis Somoza es hijo de Anastasio Somoza, primer dictador de la dinastía. Es un hombre sin escrúpulos y trata muy mal a su pueblo.

Finalmente, escriban una narración incluyendo los datos anteriores. Decidan qué verbos deben estar en pretérito y cuáles en imperfecto. Usen varios de estos conectores para dar fluidez a su narración.

Acontecimientos puntuales
- Un mes / año antes (después)…
- Al mes / año siguiente…
- A los dos meses / años…
- Después de un mes / año / tiempo…
- Entonces, luego, (inmediatamente) después…
- Ese / aquel mes / año…
- A partir de + entonces / aquel mes / aquel año / aquel momento…

Circunstancias / contexto
- En aquella época…
- Entonces…

Paso 1 En grupo, decidan qué episodio o período de la historia de su país quieren narrar. Luego preparen una lista de los datos (acontecimientos o acciones) principales de forma cronológica.

Título (fechas)   **Acontecimientos**
Fecha 1: _____
Fecha 2: _____
Fecha 3: _____
Fecha 4: _____
_____: _____

Paso 2 Escriban ahora sobre las circunstancias relacionadas con cada acontecimiento específico de su lista. Piensen también en descripciones de lugares o personas importantes.

Circunstancias / contextos / descripciones
- _____
- _____
- _____
- _____

Paso 3 Piensen en algunas relaciones de causa y consecuencia.

AYUDA

Causa y consecuencia

- Pretérito + **porque** + imperfecto
  Se fue porque le **dolía** la cabeza.

- Imperfecto + **y por eso / así que** + pretérito
  Le **dolía** la cabeza así que / y por eso **se fue.**

- _____ porque _____.
- _____ y por eso _____.

Paso 4 Escriban su relato usando toda la información anterior de forma organizada. No olviden incluir conectores.

Paso 5 Cada miembro del grupo presenta una parte, en orden cronológico, a la clase.

Paso 6 Foco lingüístico.

NUESTRA GENTE

GENTE QUE LEE

ESTRATEGIAS PARA LEER

Summarizing a text

Summarizing a passage that you have read in Spanish can help you synthesize its most important ideas. When reading a text, try to underline the main ideas and circle the key words and phrases. Then approach the task of summarizing it by asking the following five questions:

¿Quién? o ¿Quiénes?	(Who?)	*¿Dónde?*	(Where?)
¿Qué?	(What?)	*¿Por qué? o ¿Cómo?*	(Why? or How?)
¿Cuándo?	(When?)		

This is especially useful when reading stories or accounts of events that happened in the past.

ANTES DE LEER

11–16 Heroínas

¿Qué es una heroína? Mira esta lista de nombres. ¿Son heroínas? Justifica tus respuestas. Luego piensa en otras y justifica por qué son heroínas. ¿Conoces otras?

1. Harriet Tubman (1820–1913)

2. Clara Barton (1821–1912)

3. Madre Teresa de Calcuta (1910–1997)

4. Juana de Arco (1412–1431)

11–17 Activando estrategias

1. Mira el título y la foto del texto que vas a leer. ¿Qué información te dan sobre este texto? ¿Qué tipo de texto es?

2. Lee la primera frase del texto. ¿Confirma el tipo de texto? ¿De qué período histórico es?

DESPUÉS DE LEER

11–18 ¿Comprendes?

1. ¿Cuántos días duró la lucha?

2. ¿En qué año ocupó la fortaleza el capitán Nelson?

3. Responde a las preguntas y después haz un breve resumen.

¿Qué? _____

¿Quién? _____

¿Dónde? _____

¿Cuándo? _____

¿Por qué? _____

A LEER

RAFAELA HERRERA, UNA HEROÍNA NICARAGÜENSE

A mediados del siglo XVIII, Nicaragua era el principal objetivo de los ataques ingleses a causa de su importancia estratégica y las facilidades que presentaba para la comunicación interoceánica. Por eso, en 1762, el gobernador de Jamaica decidió invadir la provincia de Nicaragua por el río San Juan.

El 29 de julio llegó la armada inglesa para apoderarse de la **fortaleza** El Castillo, un lugar que los nicaragüenses usaban para defenderse de los piratas ingleses. El Castillo estaba situado sobre una colina a la orilla derecha del río San Juan. La fortaleza tenía muchos cañones para defenderse de los ataques enemigos. La armada de los invasores británicos contaba con 50 barcos y 2.000 hombres. El día de la invasión la situación en El Castillo no era buena: el comandante Don Pedro Herrera, que estaba gravemente enfermo, murió poco antes de la llegada de los ingleses.

Inmediatamente después de su llegada, el gobernador de Jamaica pidió las llaves de la fortaleza El Castillo a un soldado, pero en ese momento la hija de Don Pedro, Rafaela Herrera, que tenía solo 19 años, tomó el mando de la fortaleza. Cuenta la historia que Rafaela Herrera dirigió la lucha contra la expedición de soldados británicos y miskitos, logrando detener**los** después de sostener un combate de varios días. Inmediatamente después de tomar el mando, Rafaela dijo la célebre frase: "Que los **cobardes** se rindan y que los **valientes** se queden a morir conmigo". Después disparó varios **cañonazos** que provocaron el pánico y la huida de muchos de los piratas. Durante varios días y noches combatieron a los ingleses hasta que estos finalmente se retiraron el tres de agosto. Dieciocho años después la fortaleza cayó en manos del capitán inglés Horacio Nelson, el cual se hizo famoso en la batalla de Trafalgar.

Así fue como Rafaela Herrera pasó a la categoría de heroína. La historia de este personaje está llena de misterios sobre su origen y no se sabe mucho sobre su vida. Sin embargo, hoy es un símbolo de **valentía** y **patriotismo** para las mujeres nicaragüenses.

11–19 Activando estrategias

1. Di qué significan estas palabras del texto y de qué palabras provienen: "interoceánica" y "patriotismo".
2. Busca la palabra "fortaleza" en el diccionario. ¿Cuántos significados tiene? ¿Cuál es el apropiado en este contexto?
3. Si la palabra "cobardes" significa *cowards*, ¿qué significa la palabra "valientes"? ¿Son nombres o adjetivos? ¿Y la palabra "valentía" es un nombre o un adjetivo?
4. Si la palabra "cañón" significa *cannon*, ¿qué significa la palabra "cañonazos"? ¿Cómo se forma esta palabra?
5. ¿A qué o a quién se refieren las palabras subrayadas "detener**los**" y "estos"?
6. Identifica el sujeto, el verbo y los complementos de la frase subrayada en el texto.

11–20 Expansión

1. ¿Te parece que Rafaela fue una heroína? ¿Por qué?
2. ¿Una persona que defiende su país es siempre un héroe o heroína? Justifica tu opinión.

GENTE QUE ESCRIBE

ESTRATEGIAS PARA ESCRIBIR

Writing a narrative (II): including circumstances that surround events

A basic narrative is divided into three parts: (a) the introduction, which sets the scene (situación, contexto, circunstancias) and informs the reader about the events or actions leading up to the main plot of the story; (b) the main events or actions, or high point of the story; (c) the outcome or consequences of the principal events. As you already know, in Spanish this narrative structure is closely related to the effective use of the imperfect and preterit tenses.

1. Identifica las tres partes de la narración en la lectura de la página 193 sobre Rafaela Herrera.
2. Justifica la elección del autor de los tiempos verbales (pretérito e imperfecto) en el primer párrafo y en el segundo.

MÁS ALLÁ DE LA FRASE

Use of time markers in narratives (II)

As you know, past tenses are often introduced by specific time markers. A few markers are exclusive to one tense or the other, but most can be used with both.

These markers require the imperfect tense:

En esa / aquella época...	(*En esa época viajaba mucho; ahora no.*)
Antes...	(*Antes me gustaba la tele; ahora no.*)

While these ones require the preterit tense:

de repente...	(*...de repente oí un ruido.*)
entonces*, luego...	(*No tenía sueño; entonces me puse a ver la tele.*)

*Note that "entonces" can be used either to mark the consequence of an action (as in the example above), or to refer to a period of time in the past:

Entonces no había Internet.   (Back then, there was no Internet.)

The choice of the imperfect or the preterit tense and the selection of time markers are determined by the way the writer presents the narrative.

11–21 Un acontecimiento memorable

Escribe una narración sobre algo memorable que te ocurrió a ti: un accidente en casa o en la carretera, una sorpresa muy agradable, una primera cita que fue un desastre, la primera vez que hiciste algo, etc. Ten en cuenta las tres partes de la narración y escribe los párrafos correspondientes. Sigue los Pasos 1 a 8 (página 14, Lección 1).

 ¡ATENCIÓN!

Presta atención a la organización cronológica y a la cohesión de los párrafos y del texto. Usa una variedad de marcadores de tiempo y otros recursos cohesivos. Revisa el uso de los tiempos del pasado teniendo en cuenta qué función tienen en la narración: combina contextos y descripciones (uso del imperfecto) con acciones (uso del pretérito).

COMPARACIONES

11–22 Mark Twain en Nicaragua

Lee este texto sobre el viaje del escritor estadounidense Mark Twain a Nicaragua. Después comenta los temas con la clase.

Entre 1866 y 1867 Mark Twain, el periodista y escritor estadounidense autor de clásicos como *Las aventuras de Tom Sawyer* y *Las aventuras de Huckleberry Finn*, recorrió parte de Nicaragua en su viaje desde San Francisco a Nueva York, o sea, del oeste al este de Estados Unidos.

Twain salió de San Francisco en barco el 15 de diciembre de 1866 siguiendo la Ruta del Tránsito, que comunicaba el Atlántico y el Pacífico. Desembarcó en el puerto de San Juan del Sur, en el Pacífico nicaragüense, y desde allá viajó en diligencia hasta el puerto de La Virgen, en la costa suroeste del Lago de Nicaragua. En este puerto abordó un vapor con destino al puerto de San Carlos, situado en la costa sureste del lago. Desde San Carlos viajó por el río en lancha hasta el puerto de San Juan del Norte (o Greytown, como lo bautizaron los ingleses), en la costa atlántica de Nicaragua, donde tomó otro barco rumbo a Nueva York.

Durante su travesía por Nicaragua, Mark Twain elogió las bellezas naturales de la nación centroamericana. Según cuenta en el libro *Mark Twain's Travels with Mr. Brown*, a Twain le impresionó la belleza de la isla de Ometepe, situada en el centro del Lago de Nicaragua, el más grande de Centroamérica. En ese libro, el famoso escritor estadounidense dice de Ometepe:

Volcanes Concepción y Madera

"En el centro del bello Lago de Nicaragua se levantan dos magníficas pirámides, revestidas por el más suave y concentrado verdor, salpicadas de sombras y por los rayos del sol, cuyas cumbres penetran las ondulantes nubes. Se ven tan aisladas del mundo y su alboroto, tan tranquilas, tan maravillosas, tan sumidas en el sueño y el eterno reposo. [...] Monos aquí y allá; pájaros gorjeando; bellas aves emplumadas. El paraíso mismo, el reino imperial de la belleza —nada que desear para hacerla perfecta".

1. ¿Qué era la Ruta del Tránsito y por qué era famosa principalmente? ¿Por qué iba la gente, como Mark Twain, de la costa oeste a la costa este siguiendo esta ruta?

2. ¿Sabes por qué Twain viajaba con mucha frecuencia?

3. En el texto, Twain habla de dos pirámides. ¿A qué se refiere?

11–23 Viajeros ilustres

Todos estos famosos personajes viajaron por el continente americano con diferentes propósitos. ¿Sabes por dónde viajaron y por qué razón?

1. Lewis (1774–1809) y Clark (1770–1838)
2. Charles Darwin (1809–1882)
3. Francisco de Orellana (1511–1546)
4. Fernando de Magallanes (1480–1521)

CULTURA

En Estados Unidos viven alrededor de 395.000 personas de ascendencia nicaragüense, la mayor parte de ellas en el sur de Florida y California. La inmigración a Estados Unidos comenzó en los años sesenta y estaba motivada por razones económicas. Sin embargo durante los ochenta, y debido a la revolución sandinista, muchas familias de clase alta abandonaron Nicaragua y se establecieron en Estados Unidos. Más tarde, la revolución contra el gobierno sandinista provocó la llegada de más inmigrantes. En 1998 el huracán Mitch asoló el país y dejó a más de dos millones de nicaragüenses sin casa. Por ello muchos recibieron residencia temporal o permanente en Estados Unidos.

Sin duda la mujer latina de ascendencia nicaragüense más influyente en Estados Unidos es Hilda Solís, que fue Secretaria de Trabajo de Estados Unidos durante el primer mandato del presidente Obama. Nació en Los Ángeles y es hija de dos inmigrantes: su papá es mexicano y su mamá es nicaragüense. Hilda fue la primera persona de su familia que asistió a la universidad y pagó su educación con la ayuda de becas federales y con empleos a tiempo parcial. Antes de ser secretaria de trabajo fue congresista del estado de California.

Go to **MySpanishLab** to review what you have learned in this chapter.

Flashcards | Oral Practice | Practice Test / Study Plan | amplifire Dynamic Study Modules | Tutorials | Videos | Extra Practice

 VOCABULARIO

Acontecimientos y conceptos históricos y político-sociales *(Socio-political and historical concepts and events)*

el apoyo	*support*
el/la aventurero/a	*adventurer*
la bandera	*flag*
el castillo	*castle*
la colonia	*colony*
la colonización	*colonization, settlement*
el/la colonizador/a	*colonist*
el/la colono/a	*settler*
el dictador	*dictator*
la dictadura	*dictatorship*
el estado	*state*
la fortaleza	*fortress*
el/la funcionario/a	*government official*
el gobierno	*government*
la independencia	*independence*
la lucha	*fight*
la nación	*nation*
el/la pirata	*pirate*
la pobreza	*poverty*
la revolución	*revolution*
la riqueza	*riches, wealth*
la ruta	*route*
el/la soldado	*soldier*
el terremoto	*earthquake*
el triunfo	*triumph*
el/la viajero/a	*traveler*

Verbos *(Verbs)*

alimentarse	*to feed (oneself)*
apoderarse (de)	*to take possession of*
apoyar	*to support*
atacar	*to attack*
convertirse en	*to become*
datar de	*to date back to*
desembarcar	*to disembark*
desolar	*to ruin*
embarcar	*to embark, to board*
encerrar	*to lock down, to lock up*
expulsar	*to throw out, to expel*

firmar	*to sign*
formar parte (de)	*to be part of*
gobernar	*to govern*
habitar	*to inhabit, to dwell*
huir	*to escape, to run away*
invadir	*to invade*
luchar	*to fight*
ocasionar	*to cause*
ocurrir	*to take place*
recorrer	*to travel through*
refugiarse	*to take shelter*
retirarse	*to retreat, to withdraw*
romper	*to break*

Adjetivos *(Adjectives)*

cobarde	*cowardly*
conservador/a	*conservative*
defensor/a	*defender*
escondido/a	*hidden*
honrado/a	*honest, decent*
independiente	*independent*
malvado/a	*wicked*
militar	*military*
nómada	*nomadic*
revolucionario/a	*revolutionary*
valiente	*brave*

CONSULTORIO GRAMATICAL

1 The Imperfect Tense

	-AR	-ER	-IR	
	HABLAR	TENER	VIVIR	
(yo)	hablaba	tenía	vivía	
(tú)	hablabas	tenías	vivías	
(él, ella, usted)	hablaba	tenía	vivía	REGULAR
(nosotros/as)	hablábamos	teníamos	vivíamos	
(vosotros/as)	hablabais	teníais	vivíais	
(ellos, ellas, ustedes)	hablaban	tenían	vivían	
	SER	IR	VER	
(yo)	era	iba	veía	
(tú)	eras	ibas	veías	
(él, ella, usted)	era	iba	veía	IRREGULAR
(nosotros/as)	éramos	íbamos	veíamos	
(vosotros/as)	erais	ibais	veíais	
(ellos, ellas, ustedes)	eran	iban	veían	

2 Uses of the Imperfect Tense

The imperfect tense is used to portray various aspects of the background of a story.

■ Details about the context in which the story takes place, such as the time, date, place, weather, etc.

Eran las nueve.
*It **was** nine o'clock.*

Era de noche.
*It **was** evening.*

Hacía mucho frío y **llovía.**
*It **was** very cold and raining.*

Estábamos cerca de Managua.
*We **were** near Managua.*

■ The condition and description of the people in the story.

Estaba muy cansado.
*I **was** very tired.*

Me **sentía** mal.
*I **felt** sick.*

Yo no **llevaba** anteojos.
*I **wasn't wearing** glasses.*

■ The existence of things that pertain to the story we are telling.

Había mucho tráfico.
*There **was** a lot of traffic.*

Había un camión parado en la carretera.
There was a truck parked on the road.

■ *To contrast the way things are now and the way they used to be.*

Ahora hablo español y portugués. Antes solo **hablaba** inglés.
Now I speak Spanish and Portuguese. I used to speak only English.

Antes **tenía** muchos amigos. Ahora solo tengo dos o tres.
I used to have a lot of friends. Now I only have two or three.

■ *To talk about habitual actions in the past.*

Cuando era niño, **íbamos** a la escuela a pie porque no había autobuses escolares.
When I was a child, we used to go to school by foot because there weren't any school buses.

Antes no **salía** nunca de noche; no me **gustaba**.
In the past I did not go out at night; I did not like it.

3 Contrasting the Preterit and the Imperfect Tenses

■ *The preterit tense presents information as an event.*

Ayer **llovió**.
It rained yesterday.

Ayer por la noche **estuvimos** en un restaurante muy bueno.
Last night we were in a very good restaurant.

■ *The imperfect tense sets the background to an action that is expressed in the preterit tense.*

Fuimos al cine por la noche y al salir, **llovía**.
We went to the movies in the evening, and it was raining when we came out.

Estábamos en un restaurante muy bueno y **llegó** Rogelio.
We were in a very good restaurant and Rogelio arrived.

■ *These types of markers often accompany the preterit tense:*

ayer
anoche
el lunes / martes...
la semana pasada
el año pasado
anteayer
el otro día
el (día) 6
el mes pasado

4 Relating Past Events: Cause and Consequence

To demonstrate the consequences of an action we can use **así que** *and* **por eso**.

Mónica tuvo que trabajar para pagarse los estudios **porque** su familia no <u>tenía</u> mucho dinero.
Monica had to work to pay her studies **because** *her family didn't have a lot of money.*

Su familia no <u>tenía</u> mucho dinero, **así que** Mónica tuvo que trabajar para pagarse los estudios.
Her family didn't have a lot of money, **so** *Monica had to work to pay her studies.*

Se fue a casa **porque** le <u>dolía</u> la cabeza.
He/She went home **because** *he/she had a headache.*

Le <u>dolía</u> la cabeza, **por eso** se fue a casa.
He/She had a headache **so** *He/She went home.*

12 GENTE SANA

12-1 Para llevar una vida sana (*healthy*)…

¿Qué hay que hacer para llevar una vida sana? Den algunas recomendaciones.

EJEMPLO:

Para llevar una vida sana (no) hay que…

12-2 En Costa Rica

¿Qué sabes de Costa Rica? Lee este texto y mira los datos para saber más.

Los datos de 2013 de la Organización Mundial de la Salud (OMS) indican que Costa Rica es el país con mayor esperanza de vida de América Latina (79,8 años). El sistema de salud de Costa Rica es el mejor de América Latina. A nivel mundial está en el puesto 34.

NICARAGUA
Golfo del Papagayo • Liberia • Tortuguero
Mar Caribe
COSTA RICA
Puntarenas • • San José
Puerto Quepos • • San Isidro
OCÉANO PACÍFICO
PANAMÁ

TAREA

Crear una campaña para la prevención de accidentes o problemas de salud.

NUESTRA GENTE

Costa Rica
Hispanos/latinos en Estados Unidos

Explore Costa Rica with *Club cultura!*

	FUENTE (SOURCE)	POSICIÓN MUNDIAL	POSICIÓN EN LATINOAMÉRICA
Desempeño Ambiental (2012)	Universidad de Yale	5	1
Grado de Democracia (2013)	*The Economist*	22	2
Paz Global (2014)	*The Economist*	42	3
Calidad de vida (2014)	*The Economist*	48	6
Índice de Prosperidad (2013)	Instituto Legatum	31	2
Desarrollo humano* (2013)	Naciones Unidas	68	7
Satisfacción de vida (2013)	Banco Interamericano de desarrollo	13	1

*El índice de desarrollo humano (IDH) es un indicador social estadístico compuesto de tres parámetros: vida larga y saludable, educación y nivel de vida digno.

Marca las afirmaciones correctas.

1. En Costa Rica se cuida mucho el medioambiente (*environment*).

2. Costa Rica tiene una de las democracias más estables del mundo.

3. Costa Rica es un país muy pacifista.

4. La calidad de vida en Costa Rica es la más alta de Latinoamérica.

5. Costa Rica es el país más próspero de Latinoamérica.

6. En general la gente de Costa Rica está contenta con su vida.

ACERCAMIENTOS

12–3 Consejos para un corazón sano

Un periódico costarricense publicó estos consejos para prevenir problemas de corazón. Léelos y decide si te estás cuidando bien.

¿Qué tal su corazón? ¡Cuídelo!

¡Cuídelo!

¿FUMA?
Si fuma, **déjelo.**
No será fácil. Al 50% de los fumadores les cuesta mucho.
Hay tratamientos que ayudan (chicles, parches, acupuntura, etc.), sin embargo la voluntad es lo más importante.

¿TIENE LA TENSIÓN ALTA?
Si las cifras de tensión son superiores a 140 de máxima y 90 de mínima, **visite** al médico.
La hipertensión es peligrosa. No causa molestias pero poco a poco va deteriorando las arterias y el corazón. Si está tomando medicinas, **no deje** el tratamiento.

¿TIENE EL COLESTEROL ALTO?
Si tiene el colesterol superior a 240 mg/dl, **reduzca** el consumo de grasas animales y **aumente** el de frutas y verduras.

¿BEBE ALCOHOL?
Un poco de vino es bueno para el corazón, pero más de dos vasos al día dejan de ser saludables. Y **no tome** más de cuatro: pueden ser peligrosos.

¿TIENE EXCESO DE PESO?
Divida su peso en kilos por el cuadrado de su altura.
Si el resultado está entre 25 y 29, **reduzca** su peso. Si está por encima de 30, debe visitar a un especialista. Si desea adelgazar, **no haga** dietas extremas.

Ejemplo: usted mide 1,73 metros y pesa 78 kilos.
Operaciones:
1. El cuadrado de su altura: $1,73 \times 1,73 \approx 3$.
2. El peso dividido entre el cuadrado de su altura:
$78 \div 3 = 26$.
Conclusión: Usted debe reducir peso.

¿HACE EJERCICIO?
Dé un paseo diario de 45 minutos: Es el mejor ejercicio a partir de una cierta edad.
Tenga cuidado con los deportes violentos: pueden tener efectos negativos para su corazón.

¿TIENE ALGÚN RIESGO COMBINADO?
Si tiene varios de los factores de riesgo anteriores, debe vigilarlos mucho más.

UN FUMADOR DE 40 AÑOS QUE DEJA DE FUMAR GANA CINCO AÑOS DE VIDA CON RESPECTO A OTRO QUE SIGUE FUMANDO.
A LOS DOS AÑOS DE DEJARLO, SU CORAZÓN ES COMO EL DE UN NO FUMADOR.

☐ Cuido bien mi corazón. ☐ ¡Tengo que cambiar urgentemente de vida!

☐ Tengo que cuidarme un poco más.

Ahora pregunta a tu compañero/a y decide si cuida bien su corazón. ¿Qué tiene que hacer para cuidarse más? Dale algún consejo.

EJEMPLO:

E1: ¿Fumas?
E2: Sí, un poco.
E1: Tienes que dejar de fumar. Es muy malo para el corazón.

VOCABULARIO EN CONTEXTO

12–4 Un verano tranquilo

Una compañía de seguros elaboró esta campaña informativa para evitar los problemas típicos del verano a sus clientes. Lee los textos y completa estas frases con recomendaciones y consejos.

ASEGÚRESE UN VERANO TRANQUILO
Aquí tiene una serie de consejos para evitar problemas de salud frecuentes en esta época del año.

LESIONES PROVOCADAS POR EL SOL
Tomar el sol moderadamente es beneficioso: el sol proporciona vitamina D. Sin embargo, si se toma en exceso, el sol se puede convertir en un peligro.

¿QUÉ HACER?

Quemaduras
Para calmar el dolor es conveniente aplicar agua fría, usar crema hidratante sin grasa y no poner nada en contacto con la piel durante unas horas.

Insolación
Si es ligera, aplíquese paños húmedos por el cuerpo y la cabeza, beba tres o cuatro vasos de agua salada, uno cada cuarto de hora, y descanse en un lugar fresco. Si es grave, llame al médico. Para prevenir quemaduras es aconsejable utilizar cremas con filtros solares, ponerse un gorro o buscar zonas de sombra, especialmente en las horas del mediodía.

INFECCIONES ALIMENTARIAS
El calor hace proliferar frecuentemente gérmenes en algunos alimentos, lo que puede provocar diarreas, vómitos y fiebre. No tome alimentos con huevo crudo o poco cocido. Controle también las fechas de caducidad de los productos envasados y enlatados.

¿QUÉ HACER?

Tras una intoxicación de este tipo, haga dieta absoluta el primer día. Tome únicamente limonada alcalina (1 litro de agua hervida, 3 limones exprimidos, una pizca de sal, una pizca de bicarbonato y 3 cucharadas soperas de azúcar). El segundo día puede tomar ciertos alimentos en pequeñas cantidades: arroz blanco, yogur, plátano, manzana, zanahoria, etc.

 PICADURAS
En verano son frecuentes las picaduras. Las más comunes son las picaduras de abeja y avispa, que pueden provocar reacciones alérgicas, y las de mosquito. Los síntomas más frecuentes son inflamación, dolor y escozor. En algunos casos pueden aparecer diarreas, vómitos, dificultad al tragar, convulsiones, etc. En este caso, hay que llevar al paciente al servicio de emergencias más próximo.

---

1. Si tomas el sol... tienes que _____ una gorra y _____ cremas.
2. Si te quemaste muchísimo...
3. Si comes en un restaurante en verano...
4. Si te pica una abeja...
5. Si tienes diarrea...
6. Si, después de una picadura, tienes vómitos...
7. Si tienes síntomas muy graves...

 ### 12–5 Y a ellos, ¿qué les pasa?

Escucha este diálogo entre un paciente y un médico. Escribe qué le pasa al paciente, cómo ocurrió y la recomendación del médico.

¿Qué le pasa?	¿Por qué?	¿Qué tiene que hacer?
1. _____	_____	_____
2. _____	_____	_____
3. _____	_____	_____

12–6 Problemas en vacaciones

¿Has tenido tú alguno de estos problemas durante las vacaciones? ¿Dónde estabas? ¿Con quién estabas? ¿Qué te pasó? ¿Qué síntomas tenías? Cuéntaselo a tus compañeros/as.

EJEMPLO:

Yo una vez estaba en la costa de vacaciones con unos amigos, comimos langosta y a las dos horas me puse enfermísimo... Me dolía mucho el estómago.

12–7 ¿Qué le duele?

Una serie de personas llegan al hospital por razones diferentes. ¿A qué sección deben ir?

EJEMPLO:

José Luis tiene que ir a **odontología** en el quinto piso.

1. A Francisco le duele mucho la garganta, la nariz y los oídos. Está resfriado.
2. Marisa necesita anteojos nuevos.
3. Mercedes trajo a sus hijos a una revisión médica y a ponerles unas vacunas.
4. A José Luis le duelen las muelas.
5. Bartolomé se lesionó jugando al fútbol.
6. Reinaldo tuvo un infarto hace dos meses.
7. Rodrigo tiene depresión y está en tratamiento desde hace seis meses.
8. Rosalinda está embarazada y espera su bebé para noviembre.
9. Marcos está muy enfermo. Tiene cáncer de pulmón.

HOSPITAL SANTA MARÍA MILAGROSA
SAN JOSÉ, COSTA RICA

Cardiología (3er piso)
Cirugía general (4° piso)
Cuidados intensivos (4° piso)
Emergencias médicas (1er piso)
Gastroenterología (4° piso)
Ginecología (2° piso)
Medicina del deporte (1er piso)
Medicina familiar (2° piso)

Odontología (5° piso)
Oftalmología (5° piso)
Oncología (4° piso)
Ortopedia (1er piso)
Otorrinolaringología (3er piso)
Pediatría (2° piso)
Psiquiatría (3er piso)
Radiología (1er piso)

12–8 Síntomas

¿Conoces estas enfermedades? Elige una que conozcas y describe los síntomas, lo que hay que hacer y lo que no se debe hacer. Tu compañero/a tratará de adivinar cuál es.

EJEMPLO:

E1: Cuando tienes esto te duelen los ojos. No hay que tomar el sol y hay que lavarse bien los ojos.
E2: ¡La conjuntivitis!

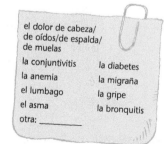

el dolor de cabeza/
de oídos/de espalda/
de muelas

la conjuntivitis   la diabetes

la anemia   la migraña

el lumbago   la gripe

el asma   la bronquitis

otra: _____

GRAMÁTICA EN CONTEXTO

12-9 La historia clínica

Juan José Morales tuvo que ir a emergencias porque se cayó. La enfermera completó esta ficha.

> **Nombre:** Juan José   **Apellidos:** Morales Ramos
> **Edad:** 31 años   **Peso:** 85 kilos   **Estatura:** 1,81 metros
> **Grupo sanguíneo:** A+
> **Enfermedades:** meningitis, hepatitis
> **Operaciones:** apendicitis, menisco
> **Alergias:** ninguna
> **Observaciones:** paciente hipertenso, fumador
> **Medicación actual:** cápsulas contra la hipertensión
> **Motivo de la visita:** dolor agudo en la rodilla izquierda producido por una caída

Ahora escuchen este diálogo entre el enfermero y una paciente. Completen una ficha similar.

> **Nombre:** _____   **Apellidos:** _____
> **Edad:** _____   **Peso:** _____   **Estatura:** _____
> **Grupo sanguíneo:** _____   **Enfermedades:** _____
> **Operaciones:** _____   **Alergias:** _____
> **Observaciones:** _____
> **Medicación actual:** _____
> **Motivo de la visita:** _____
> **Diagnóstico preliminar:** _____

EJEMPLO:

E1: ¿Es alérgico a algo?
E2: Sí, tiene alergia a la penicilina.

12-10 ¡Pobrecitos!

Mira las fotos de Javier, Félix y Juan. Escribe qué les pasa y qué crees que deben y no deben hacer. Usa formas de imperativo y algunos adverbios terminados en -*mente*.

Javier   **Félix**   **Juan**

	¿QUÉ LE PASA?	RECOMENDACIONES
Javier		¡**Camina** muy **lentamente**!
Félix		
Juan		

Le duele mucho el estómago. Se encuentra muy mal.

¿Qué le pasa?

Estoy cansado / enfermo / mareado
No me encuentro bien.
No me siento bien.

Me siento / encuentro { cansado. / débil. }

Tengo { **un** resfriado. / **una** indigestión. / gripe. / diarrea. }

Tengo dolor de { muelas. / cabeza. / barriga. }

Me / te / le duele { la cabeza. / el estómago. / una muela. / aquí. }

Me / te / le duelen { los ojos. / los pies. }

TÚ IMPERSONAL

Si **comes** demasiado, **engordas.**
Cuando **tienes** gripe, **te sientes** mal.

EL IMPERATIVO (MANDATOS)

Formas Regulares

TOMAR

| tú | toma | no tom**es** |
| usted | tom**e** | no tom**e** |

COMER

| tú | come | no com**as** |
| usted | com**a** | no com**a** |

VIVIR

| tú | vive | no viv**as** |
| usted | viv**a** | no viv**a** |

Formas Irregulares

HACER

| tú | **haz** | no **hag**as |
| usted | **hag**a | no **hag**a |

IR

| tú | **ve** | no **vay**as |
| usted | **vay**a | no **vay**a |

RECOMENDACIONES

IMPERSONALES

Cuando se tiene la tensión alta...

...**no hay que comer** sal.

...**no es conveniente comer** sal.

...**no se debe comer** sal.

Tener la tensión alta **puede** ser peligroso para el corazón.

PERSONALES

Si tienes la tensión alta...

...**no comas** sal.

...**no debes comer** sal.

...**puedes** enfermarte.

No coma mucha sal.

ADVERBIOS (–MENTE)

moderada	→	moderada**mente**
excesiva	→	excesiva**mente**
frecuente	→	frecuente**mente**
regular	→	regular**mente**
lenta	→	lenta**mente**

12–11 A dieta

Estas amigas comentan dos dietas para adelgazar. ¿En qué consisten? ¿Cuál te parece mejor?

	TIENES QUE...	NO PUEDES...	HAY QUE...
dieta del "sirope"			
dieta del astronauta			

¿Tienes tú otras sugerencias para adelgazar?

12–12 Disfrute de la naturaleza en Costa Rica

Lee este texto sobre las actividades relacionadas con la naturaleza que ofrece Costa Rica. Después completa el cuadro.

- Playas: ideales para la práctica de actividades enfocadas en la naturaleza y el mar, como la pesca deportiva y el buceo, y también para disfrutar del sol y los paseos a orillas del mar. Las playas de la costa del Pacífico son preferidas para la práctica del surf.

- Aventura: Costa Rica es tierra de volcanes, bosques húmedos, enormes cataratas y ríos caudalosos. Esta naturaleza facilita una variada oferta de actividades, que incluye rafting, windsurf, buceo, kayaking, pesca deportiva o surf.

- Ecoturismo: El país está dividido en 20 parques naturales, ocho reservas biológicas y una serie de áreas protegidas que cautivan a los amantes de las actividades ecoturísticas. La oferta de excursiones es muy variada: desde paseos a caballo hasta caminatas por senderos montañosos y salidas guiadas para la observación de aves. El Parque Nacional Tortuguero es famoso por sus tortugas marinas.

	IMPERATIVO NEGATIVO	IMPERATIVO	TÚ IMPERSONAL
Si vas a las playas...	**no vayas** sin bronceador	**practica** el surf y la pesca	**puedes** bucear / **necesitas** bronceador
Si quieres aventura...			
Si te gusta el ecoturismo...			
Si quieres conocer algún parque natural...			
Si te gustan los animales...			
Si te gusta el deporte...			

INTERACCIONES

ESTRATEGIAS PARA LA COMUNICACIÓN ORAL

Verbal courtesy (II)

As we have seen in *Lección 8* and in this lesson, the command forms have many more functions than just giving orders or commands. We can use them to give advice, recommendations, and warnings. Other uses of the command forms are:

1. To attract someone's attention:
   - *Oye / oiga, ¿me puede decir qué hora es?*
   - *Disculpa / disculpe, ¿dónde está la oficina del doctor Rosales?*
   - *Mira / mire, este es el parque donde quiero ir de vacaciones.*
2. To encourage the listener:
   - *Pasa / pase* y *siéntate / siéntese, por favor.*
   - *No te preocupes / se preocupe. Todo va a salir bien.*
   - *¿Te importa si uso este libro?*
   - ○ *Sí, claro, úsalo.*
3. In fixed expressions:
   - *¡No me digas!* (You're kidding!)

12–13 Con cortesía

Pide a tu compañero/a permiso para hacer estas cosas. Tu compañero/a te debe responder usando imperativos para animarte (*encourage you*).

1. Quieres usar su coche.
2. Has perdido el bolígrafo que tu compañero te prestó. Necesitas otro.
3. Quieres ponerte su abrigo porque tienes frío.
4. Tocas la puerta. Quieres entrar en su cuarto.
5. Quieres comer más pizza.
6. Quieres poner la tele porque hay un partido de fútbol.

EJEMPLO:

E1: Disculpa, ¿puedo usar tu carro? Tengo que ir al aeropuerto.
E2: Sí, claro, **úsalo**.

12–14 Hacer deporte para estar sano

Completen individualmente el cuadro con información sobre los deportes que practican. Luego intercambien la información. Háganse preguntas para saber más de estos deportes.

DEPORTE	PROPÓSITO	TRES RECOMENDACIONES
1.	Para hacer/jugar a… Si quieres hacer/jugar…	
2.		
3.		

EJEMPLO:

E1: Yo hago surf. Para hacer surf **hay que** tener mucho equilibrio, **tienes que** concentrarte mucho y **debes** nadar muy bien. **Puede** ser peligroso.
E2: Si quiero aprender, ¿qué me recomiendas?
E1: Mira, te recomiendo tres cosas: **compra** una buena tabla, **ve** a una buena playa y **practica** mucho.

12–15 A la aventura

Ustedes están de vacaciones en Costa Rica. Uno de ustedes es experto en windsurfing y el otro en rafting. Den tres recomendaciones (basadas en la información de los textos) a su compañero/a.

Windsurfing

Los vientos que cruzan Costa Rica durante los meses secos crean las condiciones necesarias en la parte noroeste del país para realizar este deporte. En esta región se encuentra el lago Arenal, uno de los puntos más reconocidos y premiados mundialmente. Durante la estación seca el viento alcanza velocidades promedio de 33 millas por hora, algo que solamente pueden manejar los expertos del windsurfing. Durante los meses lluviosos los vientos se calman y es el lugar perfecto para aprender este deporte. La Costa Pacífica (Golfo de Papagayo) es la mejor área para surfeadores con menos experiencia, ya que hay aguas más tranquilas y vientos menos intensos.

Descenso de rápidos (rafting)

En Costa Rica se encuentran algunos de los mejores ríos del mundo para correr rápidos.

- Pacuare: Este río está en la lista de los 10 mejores del mundo para rafting y kayaking. Su curso atraviesa una serie de increíbles y densos bosques, y tiene al menos 20 cascadas. Su recorrido se puede hacer desde mediados de mayo hasta mediados de marzo.
- Sarapiqui: Un bellísimo río ideal para principiantes, disponible de mayo a mediados de marzo. Tiene salvajes viajes al principio, un suave flotar al final y una sección de interminables rápidos en el medio. Ideal para los amantes de la naturaleza.

EJEMPLO:

E1: ¿Cuándo me recomiendas aprender a hacer windsurf?
E2: Si quieres aprender a hacer windsurf **hazlo** durante los meses de lluvia, porque hay menos viento.

 12–16 Situaciones: *En la clínica estudiantil*

Two students are at the student health clinic. They are in the doctor's office.

ESTUDIANTE A

When you were coming out of the dorm, you tripped and fell down the stairs. As a result, you are now in a lot of pain. Explain your symptoms to the doctor. Answer the doctor's questions as accurately as possible.

ESTUDIANTE B

After having lunch in the cafeteria, you got sick. Several hours passed but you didn't get better, so you decided to go to the doctor. Explain your symptoms to the doctor. Answer the doctor's questions as accurately as possible.

ESTUDIANTE C

You are a doctor at the student health clinic. Two students with different health problems come to see you. Listen to them, ask them questions, make diagnoses, and give them some recommendations.

TAREA

Crear una campaña para la prevención de accidentes o problemas de salud.

PREPARACIÓN

¿Cuál de los siguientes temas te parece más interesante? Ordénalos de más a menos interesante.

☐ los accidentes de tráfico

☐ los trastornos alimenticios (anorexia, obesidad, etc.)

☐ la adicción al tabaco

☐ las drogadicciones

☐ la vida sedentaria

Ahora observen estas fotos de campañas publicitarias. Relacionen cada una con los temas anteriores. Comenten los mensajes que transmiten y cómo los transmiten. Elijan el tema de su campaña y el dibujo que les sirve como inspiración.

gustas si te gustas

SIGA fumando tranquilo

FUMAR ADELGAZA

Frena mucho antes: en la barra del bar

DYA

DÍA MUNDIAL DE LA SALUD

muévete

VIVE SIN DROGAS

Paso 1 Elaboren una lista de palabras o expresiones relacionadas con el tema que eligieron para su campaña. Usen el dibujo para pensar en palabras. Después piensen en otras imágenes o gráficos que podrían incluir en su campaña.

Paso 2 Para obtener más información, lean la noticia relacionada con el tema que han elegido. ¿Qué datos quieren incluir en su campaña?

1. Aumento de la anorexia

Según la ONU, Argentina es el segundo consumidor mundial de "anorexígenos". Una de cada 10 adolescentes argentinas sufre alguna patología alimentaria y unas 400.000 argentinas optan por consumir diariamente drogas para quitar el hambre. El aumento de su consumo es considerado un síntoma más de la excesiva obsesión por la figura que se vive en muchos países de América Latina. México, Colombia, Perú y Chile también están sufriendo una explosión de casos.

3. Aumenta el alcoholismo en menores

El número de niños y adolescentes que beben en exceso ha aumentado dramáticamente en los últimos años en Latinoamérica. Las estadísticas muestran un aumento del 20% en el número de menores de 18 años admitidos en hospitales por trastornos como envenenamiento de alcohol y un aumento del consumo de alcohol, especialmente en menores de 21 años. Los expertos afirman que parte del problema es el desconocimiento de los peligros del consumo de alcohol.

2. Fumar altera el cerebro "como las drogas"

Según un estudio publicado en el *Journal of Neuroscience*, fumar cigarrillos causa el mismo daño al cerebro que el uso de drogas ilícitas, como la cocaína, produciendo cambios en el cerebro que son evidentes años después de que alguien deja de fumar.

4. Más ejercicio, más felices

Según los científicos, el ejercicio físico intenso libera endorfinas en el cerebro, lo que explicaría la euforia que sienten las personas que lo practican. El ejercicio aumenta la sensación de bienestar y de felicidad.

5. Consumo de drogas en aumento

El aumento global en el consumo de drogas sintéticas supone una carga para toda la sociedad, ya que estas drogas están afectando a los sistemas de salud, que deben costear el tratamiento y la rehabilitación de los pacientes. Los efectos de las drogas sintéticas no son inmediatos, pero su excesivo consumo afecta a ciertas partes del cerebro que controlan los movimientos y la memoria. Estos daños son, en muchos casos, permanentes.

Paso 3 Escriban su campaña, incluyendo

1. la descripción del problema, sus causas y consecuencias principales,
2. una serie de recomendaciones y consejos para evitarlo y combatirlo, y
3. un eslogan.

Paso 4 Presentación de la campaña.
Presenten su folleto en forma de cartel y expongan ante la clase su campaña. La clase decide qué campaña es la mejor.

Paso 5 Foco lingüístico.

| AYUDA |

Relacionar ideas

La nicotina tiene efectos muy nocivos; **sin embargo**, muchas personas fuman.

La gente bebe mucho por la noche y **por eso** hay tantos accidentes de tráfico.

Adverbios en -*mente*
moderada**mente**
excesiv**amente**
especial**mente**
frecuente**mente**

NUESTRA GENTE

GENTE QUE LEE

ESTRATEGIAS PARA LEER

Considering the type of text

One important pre-reading strategy is to consider the type of text that you will be reading. For example, when you are about to read a newspaper article, you can anticipate certain structures (based on headlines or titles, subtitles, etc.), and a specific writing style. What could you expect to find if you were about to read the following types of texts?

1. un horario (*a schedule*)
2. una tabla o gráfico (*a chart or graphic*)
3. un cuento (*a short story*)
4. un panfleto (*a brochure*)
5. una carta
6. una entrevista
7. un poema
8. un menú
9. un correo electrónico

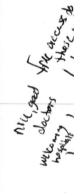

ANTES DE LEER

12–17 El sistema de salud ideal

Ordena, de más a menos importante, las características de un buen sistema de salud en cualquier país.

☐ acceso gratuito para los ciudadanos con menos recursos

☐ médicos que te prestan mucha atención y que son muy amables

☑ hospitales muy acogedores

☐ bajos precios de los servicios médicos

☐ rapidez en la atención médica (cirugías, urgencias…)

☐ acceso para todo el mundo (visitantes, inmigrantes…)

☑ médicos muy bien preparados

¿Conoces el sistema de salud de tu país? ¿Qué características tiene? Señala los aspectos positivos y los negativos.

12–18 Activando estrategias

1. Considera el título del texto. ¿Es informativo?
2. Mira por encima (*skim*) el texto durante 30 segundos. ¿Qué información has obtenido?
3. Busca la siguiente información en el texto usando la técnica del escaneado (*scanning*):

   A. Número de hospitales y clínicas en Costa Rica.

   B. Porcentaje de visitantes que van a Costa Rica para obtener servicios médicos.

DESPUÉS DE LEER

12–19 ¿Comprendes?

1. Costa Rica es el segundo país en esperanza de vida. Da dos razones que expliquen esto.
2. En Costa Rica no hay ejército. ¿Qué consecuencia positiva tiene este hecho?
3. ¿Por qué muchos médicos de Costa Rica hablan más de un idioma?
4. ¿Cuánto tiene que pagar un extranjero residente para tener acceso al sistema de salud?
5. ¿Por qué muchas personas van a Costa Rica para tener cirugía plástica?

A LEER

CUIDADO MÉDICO DE CALIDAD PARA TODO EL MUNDO

Según un informe de la Organización Mundial de la Salud (OMS), Costa Rica es el segundo país con mayor esperanza de vida del continente americano, detrás de Canadá y por encima de Estados Unidos y Chile. Esto es **especialmente** relevante si se considera que su renta per cápita es una décima parte de la de esos países. Ciertamente, algunas razones de este fenómeno se pueden encontrar en la forma de vida menos frenética de los costarricenses: los alimentos frescos, saludables y sin **conservantes**, el clima tropical...; sin embargo, la razón principal es que su gobierno continúa un **compromiso** de muchos años: el de ofrecer a cada uno de sus ciudadanos servicio **asequible** en uno de los mejores sistemas sanitarios del mundo.

El sistema médico de Costa Rica es el segundo de América Latina y figura entre los mejores del mundo. La ausencia de ejército y el énfasis del gobierno en el bienestar social y educativo de sus ciudadanos han dado como resultado un sistema de salud **altamente** desarrollado. El Dr. Soto, jefe de cirugía del Hospital México, dice que Costa Rica es única en su posición mundial con respecto a la sanidad. "He estudiado todos los sistemas de salud en las Américas y puedo asegurarle que en ninguna parte se puede encontrar lo que ofrece Costa Rica a sus ciudadanos". Con una red estatal de 29 hospitales y de más de 250 clínicas a través del país, el sistema público de salud tiene la responsabilidad de proporcionar servicios médicos de bajo costo a toda la gente de Costa Rica y a cualquier residente extranjero o visitante. Los extranjeros residentes solo tienen que pagar una pequeña tasa anual basada en sus ingresos.

Generalmente los doctores y dentistas de Costa Rica reciben su entrenamiento médico en Costa Rica. Después viajan al extranjero para formarse en especialidades diversas y lo hacen en excelentes universidades de Europa o Estados Unidos. Por eso no es extraño encontrar médicos que hablan dos o más idiomas. Muchos de ellos trabajan por la mañana en el sistema público y luego en su **consulta** privada.

Se calcula que alrededor del 14% de todos los visitantes que llegan a Costa Rica lo hacen con el propósito de recibir algún tipo de atención médica. Gente de todo el mundo llega para visitar dentistas, tener cirugías de diversos tipos o pasar una temporada en uno de los balnearios del país. Costa Rica también es destino para aquellos que buscan la fuente de la eterna juventud; los cirujanos plásticos de este país atienden diariamente a cientos de visitantes para llevar a cabo reconstrucciones faciales, reducciones o aumentos de pecho, lipoesculturas, eliminación permanente del **vello** no deseado, injertos capilares, borrado de cicatrices, y muchos otros tratamientos de belleza. Además, el costo de estos tratamientos y cirugías suele ser un tercio más bajo que el de otros países como los Estados Unidos, llegando a veces a costar la mitad.

12–20 Activando estrategias

1. Observa las tres palabras del primer párrafo marcadas en negrita: "especialmente", "conservantes" y "compromiso". ¿Crees que son cognados o falsos cognados? Usa el diccionario si no sabes la respuesta.

2. Usa el contexto para adivinar el significado de las palabras "asequible" y "consulta".

3. Si "alto" significa *tall*, ¿qué significa "altamente"? ¿Qué categoría gramatical es y cómo se forma? Busca dos palabras más en el texto de la misma categoría y formación.

4. Busca en el diccionario la palabra "vello". Identifica primero la categoría y dale el significado adecuado al contexto. ¿Sabes un sinónimo?

12–21 Expansión

¿Qué opinas del sistema de salud de Costa Rica? Menciona aspectos positivos y negativos. ¿Conoces otros países con sistemas de salud como este o mejores?

GENTE QUE ESCRIBE

ESTRATEGIAS PARA ESCRIBIR

The good foreign language writer

Good writers use similar strategies:

1. They have a plan, but are willing to change it as they write, coming up with new ideas.
2. They are willing to revise, and consider early drafts to be tentative.
3. They delay editing and worry about formal correctness only after they are satisfied with the ideas and the organization.
4. They stop frequently and reread what they have written.
5. They write a bit every day and take breaks. This strategy produces better writing.

MÁS ALLÁ DE LA FRASE

Reviewing your text for cohesion

In order to go beyond the sentence level, you need mechanisms to give cohesion to your text. When reviewing the text, make sure you have used a variety of connectors (to organize, to add and sequence ideas, to introduce examples, to clarify information, or to express relations of cause and effect). The use of referent words that carry information about previous elements (pronouns such as *él, la, ello, lo, la, los, las,* or demonstratives such as *este, esto,* etc.) will eliminate excessive repetition. To make sure you do not repeat information, revise your draft and look for information that can be replaced with these referents.

1. Find in the text about Costa Rica (*A leer* section) the following underlined words : "esto," "esos países," "este fenómeno," "muchos de ellos," and "lo." What or who are they referring to? How do they help you as a reader to understand the text?
2. Now find the underlined connectors "sin embargo," "después," "por eso," "luego," "también," and "además." What is their function?

12–22 Artículo informativo

El periódico en español de tu escuela necesita un artículo con recomendaciones y consejos para llevar una vida saludable durante el año académico. Escribe tu artículo después de reflexionar sobre los posibles significados de este gráfico.

 ¡ATENCIÓN!

Para generar ideas, piensa en el propósito de tu artículo y las personas que van a leerlo. Luego desarrolla un esquema y decide cómo quieres organizar la información. Sigue los Pasos 1 a 8 y revisa los mecanismos que has usado para conseguir cohesión textual.

COMPARACIONES

12–23 Salud y biodiversidad

¿Qué es la biodiversidad? ¿Crees que tiene relación con la salud? Da algunos ejemplos. Luego lee el texto y responde a las preguntas.

Biodiversidad en Costa Rica

Recientes investigaciones sobre biodiversidad y salud humana demuestran que la salud del ser humano depende completamente de la salud del ecosistema. Costa Rica es uno de los mejores ejemplos de un país que se preocupa por su biodiversidad. Está dividido en 20 parques naturales, 8 reservas biológicas y una serie de áreas protegidas. Su excelente sistema de conservación garantiza la supervivencia de las especies autóctonas.

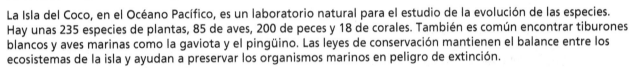

El Parque Internacional La Amistad, patrimonio de la humanidad debido a su excepcional valor universal, tiene un gran número de extraordinarios hábitats. Una mezcla de bosques muy altos y húmedos cubre la mayor parte del territorio. Se han observado más de 263 especies de anfibios y reptiles, así como también mamíferos como pumas, jaguares, monos, etc. Hay más de 400 especies de aves.

La Isla del Coco, en el Océano Pacífico, es un laboratorio natural para el estudio de la evolución de las especies. Hay unas 235 especies de plantas, 85 de aves, 200 de peces y 18 de corales. También es común encontrar tiburones blancos y aves marinas como la gaviota y el pingüino. Las leyes de conservación mantienen el balance entre los ecosistemas de la isla y ayudan a preservar los organismos marinos en peligro de extinción.

1. ¿Existe en tu país una preocupación por la biodiversidad y la salud del medio ambiente? ¿Crees que es suficiente? ¿Hay parques nacionales y espacios naturales protegidos? Da algunos ejemplos.

2. Hagan una lista de seis recomendaciones para el gobierno de su país con el objetivo de mejorar la salud del ecosistema y, consecuentemente, la de todos.

CULTURA

La población de origen costarricense en Estados Unidos asciende a aproximadamente 125.000 personas y se ubica principalmente en California, Florida, Texas y el área de Nueva York. Los costarricenses que emigraron en el pasado a Estados Unidos no lo hicieron por problemas políticos o económicos. Por ello, solo unos 70.000 costarricenses han emigrado a Estados Unidos desde 1930.

Óscar Arias es el costarricense más conocido a nivel internacional. Recibió el Premio Nobel de la Paz en 1987 gracias a sus esfuerzos para conseguir la paz en América Central. Fue presidente de Costa Rica desde 2006 hasta 2010, y también desde 1986 a 1990.

Óscar Arias

Franklin Chang-Díaz es un astronauta y físico costarricense de nacimiento, nacionalizado estadounidense. Completó su doctorado en ingeniería nuclear en MIT. Fue el primer latinoamericano en la NASA y ha realizado siete misiones en transbordador espacial. En 2005 fundó un laboratorio llamado Ad Astra Rocket en Costa Rica. Su investigación se concentra en la construcción de un motor de plasma que permita la realización de viajes espaciales más rápidos y económicos. Chang-Díaz forma parte del Salón de la Fama de astronautas de la NASA desde 2012.

Franklin Chang-Díaz

Go to **MySpanishLab** to review what you have learned in this chapter.

Flashcards | Oral Practice | Practice Test / Study Plan | amplifire Dynamic Study Modules | Tutorials | Videos | Extra Practice

VOCABULARIO

Medicina: síntomas y enfermedades
(Medicine: symptoms and illnesses)

la alergia	*allergy*
el ataque al corazón	*heart attack*
el cansancio	*tiredness*
el cigarrillo	*cigarette*
el/la cirujano/a	*surgeon*
la cirugía	*surgery*
la consulta	*(doctor's) office*
el dolor	*pain*
el dolor de cabeza	*headache*
el dolor de espalda	*backache*
el dolor de estómago	*stomachache*
el dolor de muelas	*toothache*
el dolor de oídos	*earache*
la enfermedad	*illness, sickness*
la fiebre	*fever*
el/la fumador/a	*smoker*
la gripe	*flu*
la inflamación	*swelling, inflammation*
la insolación	*sunstroke*
el insomnio	*sleeplessness, insomnia*
la intoxicación	*food poisoning*
el jarabe	*syrup*
la lesión	*injury*
el mareo	*dizziness*
el masaje	*massage*
la medicina	*medicine*
el/la médico	*doctor*
la operación	*surgery*
la pastilla	*pill*
el peso	*weight*
la picadura	*sting, bite*
la píldora	*pill*
la quemadura	*burn*
la receta	*prescription*
el régimen	*diet*
el resfriado	*cold*
el riesgo	*risk*
la salud	*health*
el seguro médico	*health insurance*
el servicio de emergencias	*emergency room*
el síntoma	*symptom*
la tensión	*blood pressure*
la tos	*cough*
el tratamiento	*treatment*

Adjetivos *(Adjectives)*

adicto/a	*addicted*
alérgico/a	*allergic*
grave	*severe, serious*
inconsciente	*unconscious*
mareado/a	*dizzy*
peligroso/a	*dangerous*
recomendable	*advisable*

Verbos *(Verbs)*

adelgazar	*to lose weight*
advertir (ie) (de)	*to notice, to warn*
aumentar	*to increase*
caerse	*to fall*
cansarse	*to get tired*
cuidarse	*to take care of oneself*
dejar de	*to stop doing something*
descansar	*to rest*
desmayarse	*to faint*
doler	*to hurt*
enfermarse	*to get sick*
engordar	*to gain weight*
estirarse	*to stretch*
evitar	*to avoid*
fumar	*to smoke*
lesionarse	*to get hurt, to get injured*
marearse	*to get dizzy*
medir (i)	*to measure*
operar	*to operate on*
operarse (de)	*to have surgery*
padecer (zc)	*to suffer*
pesar	*to weight*
picar	*to itch, to sting*
prevenir	*to prevent*
quemarse	*to get burned*
recetar	*to prescribe*
resfriarse	*to get a cold*
romperse (algo)	*to break (something)*
sudar	*to sweat*
toser	*to cough*
tumbarse	*to lie down*
vomitar	*to vomit*

Otras palabras y expresiones
(Other words and expressions)

la advertencia	*warning*
el consumo	*consumption*
estar resfriado/a	*to have a cold*
hacerse daño	*to hurt oneself*
ponerse enfermo / enfermarse	*to get sick*
tener exceso de peso	*to be overweight*
tener un accidente	*to have an accident*

CONSULTORIO GRAMATICAL

1 Command Forms

Commands in Spanish have affirmative and negative forms. In Lección 6 we studied affirmative forms. In this lesson we will review those, and also study negative commands.

(Please see the Consultorio gramatical in Lección 6 for a review of affirmative command forms, and the multiple uses of command forms in Spanish).

REGULAR FORMS

	TOMAR	BEBER	VIVIR
(tú)	toma / no tomes	bebe / no bebas	vive / no vivas
(usted)	tome / no tome	beba / no beba	viva / no viva

¡ATENCIÓN!

When asking others not to do something, the imperative form may come across as aggressive, and therefore it is only used in very casual situations, or when softened by other expressions.

Por favor, **no se siente** ahí. Esa silla está rota.
Please, **don't sit** there. That chair is broken.

Carlitos, **no comas** tan deprisa...
Carlitos, **don't eat** so quickly...

IRREGULAR FORMS

HACER	(tú)	haz	no hagas	SALIR	(tú)	sal	no salgas
	(usted)	haga	no haga		(usted)	salga	no salga
PONER	(tú)	pon	no pongas	DECIR	(tú)	di	no digas
	(usted)	ponga	no ponga		(usted)	diga	no diga
SER	(tú)	sé	no seas
	(usted)	sea	no sea
IR	(tú)	ve	no vayas
	(usted)	vaya	no vaya
VENIR	(tú)	ven	no vengas
	(usted)	venga	no venga
TENER	(tú)	ten	no tengas
	(usted)	tenga	no tenga

Ve a clase. Es tarde.

¡No vayas; espera! ¡Ven aquí!

Use of negative commands

Negative commands are used primarily to make recommendations, give warnings, and give advice.

No fumes tanto; tienes tos.
Don't smoke so much; you have a cough.

No salgas ahora; hay mucho tráfico.
Don't go out now; there is too much traffic.

No ponga sal en el pollo y **no beba** alcohol.
Don't put salt on the chicken and **don't drink** alcohol.

Pronoun placement

In contrast to what happens with the affirmative imperative, in the negative form the direct object, the indirect object, and the reflexive pronouns precede the verb.

Di**le** a Luisa la verdad.
Tell Luisa the truth.

No **le** digas nada a Luisa.
Don't tell anything to Luisa.

Esas pastillas, tóma**las** en ayunas.
Those pills, take them before breakfast.

Esas pastillas, no **las** tomes en ayunas.
Those pills, don't take them before breakfast.

Póngase la chaqueta.
Put the jacket on.

No **se** ponga la chaqueta.
Don't put the jacket on.

¿Me la dejas?

De acuerdo, pero cuídala bien.

2 Recommendations, Advice, and Warnings

As we saw in Lección 5, there are many ways to give recommendations and advice.
These ways can be more or less personal.

IMPERSONAL

Cuando tienes la tensión alta,   ⎧ no se debe
Si tienes la tensión alta,   ⎨ no hay que
                                        ⎪ no es bueno   comer sal.
                                        ⎩ no es aconsejable

When you have high blood pressure,   ⎧ you mustn't
If you have high blood pressure,   ⎨ you shouldn't
                                        ⎪ it is not good to   eat salt.
                                        ⎩ it is not recommended to

Algunos deportes **pueden** ser peligrosos para el corazón.
Some sports **can** be dangerous for your heart.

PERSONAL

Si tienes dolor de estómago,   ⎧ no comas sal.
                                     ⎨ hay que tomar té.   If you have a stomachache,   ⎧ don't eat salt.
                                     ⎩ debes tomar té.   ⎨ you should have tea.
                                                                                             ⎩ you must have tea.

Si tomas tanto sol, te **puedes** quemar.
If you get so much sun, you can get sunburned.

> Tienes que dejar de fumar.
> Y debes ir al médico,
> no tienes buena cara.

3 Impersonal *Tú*

The second person of a verb can have an impersonal meaning in Spanish. It can also serve as a way to talk about oneself indirectly,
without saying yo.

Si comes demasiado, **engordas.**   Cuando **tienes** dolor de estómago, es bueno tomar té.
(= anybody, everybody)   (= anybody, everybody)
If **you eat** too much, **you get fat.**   When **you have** a stomachache, it is good to have tea.

Sales, te acuestas tarde y luego **te sientes** muy mal.
You go out, you go to bed late and then **you feel** very sick.

Remember that we can also express impersonal meaning with **se** and the third person of the verb (see Lección 8).

Si **se come** demasiado, **se engorda.**   Cuando **se tiene** dolor de estómago, es bueno tomar té.
If **one eats** too much, **one gets fat.**   When **one has** a stomachache, it is good to have tea.

4 Talking about Health

Questions at the doctor's office

¿**Cuál es tu / su grupo sanguíneo?**   ¿**Toma/s algún medicamento?**
What's your blood type?   Do you take any medication?

¿**Es/Eres alérgico a algo?**   ¿**Cuánto mide/s?**
Are you allergic to anything?   How tall are you?

¿**Ha/s tenido alguna enfermedad?**   ¿**Cuánto pesa/s?**
Have you ever had an illness?   What's your weight?

¿**Lo / la / te han operado alguna vez?**   ¿**Cómo se/te siente/s?**
Have you ever had surgery?   How do you feel?

¿**De qué lo / la / te han operado?**   ¿**Qué le/te pasa?**
What kind of surgery have you had?   What's the problem?

To describe physical conditions

Estoy / estás / está......   cansado/a (tired)
     enfermo/a (sick)
     mareado/a (dizzy)
     resfriado/a (have a cold)

Tengo / tienes / tiene...   un resfriado (a cold)
     una indigestión (an indigestion)
     gripe (a cold)
     diarrea (diarrhea)

Tengo / tienes / tiene... dolor de   muelas (toothache)
     cabeza (headache)
     barriga (stomachache)

Me / te / le... duele   la cabeza (my/your/his/her head hurts)
     el estómago (my/your/his/her stomach hurts)
     una muela (my/your/his/her tooth hurts)
     acá (it hurts here)

Me / te / le... duelen   los ojos (my/your/his/her eyes hurt)
     los pies (my/your/his/her feet hurt)

Me encuentro / me siento...   cansado (I feel tired)
     débil (I feel weak)
     bien/mal (I feel good/bad)

¡ATENCIÓN!

The verb *doler* is similar to *gustar*. The subject is the part of the body that hurts, not the person who expresses the condition.

The verbs *sentirse* and *encontrarse* are reflexive verbs. The subject is the person who experiences the sensation or condition.

	ENCONTRARSE	SENTIRSE
(yo)	me encuentro	me siento
(tú)	te encuentras	te sientes
(él, ella, usted)	se encuentra	se siente
(nosotros/as)	nos encontramos	nos sentimos
(vosotros/as)	os encontráis	os sentís
(ellos/as, ustedes)	se encuentran	se sienten

5   Adverbs ending in *-mente*

These adverbs are formed from the feminine form of an adjective and are commonly used in Spanish to express the way in which something is done.

> Seguramente es una fractura de fémur.

> Sí, ocurre frecuentemente con jugadores de fútbol.

FEMININE ADJECTIVE + **mente**

moderada	⟶ moderada**mente**
excesiva	⟶ excesiva**mente**
frecuente	⟶ frecuente**mente**
lenta	⟶ lenta**mente**
rápida	⟶ rápida**mente**

¡ATENCIÓN!

The meaning of the adverb created by adding **-mente** is not always the same as that of the adjective from which it was formed.

Yo **personalmente** pienso que eso no es verdad.
I **personally** think that isn't true.

Hola, Juan, **precisamente** estábamos hablando de ti.
Hello, Juan, we were **just** speaking about you.

Seguramente iremos de vacaciones a París.
We will **most likely** go on vacation to Paris.

¡Hola! **Justamente** quería llamarte.
Hi! I was **just** going to call you.

13 GENTE y LENGUAS

TAREA

Elaborar una lista de las razones más importantes para aprender español y de las mejores estrategias y recursos para aprenderlo.

NUESTRA GENTE

Paraguay
Hispanos/latinos en Estados Unidos

Explore
Paraguay with
Club cultura!

Hugo Ramos

Yo soy paraguayo, de un pueblecito cerca de Asunción, la capital. En mi casa, con mi familia, siempre hemos hablado guaraní, pero obviamente todos sabemos castellano y lo hablamos, por ejemplo, en el trabajo. A mí me gusta decir que soy bilingüe y bicultural. Además hablo y escribo inglés y ahora estoy estudiando francés.

Elisabeth Silverstein

Yo soy argentina, de origen alemán. De niña solo sabía español porque crecí en Argentina. Pero después fui a estudiar a Alemania y allá aprendí el alemán. También tengo conocimientos de hebreo porque soy judía y en mi familia todos hemos aprendido hebreo. En el terreno profesional tengo que leer mucho en inglés porque soy bióloga. La lengua internacional de la ciencia es sin duda el inglés.

Edurne Etxebarría

Yo soy española, del País Vasco. En casa de mis padres siempre hemos hablado euskera, o sea, vasco; nunca español. Mi marido es madrileño y ahora, en casa, hablo en español con él. A los niños mi marido les habla en español y yo en euskera. Además, me parece muy importante aprender inglés y por eso van a una escuela de idiomas cuatro veces por semana.

Alberto Fernández

Yo soy paraguayo, de San Pedro. Mi pasión son los idiomas. Además del español y el guaraní, que son mis lenguas maternas, tengo un buen nivel de francés, inglés, italiano y portugués. Estudié árabe por tres años pero quiero seguir perfeccionándolo. Y este año quiero empezar con el japonés. Me fascina conocer otros pueblos, otros países, y a mí me parece que la única manera de hacerlo es aprendiendo sus lenguas y sus culturas.

ACERCAMIENTOS

 13-1 La importancia de aprender lenguas extranjeras

¿Crees que es importante hablar lenguas? ¿Por qué? Mira las fotos de estas personas y lo que nos dicen sobre este tema.

	¿QUÉ LENGUAS SABEN?	¿POR QUÉ SON BILINGÜES, TRILINGÜES O MULTILINGÜES?
Hugo:		
Elisabeth:		
Edurne:		
Alberto:		

13-2 ¿Y tú?

¿Cuántas características compartes con estas personas? Explícaselo a la clase.

EJEMPLO:

Yo también soy bilingüe, como Hugo, Edurne y Alberto.

Yo también estudié _____ pero no _____

A mí también me gusta(n) _____

Yo también tengo un buen nivel de _____

A mí también me parece que _____

13-3 Miles de lenguas

En el mundo se hablan aproximadamente 6.800 lenguas, repartidas en más de 220 países. ¿Sabes dónde se hablan? Mira la tabla.

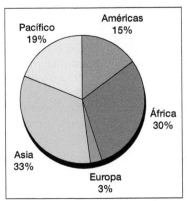

CONTINENTE	POBLACIÓN	LENGUAS VIVAS	PORCENTAJES
África	780 millones	2.011	30%
América	828 millones	1.000	15%
Asia	3.600 millones	2.165	33%
Europa	728 millones	225	3%
Pacífico	30 millones	1.202	19%
Total	6.000 millones	6.703	100%

Estos son los países con el mayor número de lenguas. La mitad de las lenguas del mundo se habla en tan solo ocho países:

Papúa-Nueva Guinea	832
Indonesia	731
Nigeria	515
India	400
México	288
Camerún	286
Australia	268
Brasil	234

En Latinoamérica hay más de 700 lenguas indígenas. Estos son los países con mayor número:

México	282	Guatemala	51
Brasil	234	Venezuela	40
Perú	96	Bolivia	33
Colombia	79		

- ¿Qué datos de estos cuadros te parecen más interesantes? ¿Por qué?
- La mitad de las lenguas del mundo está en peligro de desaparición. ¿Por qué crees que desaparece una lengua? ¿Cómo se pueden preservar las lenguas?

VOCABULARIO EN CONTEXTO

13–4 Paraguay, un país bilingüe

Lee este texto sobre Paraguay. Luego mira el gráfico y coméntalo con la clase.

Paraguay reconoció el guaraní (idioma autóctono) como lengua nacional en 1967. Desde 1992 es idioma oficial junto con el español y en las escuelas la enseñanza se hace en ambos idiomas.

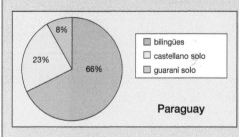

- ■ bilingües
- □ castellano solo
- ■ guaraní solo

Paraguay

8%
23%
66%

Artículo 140 de la Constitución de Paraguay
DE LOS IDIOMAS:
El Paraguay es un país pluricultural y bilingüe. Son idiomas oficiales el castellano y el guaraní. [...] Las lenguas indígenas, así como las de otras minorías, forman parte del patrimonio cultural de la Nación.

¿Conoces otros países bilingües en Latinoamérica? ¿Y en el resto del mundo? ¿Qué opinas de la enseñanza bilingüe?

 ### 13–5 La riqueza de las lenguas

Lee el texto de la página 221 y subraya las partes en las que se desarrollan las siguientes afirmaciones:

1. En una conversación la comunicación no verbal es tan importante como la verbal, o más.

2. El dominio de la gramática, del vocabulario y de la pronunciación no son suficientes para comunicarse en una lengua extranjera.

3. La comunicación no verbal se aprende por imitación.

4. Las reglas propias de la conversación no son iguales en todas las culturas.

Escribe 10 palabras del texto que se relacionan con el tema de las lenguas y la comunicación.

  ### 13–6 Anécdotas

Debido a las diferencias culturales, en la comunicación intercultural a veces ocurren problemas. Tres personas nos explican sus experiencias. Escucha las anécdotas, marca la información correcta y completa las frases.

el vocabulario
La 1ª persona tuvo problemas con... la distancia física
La 2ª persona tuvo problemas con... la gramática
La 3ª persona tuvo problemas con... las fórmulas de cortesía
las reglas de conversación

En particular, la 1ª persona _las fórmulas de cortesía._
En particular, la 2ª persona _la distancia física._
En particular, la 3ª persona _las reglas de conversación_

¿Has tenido alguna vez experiencias semejantes? Comparte esta información con la clase.

  ### 13–7 Miles de lenguas

Estas son las 12 lenguas más habladas del mundo. Intenten clasificarlas en orden según el número total de hablantes, de mayor a menor. Después su profesor/a va a dar las respuestas correctas. Gana el grupo con más aciertos.

francés	portugués	ruso	árabe	hindi	coreano
español	inglés	japonés	chino mandarín	bengalí	alemán

LA **riqueza** DE LAS LENGUAS

¿QUÉ ES UNA LENGUA? ¿UNA GRAMÁTICA Y UN VOCABULARIO? ¿UNOS SONIDOS Y UN ALFABETO? INDUDABLEMENTE, ES ALGO MUCHO MÁS COMPLEJO.

MOVIMIENTOS DE LA **CARA**

La mayor capacidad expresiva del ser humano está en la cara: sus músculos pueden realizar más de 20.000 movimientos diferentes. Hay movimientos de cejas que duran solo millonésimas de segundo.

Las reglas de la conversación

Para participar en una conversación no solo hay que saber hablar: también hay que saber escuchar, saber tomar la palabra y cederla a otro interlocutor.

Si observamos una conversación sin escuchar las palabras, descubriremos el valor de las miradas, los gestos, las posturas. Son los elementos paralingüísticos, que transmiten hasta un 60% o 65% del significado. Las palabras transmiten solo el 30% o el 35% restante.

También la posición de los interlocutores interviene en la comunicación humana. Generalmente evitamos situarnos frente a frente; además, en distintas situaciones preferimos distintas posiciones: en una cafetería, por ejemplo, con amigos o conocidos, nos sentamos al lado de nuestro interlocutor, mientras que en una biblioteca solemos adoptar una distribución en diagonal.

EL VALOR DEL **SILENCIO**

Tanto el valor como la duración del silencio varían dependiendo de la cultura. En muchas culturas de Europa y América, por ejemplo, no contestarle a quien hace una pregunta es una falta grave de educación. En otras culturas no es así: el silencio puede ser una forma de manifestar indirectamente desaprobación.

Lengua y cultura

El lenguaje de los gestos, de las posturas y del espacio, lo aprendemos de pequeños imitando a los mayores.

Cada sociedad tiene regulada la distancia para hablar con los demás; a quién se le puede mirar directamente a los ojos y a quién no, el tiempo que puede durar la mirada, la postura que conviene adoptar (de pie, sentado, las manos en los bolsillos, etc.), si se puede o no se puede tocar al interlocutor, etc.

Cuando aprendemos una lengua extranjera tenemos que aprender también algunas de esas reglas, especialmente si son distintas de las de nuestra cultura. ■

13–8 ¿Sabes aprender español?

¿Eres buen estudiante de español? Lee el texto y marca las cosas que haces. Comparte tus datos con la clase.

El/La buen/a estudiante de lenguas...

- está dispuesto/a a comunicarse y a aprender en situaciones comunicativas,
- se fija en el contexto para entender el significado de lo que oye o lee,
- intenta descubrir por sí mismo/a reglas de la lengua que estudia,
- no tiene miedo de cometer errores cuando practica y sabe que sin cometer errores no se aprende,
- conoce y aplica diversas técnicas para aprender, para memorizar el vocabulario, para fijar estructuras gramaticales, para perfeccionar la pronunciación, para corregir sus errores y
- sabe que la lengua se usa de diversas maneras, cada una de ellas apropiada a las diversas circunstancias y situaciones: en textos escritos, oralmente, entre amigos, entre desconocidos, etc.

GRAMÁTICA EN CONTEXTO

 13-9 ¿Qué te parece?

Clasifica esta lista de actividades de clase según tu opinión.
Coméntala con tu compañero/a.

(3) Me parece divertido y útil para aprender
(2) Me gusta mucho pero me resulta muy difícil
(1) Me parece bastante útil pero muy aburrido
(0) No me parece útil

Hablar de temas interesantes en español

Escuchar conversaciones grabadas

Conjugar verbos

Escribir composiciones

Hacer juegos en español

Leer textos interesantes de la prensa

Aprender listas de palabras

Videos (películas, noticias, etc.)

Tratar de descubrir reglas de gramática

Juegos de situación

Escuchar música y cantar en español

Leer textos en voz alta en clase

EJEMPLO:

E1: A mí los videos no **me resultan** útiles.
E2: A mí **me gustan** mucho, **me parecen** muy útiles pero **me resultan** muy difíciles.
E1: A mí **me parece** más interesante hacer juegos. **Me encantan** los juegos.

 13-10 Problemas y consejos

 Estas personas estudian idiomas y tienen algunos problemas.
Escucha sus comentarios y completa la información.

	A ÉL / A ELLA
1. Tomás	le encanta...
2. Fernando	le gusta mucho... le resulta muy difícil...
3. Yolanda	le cuesta mucho... le da miedo...
4. José	le cuesta mucho... le parece muy difícil...
5. Gemma	le da vergüenza... le pone nerviosa...

 13-11 ¿Y a ti te pasa lo mismo?

Dile a tu compañero/a qué problemas tienes con el español.

EJEMPLO:

E1: A mí **me cuesta** mucho hablar con nativos. **Me pone** muy nervioso.
E2: A mí no. A mí **me gusta**. Pero **me parece** muy aburrido estudiar la gramática.

VERBOS COMO GUSTAR: SENSACIONES, SENTIMIENTOS, DIFICULTADES, VALORACIONES

Me pone nervioso/a...
Me encanta...
Me resulta fácil...
Me cuesta...
Me da miedo...
Me parece aburrido/divertido...
Me resultan aburridos/divertidos...
Me parecen aburridas/divertidas...

INFINITIVO	NOMBRE
hacer ejercicios.	el acento de Juan.
pronunciar la erre.	el libro de español.
aprender lenguas.	el vocabulario.
leer.	la pronunciación.
cometer errores.	el examen.
memorizar palabras.	el ejercicio. los videos. las reglas.

A mí los pronombres me resultan muy difíciles.

A mí me cuesta mucho aprender palabras nuevas.

Y a mí me da miedo cometer errores.

PRESENTE PERFECTO

HABLAR

he
has
ha
hemos
habéis
han
} hablado

EL PARTICIPIO

hablar → **hablado**
tener → **tenido**
vivir → **vivido**

PARTICIPIOS IRREGULARES

ver → **visto**
hacer → **hecho**
escribir → **escrito**
decir → **dicho**

USO DEL: PERFECTO VS PRETÉRITO

EN ESPAÑA

Con el perfecto expresamos situaciones o eventos pasados en períodos **no concluidos** (todavía presente).

Esta semana
Este mes
Esta mañana
Hoy
Esta
tarde
} **he estado** en Asunción.

Con el pretérito expresamos situaciones o eventos **pasados** en períodos **concluidos**.

La semana pasada
El mes pasado
El semestre pasado
Ayer...
} **estuve** en Asunción.

EN LATINOAMÉRICA Y EE.UU.

Se prefiere la conjugación del pretérito en ambas situaciones.

Ayer estuve en Asunción.
Hoy estuve en Asunción.

Sin embargo, con marcadores como **siempre, ya, todavía, nunca,** y **toda mi vida** se prefiere el presente perfecto porque incluyen el presente:

Siempre he vivido en esta casa.
Ya hemos visto los mensajes.
Todavía no **he terminado.**
Nunca he viajado a Paraguay.
Toda mi vida he escrito poemas.

USOS DEL GERUNDIO

Responde a la pregunta ¿cómo?

Yo he aprendido idiomas yendo a clase.

Pues yo sin ir. Solo hablando, y viajando...

ESTAR + GERUNDIO

ACCIÓN EN PROGRESO

Los niños **están aprendiendo** español.

PERFECTO / PRETÉRITO DE ESTAR + GERUNDIO = ACTIVIDAD FINALIZADA

Hoy **he estado / estuve trabajando** todo el día.
Ayer **estuve estudiando** hasta las 10.
El verano pasado **estuve estudiando** en Asunción.

13–12 ¿Dónde has estado?

Vas a escuchar dos versiones de una conversación. En la primera hablan dos amigos españoles. Después de escucharla, responde a las preguntas.

1. ¿Dónde **ha estado** Ricardo?
2. ¿Qué **ha estado haciendo** Ricardo durante la semana?
3. ¿Cuántas clases **ha tenido** este mes?
4. ¿Por qué **ha decidido** Ricardo aprender guaraní?
5. ¿Qué **hizo** Ricardo hace dos años?
6. ¿Qué **estuvo haciendo** la semana pasada?

Ahora escucha otra versión. Hablan dos amigos latinoamericanos. Luego responde a las preguntas.

1. ¿Dónde **estuvo** Ricardo?
2. ¿Qué **estuvo haciendo** Ricardo durante la semana?
3. ¿Cuántas clases **tuvo** este mes?
4. ¿Por qué **decidió** Ricardo aprender guaraní?
5. ¿Qué **hizo** Ricardo hace dos años?
6. ¿Qué **estuvo haciendo** la semana pasada?

Fíjate en la variación en el uso del **perfecto** (España) y el **pretérito** (Latinoamérica). Hay dos ocasiones en que en ambos diálogos se usa el **pretérito** y dos ocasiones en las que en ambos diálogos se usa el **perfecto**. ¿Cuáles? ¿Por qué?

13–13 Ahora tú

Completa este cuadro con cosas que **hiciste** (o no) y **has hecho** (o no) para aprender y mejorar tu español. Luego intercambia la información con tu compañero/a.

El año pasado _____   este año _____
El mes pasado _____ en cambio este mes _____
La semana pasada _____ pero esta semana _____
Ayer _____   hoy _____

EJEMPLO:
E1: Yo el año pasado **practiqué** mucho pero este año no **he practicado** nada.
E2: Yo por ejemplo ayer **estudié** un poco pero hoy no **he estudiado** nada.

13–14 ¿Qué sabes hacer?

Seguro que en tu vida has aprendido muchas otras cosas. ¿Qué sabes hacer? Dile a tu compañero/a si sabes hacer estas cosas y cuándo y cómo aprendiste.

bailar   manejar
nadar   coser
esquiar   cocinar
tocar un instrumento   otros: _____

EJEMPLO:
E1: ¿Tú sabes esquiar?
E2: Sí, aprendí a esquiar cuando era niño. Soy bastante bueno.
E1: ¿Cómo aprendiste?
E2: Pues **practicando** mucho...

INTERACCIONES

ESTRATEGIAS PARA LA COMUNICACIÓN ORAL

Expressing agreement during conversation

There are different degrees of expressing agreement, used for different purposes.

Agreement	*De acuerdo.*	Okay.
	Es cierto.	That's true.
	Bueno.	Okay.
	Así es.	That's right.
Strong agreement	*Por supuesto (que sí / que no).*	Of course (not).
	Claro (que sí / que no).	Of course (not).
	Cómo no.	Of course.
	Desde luego (que sí / que no).	Of course (not).
	Sí señor/a.	Of course; that's right.
	Sin lugar a dudas; sin duda.	No doubt about it.
	No cabe duda.	No doubt.
Personal agreement	*Tiene(s) razón.*	You are right.
	Estoy de acuerdo contigo / con usted.	I agree with you.
	Comparto tu / su punto de vista.	I share your point of view.
	Opino igual que tú / usted.	I think like you.

 13–15 Una campaña publicitaria: "Aprende idiomas"

Una escuela de idiomas de Asunción quiere lanzar una campaña publicitaria. Dos compañías de publicidad le han presentado dos ideas diferentes. ¿Qué opinan ustedes?

IDIPAR (IDIOMAS DE PARAGUAY)
ESPAÑOL Y GUARANÍ PARA EXTRANJEROS

Porque el multilingüismo es diálogo, cooperación, convivencia internacional

Porque cuando aprendes lenguas comprendes mejor el mundo que te rodea

Porque aprender idiomas es enriquecer nuestro horizonte personal

Porque un país de monolingües es un país pobre

ESPAÑOL Y GUARANÍ:
LOS IDIOMAS DE PARAGUAY

Idiomas
Avañe'? - Karaiñe'?

Descubra la aventura de ser multilingüe: aprenda guaraní y español en inmersión

Descubra nuestras culturas aprendiendo nuestras lenguas

Viva con una familia que habla guaraní y español

Conozca a nuestra gente, hable nuestras lenguas, siéntase como en casa

EJEMPLO:

E1: A mí me parece muy interesante la primera: usa frases con "porque".
E2: A mí no; me resulta demasiado repetitivo. Me parece mejor la segunda.
E1: Estoy de acuerdo. Me parece más íntima, no sé... más familiar.

Elijan la mejor campaña y compartan esta información con la clase.

13–16 Condiciones óptimas de aprendizaje

Lean estas afirmaciones y decidan con cuáles están de acuerdo y con cuáles no. Luego presenten su lista a la clase y justifíquenla.

1 Todas las personas aprenden espontáneamente y sin esfuerzo a hablar su propia lengua. Una lengua extranjera también puede aprenderse espontáneamente y sin esfuerzo. Solo hay que seguir el método adecuado.

2 Lo mejor para el aprendizaje en el aula es crear situaciones de comunicación: los alumnos aprenden la lengua usándola.

3 Hay que pasar algún tiempo viviendo en un país donde se habla la lengua.

4 No hay que frustrarse si, en el contacto con la lengua auténtica, no es posible entenderlo todo desde el primer día. El buen estudiante tiene en cuenta el contexto, la situación y otros elementos para interpretar el sentido de lo que oye o lee.

5 Un factor clave: la motivación. Participar activamente en las tareas de clase y tomar la iniciativa.

6 Una buena medida: tratar temas interesantes. De otro modo, baja la motivación.

7 El aprendizaje de una lengua extranjera es, exclusivamente, un proceso intelectual. Por esa razón, la función principal del profesor es explicar la gramática.

8 Es muy importante el desarrollo de la conciencia intercultural: cada comunidad y cada sociedad tiene diferentes modos de organizar la vida social, y esto se refleja en los usos de la lengua.

9 Y una última ayuda: no solo hay que aprender la lengua, sino también "aprender a aprenderla". Conocerse a uno mismo como aprendiz y potenciar el uso de más estrategias es muy útil.

EJEMPLO:

E1: Pues estoy en desacuerdo con la primera porque aprender la lengua materna y una extranjera son cosas muy diferentes.
E2: ¡Por supuesto que sí! Son muy diferentes.
E1: ¡Claro que sí!

13–17 ¿Y tú?

Entrevista a tu compañero/a sobre (a) cómo aprendió español/otra lengua, y (b) qué cosas ha hecho para aprenderlo/a.

EJEMPLO:

E1: ¿Cómo aprendiste español/_____?
E2: Yo, hablando y haciendo ejercicios de gramática. ¿Y tú?
E1: Yo tomando clases. He tomado ya varias clases. ¿Y tú?
E2: Bueno, he viajado bastante a países donde se habla la lengua...

13–18 Situaciones: *Enseñando español*

A student is in the Language Center because s/he wants to be a tutor in Spanish. A person from the Language Center needs to interview her/him to see whether s/he qualifies for this position.

ESTUDIANTE A

You would like to work a few hours a week as a Spanish tutor at the Language Center. Ask the Director some questions about the requirements for this position, and answer her/his questions. It is important that you express your opinions about foreign language learning and teaching. Also, explain how you can help other students.

ESTUDIANTE B

You are the Language Center Director. You are interviewing a student who is interested in working as a Spanish tutor. Explain to her/him the requirements for the position, and ask her/him questions in order to determine whether s/he can be a good tutor.

TAREA

Elaborar una lista de las razones más importantes para aprender español y de las mejores estrategias y recursos para aprenderlo.

PREPARACIÓN

Prepara un cuadro como el de Jorge Dionich, un joven universitario paraguayo. Complétalo y después coméntalo con la clase. Busca a tres compañeros/as con una biografía lingüística similar.

¿CON QUÉ LENGUAS TENGO ALGÚN CONTACTO?	GUARANÍ	ESPAÑOL	INGLÉS	FRANCÉS	JAPONÉS
TIPO DE CONTACTO	Es mi lengua materna.	Es mi lengua materna.	Lo uso en mi trabajo y escucho mucha música.	Voy a Francia todos los veranos.	Tengo unos amigos japoneses.
QUÉ SÉ HACER	Hablar muy bien. Leer muy bien. Escribir bien. Soy nativo.	Hablar, leer, escribir, todo muy bien. Soy nativo.	Leer y comprender bastante bien. Hablar bastante bien y escribir, más o menos.	Puedo defenderme: saludar, pedir comidas, preguntar información.	Saludar, decir "hola", unas pocas cosas más.
CÓMO TUVE CONTACTO CON ESTA LENGUA	En casa, de niño, con mis padres. En la escuela.	En casa con mis padres y en la escuela.	Lo aprendí en la escuela y la universidad. También viajando y oyendo música.	Aprendí un poco yendo a Francia de vacaciones con mi familia.	Escuchando a mis amigos hablarlo.

Paso 1 Razones para aprender una lengua
Lean este texto y después completen el cuestionario.

En su libro *The Tongue-tied American: Confronting the Foreign Language Crisis*, el congresista Paul Simon de Illinois habla de razones económicas, políticas y sociales para estudiar las lenguas extranjeras. En cuanto a las razones económicas, los datos indican que cada año 200.000 estadounidenses pierden su trabajo porque no saben otra lengua; además, un tercio de las corporaciones de Estados Unidos están basadas en el extranjero, o son propiedad de otros países, y cuatro de cada cinco trabajos en Estados Unidos se crea como resultado del comercio con el extranjero. Desde el punto de vista social, el estudio de otras lenguas ayuda a desarrollar una conciencia de pluralismo cultural y una apreciación por otras perspectivas culturales. Finalmente, los datos del Servicio de Admisiones Universitarias (College Board) muestran una correlación positiva entre las puntuaciones de los exámenes SAT y el estudio de una o más lenguas extranjeras. Se sabe además que el conocimiento de lenguas extranjeras mejora destrezas cognitivas como la flexibilidad mental, la creatividad, el pensamiento divergente y la memoria.

1. ¿POR QUÉ ESTUDIO ESPAÑOL?

Marca una o varias respuestas.

❑ Para comunicarme con los latinos en Estados Unidos.

❑ Me interesan la lengua y la cultura de los países de habla hispana.

❑ Viajo frecuentemente a un país de habla española. ¿A cuál? ....

❑ Me interesa la literatura española/latinoamericana.

❑ Necesito el español en mi trabajo o en mis estudios.

❑ Otros motivos:

....

2. ¿PARA QUÉ VOY A USAR EL ESPAÑOL?

Marca una o varias respuestas.

❑ Mantener conversaciones con nativos.

❑ Leer periódicos, revistas o novelas.

❑ Leer documentos y textos profesionales.

❑ Ver películas y programas de TV.

❑ Escribir cartas y correos electrónicos personales.

❑ Escribir cartas y otros documentos profesionales.

❑ Otros objetivos: ....

3. MI NIVEL ACTUAL DE ESPAÑOL: AUTOEVALUACIÓN.

Marca tus puntos más fuertes (+), tus puntos más débiles (−) y tus capacidades medias (=).

❑ Hablar.

❑ Comprender.

❑ Escribir.

❑ Gramática.

❑ Vocabulario.

❑ Pronunciación.

❑ Leer.

Paso 2 Usando los datos del texto y los cuestionarios que completaron anteriormente, hagan una lista de cuatro razones y propósitos importantes para aprender español. La lista debe reflejar un consenso entre todos los miembros del grupo.

¿Para Qué?

1. _____

2. _____

3. _____

4. _____

Paso 3 Escuchen esta entrevista con un experto en aprendizaje de lenguas y respondan a estas preguntas.

1. Aprender una lengua depende de _____ y _____.

2 ¿Cómo se aprende una lengua?
  • _____
  • _____
  • _____

3. ¿Qué es más efectivo?
  ☐ repetir   ☐ fijarse en palabras clave

4. _____ se aprende a leer y _____ se aprende a hablar.

¿Por Qué?

1. _un requrimente de fardhm_

2. _puedes visitar_

3. _____

4. _____

Decidan si están de acuerdo o no con el profesor. Redacten una lista de las cuatro maneras más efectivas, en su opinión, de aprender una lengua.

1.	
2.	
3.	
4.	

Paso 4 El portavoz del grupo presenta sus decisiones a la clase.

Paso 5 Foco lingüístico.

NUESTRA GENTE

GENTE QUE LEE

ESTRATEGIAS PARA LEER

Review of vocabulary strategies (I): using a bilingual dictionary

Using a dictionary effectively:

1. What part of speech is the word that you are looking for (verb, noun, adjective, adverb, preposition)?
2. If it is a verb, what is the infinitive form? If it is a noun, what is the masculine singular? That is how it will be listed in the dictionary.
3. Not all dictionaries use the same abbreviations, so make sure that you are familiar with the ones in your dictionary (vt, nm, adj, etc.)
4. Remember: many words have various translations and meanings. Make sure that you choose the correct definition by identifying the context in which the Spanish word is used.

Study this entry: **derecho, a** *adj right, right-hand* • *nm* (privilegio) *right*; (título) *claim, title*; (lado) *right(-hand) side*; (leyes) *law* • *nf right(-hand) side* • *adv straight, directly*; ~**s** *nmpl* rights; (de autor) royalties

1. Which parts of speech can this word be?
2. Can you explain the information contained in this entry in your own words?

ANTES DE LEER

13–19 Bilingüismo

¿Hay comunidades bilingües en tu país? ¿Dónde? ¿Cómo crees que estas comunidades usan las dos lenguas: en contextos similares o diferentes? Da ejemplos.

13–20 Activando estrategias

1. Según el título, ¿qué información esperas encontrar en el texto?
2. Lee la primera frase de cada párrafo. ¿Cuál es la idea general de cada uno de los cinco párrafos?

DESPUÉS DE LEER

13–21 ¿Comprendes?

1. ¿En qué áreas se usa el guaraní? ¿Y el castellano?
2. ¿Cuántos paraguayos del campo hablan español en su casa? ¿Cuántos de la ciudad?
3. ¿Qué porcentaje de la población total es bilingüe? ¿Y monolingüe en guaraní?
4. ¿Por qué hay poca literatura escrita en guaraní?
5. ¿Qué importancia tiene la Constitución de 1992?

13–22 Activando estrategias

1. Según el contexto, ¿qué crees que significa la palabra en negrita **forastero**? Ahora búscala en el diccionario y comprueba si tu predicción es correcta.
2. Busca en el diccionario las tres palabras marcadas en negrita en el texto. ¿Qué categoría gramatical tienen en este texto? ¿Qué entradas debes buscar en el diccionario? ¿Cuál es el significado adecuado para cada una?

A LEER

Lee el siguiente texto de un periódico paraguayo para conocer la situación lingüística en ese país.

PARAGUAY, UN PAÍS BILINGÜE

La población paraguaya actual es el resultado de la mezcla de dos tipos étnicos y culturales diferentes: uno americano y otro europeo, mezcla que ha dado como resultado el Paraguay actual: un país pluricultural y bilingüe, con dos idiomas oficiales: español y guaraní.

Un 8% de los paraguayos solo habla guaraní; en las zonas rurales, tres de cada cuatro personas usan el guaraní para comunicarse en sus hogares, mientras que solo uno de cada cuatro paraguayos habla el español como medio de comunicación en el hogar. El 66% del total de la población es bilingüe. La lengua española, como en casi todo el continente, ha sido usada desde la creación de la nación paraguaya y cuenta con un número de hablantes considerable, calculado en poco más de la mitad de la población. Mientras el castellano era la lengua usada en documentos oficiales y relaciones con el gobierno cuando se fundó Paraguay, el guaraní se usaba en las relaciones íntimas, familiares y laborales, situación que persiste hoy en día.

Actualmente el guaraní se usa más en el campo, donde reside la mayoría de la población, y el castellano en las áreas urbanas; por eso, se podría decir que en Paraguay existe una cultura rural y otra urbana. Sin embargo, la gran movilidad social entre campo y ciudad produce una situación en la que las dos culturas siempre están en contacto permanente. No obstante, para algunos la única cultura

verdaderamente nacional y paraguaya es la que se expresa en guaraní.

Los paraguayos que también hablan castellano participan de la cultura hispana, pero hablar solo castellano no **basta**: la cultura del español no es la única cultura del Paraguay. Así, el paraguayo bilingüe es también bicultural. Sin embargo, la literatura en guaraní es escasa porque en el pasado no se enseñaba a leer ni a escribir en esta lengua.

Aunque el guaraní todavía puede considerarse como lengua usada en situaciones informales, su estatus ha empezado a cambiar por su inclusión como lengua oficial en la Constitución Nacional de 1992. Además otro artículo en la Constitución la hace lengua obligatoria en la educación. Ser educado en las dos lenguas es un **derecho** de todo ciudadano paraguayo desde ese año. Cabe mencionar que desde el pasado 13 de diciembre de 2006, el guaraní es uno de los idiomas oficiales del MERCOSUR. Es cierto que el castellano continúa siendo la lengua de mayor prestigio en Paraguay, porque su conocimiento es importante y necesario para las relaciones con los países **vecinos**, el acceso a la educación, la justicia, el gobierno, los puestos de trabajo y la prosperidad económica. Sin embargo, el guaraní se considera índice de la nacionalidad paraguaya y se considera **forastero** a todo el que no lo habla.

13-23 Expansión

¿Qué opinas de la situación del bilingüismo en Paraguay? ¿Crees que puede cambiar? ¿Cómo? ¿Qué problemas y ventajas puede haber en un contexto de bilingüismo total?

GENTE QUE ESCRIBE

ESTRATEGIAS PARA ESCRIBIR

Punctuation and capitalization: some differences between Spanish and English

1. Questions marks and exclamation points (*exclamaciones e interrogaciones*): in Spanish they are used both at the beginning and at the end of the sentence.

    ¿...?   *¿Qué países son bilingües?*   What countries are bilingual?
    ¡...!   *¡Qué bonito es Paraguay!*   How beautiful Paraguay is!

2. Upper case and lower case (*mayúsculas y minúsculas*): in Spanish lower case letters are used to write days of the week, months, seasons, languages, and nationalities.

    El lunes nos vemos.   We'll see each other on Monday.
    Marco habla español y ruso.   Marco speaks Spanish and Russian.

3. Numbers: in Spanish, whole numbers are separated by a period (.) and decimals by a comma (,). The same occurs with dollars and cents.

    3.567.340   3,567,340   *34,2%*   34.2%
    Me costó 4,95 dólares.   It cost $4.95.

4. Comma (*coma*): in Spanish the colon is used after the greeting of both personal and business correspondence.

    Querido Pedro: Dear Pedro,   *Estimados señores:*   Dear sirs,

    A comma (,) is used after each item in a series, but it is omitted before the conjunction.

    Rosa habla chino, japonés, hebreo y ruso.   Rosa speaks Chinese, Japanese, Hebrew, and Russian.

5. Colon (*dos puntos*): in Spanish we use a colon before introducing a direct quotation. A period (.) is placed outside the quotation marks.

    El presidente dijo: "Hoy es un día memorable". The President said, "Today is a memorable day."

6. Quotation marks (*comillas*): they are used in Spanish to quote direct speech. When citing a question, the question marks go inside the quotation marks.

    Carlos dijo: "¿Vamos a viajar a Paraguay?"   Carlos said, "Are we going to travel to Paraguay?"

13–24 Solicitud de admisión a un curso

Quieres ir a Asunción para mejorar tu español y aprender guaraní. Lee este anuncio de una escuela y haz una lista de temas que quieres tratar en un correo electrónico. Por ejemplo:

- Pedir más información (horarios, método que usan, opciones sobre los alojamientos, actividades fuera de la clase, niveles, ...)
- Dar información sobre ti mismo/a referida a tu conocimiento de lenguas extranjeras.

Cursos de español y guaraní para extranjeros
Clases intensivas, privadas o grupales (6 estudiantes máx.)
La escuela está ubicada en el centro de la ciudad.

Tasa de inscripción
500 dólares: incluye los libros, el uso de Internet, café y agua.

2 semanas Curso Estándar - 4 horas/día
Módulo de 60 horas: 1.300 dólares (grupo) o 2.800 dólares (individual).
Módulo de 40 horas: 1.100 dólares (grupo) o 1.600 dólares (individual).

1 semana curso de clases particulares - enseñanza 1:1– 4 horas/día
Módulo de 20 horas: 1.000 dólares

2 semanas alojamiento con familia - habitación simple/media pensión
Costo: 1.450 dólares. Incluye tres comidas, limpieza de la ropa, recogida del aeropuerto.

COMPARACIONES

13–25 Lenguas indígenas en Latinoamérica

Lee este texto y comenta luego las preguntas con la clase.

La situación lingüística de Paraguay no es la norma en Latinoamérica, sino la excepción. El mapa lingüístico de América Latina es muy diverso y depende del curso que siguió la historia de cada país.

La situación lingüística en América hispánica

Algunos países, como Cuba y Puerto Rico, casi no tienen idiomas autóctonos en su territorio. En la República Dominicana se habla además inglés y un dialecto de origen francés cerca de la frontera con Haití. En Uruguay la mayoría habla español y alrededor de un 3% de la población habla otras lenguas europeas como el italiano.

Hay países, como Guatemala y México, que tienen numerosas comunidades indígenas y donde existen muchos idiomas autóctonos. En México, por ejemplo, hay tres centenares de idiomas autóctonos, pero casi todos sus hablantes son bilingües y hablan también español.

Otros países tienen minorías que hablan un idioma autóctono, pero la casi totalidad de la población habla español. Este es el caso de Costa Rica, Honduras, Nicaragua, el Salvador, Venezuela, Colombia y Panamá. En el cono sur (Argentina y Chile) también existen comunidades que emplean idiomas indígenas, pero su uso es limitado. En Argentina, donde el 95% de los argentinos habla español, se usan además el italiano, varios idiomas autóctonos, el inglés e incluso el galés. En Chile, aparte del español hablado por casi todos los chilenos, se puede oír el alemán, el italiano y dialectos indios como el quechua o el mapuche.

Finalmente, hay cuatro países donde las lenguas autóctonas son habladas por más del 40% de la población: Bolivia, Perú, Ecuador y Paraguay. Sin embargo, solo las constituciones de Paraguay, Perú y más recientemente Bolivia reconocen las lenguas indígenas como oficiales. Ecuador reconoce como patrimonio cultural los idiomas autóctonos, como el *quechua*, siendo el español el único idioma oficial. Paraguay fue el primer país que reconoció un idioma autóctono como lengua nacional (en 1967) y lo reconoce como lengua oficial desde 1992, además de impartir educación bilingüe. Perú reconoce el *quechua*, el *aimara* y otras lenguas autóctonas como lenguas oficiales junto con el castellano.

1. Compara la situación de Paraguay, Perú y Bolivia con la del resto de los países hispanohablantes de América Latina. ¿Qué factores pueden causar estas situaciones tan diferentes?
2. En Latinoamérica, con la excepción de Paraguay, Perú y Bolivia, la lengua oficial es la lengua colonial, no las autóctonas. ¿Cuáles son los efectos de la imposición lingüística?
3. ¿Conoces la situación lingüística de España? ¿Cuántas lenguas oficiales tiene? ¿Dónde se hablan?
4. ¿Cuál es la situación en tu propia ciudad o pueblo? ¿Cuántos idiomas hay? ¿Quiénes los hablan?
5. Algunas personas dicen que países como Estados Unidos y Gran Bretaña son espacios monolingües. ¿Estás de acuerdo con esa afirmación?

CULTURA

Paraguay es un país de algo más de seis millones de habitantes. Se estima que hay unas 20.000 personas de ascendencia u origen paraguayo en Estados Unidos. La mayoría vive en Nueva York, Miami y Los Ángeles. Aunque no haya una contribución significativa de esta comunidad a la política, economía, artes o cultura popular de Estados Unidos, se pueden encontrar organizaciones a nivel local que promueven la cultura de Paraguay. Por ejemplo, Paraguay Hecho a Mano, Inc. es una organización sin fines de lucro (*non-profit*) en Wisconsin que promueve la cultura paraguaya educando y exponiendo manualidades (*crafts*) del país. Además, el estado de Kansas y Paraguay son "estados hermanos" y mantienen un programa de colaboración que promueve intercambios en agricultura, artes, comercio y salud. Finalmente, el Museo de Arte de Denver tiene una importante colección de arte indígena paraguayo.

Go to **MySpanishLab** to review what you have learned in this chapter.

| Flashcards | Oral Practice | Practice Test / Study Plan | amplifire Dynamic Study Modules | Tutorials | Videos | Extra Practice |

VOCABULARIO

Enseñanza y aprendizaje de lenguas
(Teaching and learning of languages)

el aprendiz	learner
el aprendizaje	learning
la autoevaluación	self-assessment
el conocimiento	knowledge
el ensayo	essay
el error	mistake
el escritor	writer
el esfuerzo	effort
el esquema	outline
la estrategia	strategy
la explicación	explanation
el gesto	gesture
el hablante	speaker
el idioma	language
el lector	reader
la lectura	reading
la lengua extranjera	foreign language
la lengua materna	mother tongue
la mayoría	majority
el mensaje	message
la minoría	minority
el nivel	level
la redacción	composition
la regla	rule
el sonido	sound
el trabajo escrito	paper, essay
la traducción	translation

Las lenguas (Languages)

el alemán	German
el chino	Chinese
el coreano	Korean
el finlandés	Finnish
el francés	French
el griego	Greek
el hebreo	Hebrew
el holandés	Dutch
el japonés	Japanese
el ruso	Russian
el sueco	Swedish
el turco	Turkish
el vascuence, el euskera	Basque

Adjetivos (Adjectives)

apropiado/a	adequate
bilingüe	bilingual
clave	key
complejo/a	complex
efectivo/a	effective
escrito/a	written
silencioso/a	silent

Verbos (Verbs)

acordarse (ue) de	to remember
adquirir (ie)	to acquire
animar	to encourage
aprovecharse de	to take advantage of
aumentar	to increase
cansarse	to get tired
callarse	to keep/remain quiet
costar	to find hard to
corregirse	to correct oneself
darse cuenta de	to realize
desanimarse	to get discouraged
desarrollar(se)	to develop
descubrir	to discover
durar	to last
frustrarse	to get frustrated
imitar	to imitate
involucrar	to involve
inscribirse	to enroll, to register
mejorar	to improve
molestar	to bother
olvidarse de	to forget
perfeccionar	to perfect
preocupar	to worry

Adverbios de modo (Modal adverbs)

atentamente	attentively
efectivamente	really, exactly
esencialmente	essentially
indudablemente	certainly
oralmente	orally

Otras palabras y expresiones
(Other words and expressions)

cometer errores	to make mistakes
prestar atención	to pay attention
hacer esquemas	to prepare outlines
hacer preguntas	to ask questions
hacerse un lío	to get all mixed up
tener curiosidad	to be curious

CONSULTORIO GRAMATICAL

1 Verbs Like *Gustar*: Expressing Sensations, Feelings, Difficulties, Value Judgments

The majority of verbs that we use to express sensations, feelings, and difficulties, and to evaluate activities, are verbs like gustar. These verbs can take an infinitive or a noun. Remember that the subject of the sentence is the thing, activity, or person that refers to the feeling, sensation, difficulty, or judgment that you are expressing in the sentence.

	INFINITIVE	NOUN
Me pon**e** nervioso *it makes me nervous*	hacer ejercicios de gramática	el acento de Juan
Me encant**a** / fastidi**a** / molest**a** *I love / I hate / It bothers me*	pronunciar la erre	el libro de español
Me cuest**a** *I find it hard*	leer en español	la pronunciación
Me **da** miedo *I find it scary*	cometer errores	el examen
Me parec**e** aburrido / divertido *I think it is boring / fun*	memorizar vocabulario	este ejercicio

The infinitive and the noun can be placed at the beginning of the sentence or after the verb.

Estudiar gramática **me parece** aburrido.   INFINITIVE
Me parece aburrido **estudiar** gramática.

I find studying grammar boring.

La pronunciación me resulta difícil.   SINGULAR NOUN
Me resulta difícil **la pronunciación**.

I find pronunciation difficult.

Estos ejercicios me parecen muy buen**os**.   PLURAL NOUN
Me parecen muy buen**os estos ejercicios**.

I think these exercises are very good.

2 The Present Perfect

	PRESENT OF **HABER**	PARTICIPLE
(yo)	**he**	
(tú)	**has**	est**ado**
(él, ella, usted)	**ha**	com**ido**
(nosotros/as)	**hemos**	viv**ido**
(vosotros/as)	**habéis**	
(ellos, ellas, ustedes)	**han**	

Like the preterit and imperfect tenses, the present perfect provides us with a way to talk about the past in Spanish.

The present perfect is often used to talk about events in the recent past that continue in the present, or that are closely related to the present moment.

We also use the perfect tense when we are trying to express whether an action has ever taken place or not. The exact time of the event is not important, and therefore expressions such as **alguna vez, varias veces, nunca,** etc. are commonly used.

> The present perfect in Spanish corresponds almost exactly to the present perfect in English when the exact time something took place is not specified:
>
> Silvia **ha estado** en Nueva Zelanda.
> (= Silvia **has been** to New Zealand.)
>
> For recent events, where English may use the present perfect: **We've just done this,** Spanish instead uses a completely different verbal construction: **Acabamos de hacer esto.**
>
> The same is true when we talk about continuing states and conditions:
>
> Lleva un año jugando en ese equipo de fútbol. (= S/he's been playing for that soccer team for a year.)

3 The Past Participle

-AR VERBS	-ado	-ER/-IR VERBS	-ido
HABLAR	hablado	TENER	tenido
TRABAJAR	trabajado	SER	sido
ESTUDIAR	estudiado	VIVIR	vivido
ESTAR	estado	IR	ido

Some of the most frequently used irregular past participles are:

VER ⟶ **visto**	HACER ⟶ **hecho**	PONER ⟶ **puesto**
ESCRIBIR ⟶ **escrito**	DECIR ⟶ **dicho**	VOLVER ⟶ **vuelto**
ABRIR ⟶ **abierto**	ROMPER ⟶ **roto**	CUBRIR ⟶ **cubierto**

The past participle is used in the present perfect tense and also with the verb **estar.** Since in the present perfect the participle is part of the verb construction, it never changes form. When it is used as an adjective with the verb **estar,** however, the participle always changes form to agree in number and gender with the noun it modifies.

In the present perfect:

He escrit**o** una carta a Juan.
I have written a letter to Juan.

He escrit**o** un libro.
I have written a book.

He escrit**o** unos artículos.
S/he has written some articles.

*With the verb **estar:***

La carta est**á** bien escrit**a.**
The letter is well written.

El libro est**á** bien escrit**o.**
The book is well written.

Los artícul**os** est**án** bien escrit**os.**
The articles are well written.

4 Perfect vs. Preterit

Use in the United States and Latin America

In the United States and Latin America, Spanish speakers use the preterit with markers such as **hoy, esta mañana, esta semana, este mes, este año, estas vacaciones, durante mi vida,** etc. This is because they consider the moment when the action takes place to be over.

Esta semana (*This week*) **estuve** en Asunción.
Este mes / año / semestre (*This month / year / semester*) **estuve** en Asunción.
Hoy (*Today*) **estuve** en Asunción.
Esta mañana/tarde/noche (*This morning / afternoon / evening*) **estuve** en Asunción.

Use in Spain

In Spain speakers use the perfect tense to talk about past situations and events that ocurred in time periods that the speakers consider not concluded (that is, still present).

Esta semana he estado en Asunción.   **Hoy he estado** en Asunción.
Este mes / año / semestre he estado en Asunción.   **Esta mañana/tarde/noche he estado** en Asunción.

The speaker doesn't always express the division of time explicitly; sometimes it is understood by the choice of the perfect or the preterit.

Estuve dos semestres en la Universidad de Asunción.
I spent two semesters at the University of Asunción.

(The experience took place in a period of time that the speaker considers to be over.)

He estudiado dos trimestres en Asunción.
I have studied two semesters in Asunción.

(The experience took place in a past that the speaker doesn't consider to be over.)

Use in the United States, Latin America and Spain

Most speakers use the preterit tense to talk about past situations and events that ocurred in time periods that they consider concluded.

La semana pasada (last week) **estuve** en Asunción.
El mes / año / semestre pasado (last month / year / semester) **estuve** en Asunción.

Similarly, most speakers use the present perfect to highlight the continuity of the past into the present. What is expressed is whether an action has ever taken place or not. The exact time of the event is not important, and therefore expressions such as **alguna vez, siempre, nunca, toda mi vida,** etc. are commonly used.

Siempre (always) **me han gustado** las lenguas.   **Toda mi vida** (all my life) **me han gustado** las lenguas.
Nunca (never) **me han gustado** las lenguas.

However, in the United States and Latin America, speakers sometimes use the preterit, especially in conversational Spanish.

Siempre me gustaron las lenguas.   **Toda mi vida me gustaron** las lenguas.   **Nunca me gustaron** las lenguas.

5 Uses of the Gerund

The gerund often answers different variations of the question "how?".

Viajo a Lima **pasando** por Asunción.   (MANNER OR MEANS)
I travel to Lima by way of Asunción.

Aprenderás mejor **hablando** mucho.   (A CONDITION)
You will learn better if you speak a lot.

The construction **llevar** + gerund expresses duration.

Anne **lleva** dos años **estudiando** español.
Anne has been studying Spanish for two years.

The construction **estar** + gerund expresses an action in progress.

Los niños **están cantando.**
The boys are singing.

Perfect vs. preterite of estar + gerund

We use these forms to refer to an activity that is over and done. This activity is presented as the principal piece of information, and not as the result of another event.

Hoy **he estado trabajando** hasta muy tarde.   Ayer **estuvimos visitando** el museo de cera.
Today I have been working until very late.   Yesterday we were visiting the wax museum.

In English we use the gerund (-ing form) after without; however, in Spanish we use the infinitive after sin.

Without studying
Sin estudiar

14 GENTE con PERSONALIDAD

CULTURA

Honduras

Honduras es un país centroamericano con una población de aproximadamente ocho millones de habitantes, distribuida de la siguiente manera: un 90% es mestiza, un 6% es amerindia, un 1% es de raza negra y un 3% de raza blanca. Las dos principales ciudades de Honduras son Tegucigalpa, con más de un millón de habitantes, y San Pedro Sula, de aproximadamente un millón de habitantes.

TAREA

Elaborar preguntas y hacer una entrevista a una persona de nuestra universidad o entorno.

NUESTRA GENTE

Honduras
Hispanos/latinos en Estados Unidos

Explore
Honduras with
Club cultura!

Guillermo Anderson

Guillermo Anderson

Guillermo Anderson es una de las figuras musicales más importantes de Honduras. Nació en La Ceiba, Honduras. Después de recibir su licenciatura en Literatura de la Universidad de California, Guillermo trabajó de músico y actor con diversas compañías profesionales de teatro en Estados Unidos y después regresó a su país, donde desarrolló su carrera artística como cantante. Debido a su trayectoria y a su importante papel en el panorama cultural de Honduras, fue nombrado embajador cultural de su país ante el mundo. Su canción "En mi país" se considera casi un himno en Honduras. Además, Guillermo ha colaborado con el gobierno hondureño y la UNESCO en diferentes causas y campañas de educación y salud. Guillermo y su grupo "Ceibana" fusionan percusiones hondureñas con sonidos contemporáneos, y mezclan ritmos tradicionales de la etnia garífuna con ritmos más conocidos del Caribe, como el "reggae". Sus canciones celebran el amor, la naturaleza y la vida cotidiana en esa bella parte del mundo que es Honduras.

Salvador Moncada

Salvador Moncada

Nació en Tegucigalpa en 1944 y es doctor en medicina, cirugía y farmacología. Sus investigaciones en el área de la farmacología han llevado a avances importantes en esta área de la ciencia. Ha sido profesor en diferentes universidades de Europa, Estados Unidos y Latinoamérica, y ha obtenido reconocimientos a nivel mundial. Actualmente dirige el Instituto Wolfson para la Investigación Biomédica de UCL (*University College London*). A Salvador Moncada le preocupa la modernización de la ciencia y le gustaría ver una conexión mayor entre la ciencia y la gente. Moncada cree que la ciencia siempre tiene que redundar en beneficios para la sociedad, por ejemplo en la creación de riqueza, empleo y mejores condiciones de vida.

14–1 Dos hondureños famosos

Lee la información sobre Guillermo Anderson y Salvador Moncada. D[...]
Usa los adjetivos del cuadro.

	NOMBRE	
Me gustaría conocer a...		
Me gustaría trabajar con...		
Me encantaría cenar con...		
Me gustaría ser como...		
No me gustaría ser como...		
(No) me gustaría tener el trabajo de...		

EJEMPLO:

Me gustaría cenar con Guillermo Anderson porque parece una persona muy simpática y alegre.

interesante	simpático	inteligente	con sentido del humor
amable	antipático	trabajador	divertido
agradable	aburrido	tranquilo	desagradable

14–2 Una entrevista

Hagan una entrevista a su compañero/a para saber más de su personalidad. Atención: formulen preguntas completas. Después la clase puede hacer la entrevista a su profesor/a.

TEMAS	TU COMPAÑERO/A	TU PROFESOR/A
Lugar preferido para vivir	New York	
Libro favorito	Man Search for Meaning	
Película favorita	m	
Comida preferida		
Ciudad preferida	New York	
Cualidad que más admira	felidad	
Defecto que más odia	egoismo	
Estación del año preferida	Verano	
Manía		
No le gusta...		
Problema que le preocupa		
Color que menos le gusta	amarillo	
Actor/actriz favorito/a	Bradley cooper	
Pintor/a favorito/a		
Género musical que más le gusta		

EJEMPLO:

E1: ¿Cuál es tu comida preferida?
E2: El pollo con arroz. ¿Y cuál es tu comida favorita?
E1: Las papas fritas.

LARIO EN CONTEXTO

14–3 Preguntas personales

Lee ahora las respuestas de Guillermo Anderson a las "Preguntas muy personales". ¿Cómo crees que es? ¿Qué adjetivos se le pueden aplicar de la lista? Piensa en otros.

PREGUNTAS MUY PERSONALES

La clave de la felicidad es...	tomarse la vida con calma.
Su mayor virtud es ...	dicen que soy generoso... pero no sé...
Su mayor defecto es...	la impaciencia.
Su vicio es...	conversar por horas.
¿Qué le indigna más?	El racismo y la indiferencia.
Le preocupa...	la educación de los niños.
Le gustaría conocer a...	Mario Benedetti.
A una isla desierta se llevaría...	una guitarra y muchos libros.
¿Qué cualidad aprecia más en una persona?	la generosidad.
Le da vergüenza...	comer demasiado.
No podría vivir sin...	el mar.
Antes de dormir le gusta...	leer un poco.
¿Qué le gusta más?	La vida.
¿Qué le gustaría ver antes de morir?	Centroamérica unida.
Le pone nervioso...	la gente pesimista.
Le da miedo...	perder a mi esposa y a mis hijas.
Su vida cambió cuando...	regresé a Honduras para hacer música.

optimista	moderno	sociable	idealista
introvertido	valiente	engreído	maleducado
modesto	miedoso	conservador	hablador
complicado	antipático	simpático	egoísta
tranquilo	tímido	generoso	educado
nervioso	seguro	inseguro	alegre
pesimista	extrovertido	triste	sencillo

Ahora comparte tus opiniones con un/a compañero/a.

EJEMPLO:
E1: Yo creo que es un hombre **sociable**.
E2: Sí y también es muy **hablador** porque dice que su vicio es conversar por horas.

14–4 ¿Cómo eres tú?

Hazle ahora la misma entrevista de 14–3 a tu compañero/a. ¿Cómo es él/ella?

14–5 Cualidades

Elije dos cualidades que admiras y dos que detestas en cada una de estas personas. Justifica tus respuestas.

1. Un/a novio/a   2. Un/a amigo/a   3. Un/a profesor/a

alegría	impaciencia	mediocridad	seriedad	fidelidad
belleza	inseguridad	paciencia	simpatía	infidelidad
felicidad	cobardía	pureza	sinceridad	ternura
generosidad	inteligencia	sensatez	tristeza	hipocresía
hermosura	madurez	creatividad	valentía	maldad
honestidad		dulzura	estupidez	

EJEMPLO:

En un novio admiro la **honestidad** y la **generosidad**, y detesto la **estupidez** y la **hipocresía**.

¿Qué cualidades admiran en estas situaciones? Escriban dos para cada caso.

	EN UNA RELACIÓN DE PAREJA	EN UNA RELACIÓN PROFESIONAL	PARA COMPARTIR CASA
LO PEOR ES...			
LO MÁS IMPORTANTE ES...			

14-6 Atención a la forma

Clasifiquen los nombres de 14–5 en seis grupos, de acuerdo a sus terminaciones. ¿Son estas palabras masculinas o femeninas?

-DAD	Felicidad generosidad honestidad inseguridad mediocridad creatividad seriedad
-ÍA	alegria cobardia simpatia valentia hipocresia
-URA	hermosura dulzura ternura
-EZA	belleza pureza tristeza
-EZ	madurez sensatez estupidez
-CIA	impaciencia inteligencia paciencia

14-7 Gente con cualidades

Estas personas están hablando de otras. Escribe la información sobre cada persona.

	ES... (ADJETIVOS)	CUALIDADES	DEFECTOS
1			
2			
3			
4			
5			

14-8 Modelos para imitar (o no)

Hagan una lista de tres personajes públicos a quienes admiran y tres a quienes no admiran. Digan las cualidades que admiran de ellos y las que no admiran.

Admiramos a _____ por su _____, _____ y _____.
_____ por su _____, _____ y _____.
_____ por su _____, _____ y _____.
Los tres son personas muy _____ y _____.

No admiramos a _____ por su _____, _____ y _____.
_____ por su _____, _____ y _____.
_____ por su _____, _____ y _____.
Los tres son personas muy / poco _____ y nada _____.

GRAMÁTICA EN CONTEXTO

14–9 ¿Con quién te llevarías (*you would get along*) bien?

Estas personas están buscando amigos. ¿Con quién te llevarías bien? ¿Con quién no? ¿Por qué? Comparte tus opiniones con la clase.

ANA ÁLVAREZ LONDOÑO

Gustos: No soporto a la gente cobarde. Me encantan el riesgo, la aventura y conocer gente. Me gusta la música disco y el cine de acción. Soy vegetariana. Tomo demasiado café.

Costumbres: Estudio por las noches, salgo mucho y, en vacaciones, hago viajes largos.

Aficiones: Vela, esquí acuático y parapente.

Manías: Me cae mal la gente que fuma. Tengo que hablar con alguien por teléfono antes de acostarme.

Carácter: Soy un poco despistada y muy generosa. Tengo mucho sentido del humor.

SUSANA MARTOS DÍAZ

Gustos: Odio la soledad y las discusiones. Me encanta la gente comunicativa, bailar y dormir la siesta. Cocino muy bien. Me fastidia limpiar la casa; no me parece tan importante.

Costumbres: Casi siempre estoy en casa. Me encanta estar en casa.

Aficiones: Colecciono libros de cocina y juego al póquer. Tengo seis gatos.

Manías: No puedo salir a la calle sin maquillarme. Me molestan mucho los ruidos.

Carácter: Soy muy desordenada. Siempre estoy de buen humor.

FELIPE HUERTA SALAS

Gustos: La gente que habla mucho y el desorden me ponen nervioso. Me encantan la soledad, el silencio y la tranquilidad. Me gusta la música barroca y leer filosofía. Como muy poco; la comida no me interesa mucho.

Costumbres: Soy muy ordenado. Me levanto muy pronto y hago cada día lo mismo, a la misma hora.

Aficiones: Colecciono estampillas e insectos. También tengo en casa dos serpientes.

Manías: Duermo siempre con los calcetines puestos.

Carácter: Soy muy serio y un poco tímido.

Yo me llevaría bien con _____ porque_____
y podríamos _____. En cambio, me llevaría muy mal
con _____ porque _____ . No
_____ .

VERBOS COMO *GUSTAR*: EXPRESAR SENTIMIENTOS

La gente falsa **me cae** muy mal.
Las personas falsas **me caen** muy mal.

(A mí) la publicidad **me divierte**.
(A mí) los anuncios **me divierten**.

(A mí) **me da miedo** ir al dentista.
(A mí) **me dan miedo** las serpientes.

OTROS VERBOS COMO GUSTAR
me da/n (mucha) risa / pena / miedo
(no) me interesa/n (mucho / nada)
me pone/n (muy / un poco) nervioso/a
me preocupa/n (mucho / un poco)
me molesta/n (mucho / un poco)
me fastidia/n (mucho / un poco)
me emociona/n
me indigna/n

PRONOMBRES

a mí	me
a ti	te
a él/ella/usted	le
a nosotros/as	nos
a vosotros/as	os
a ellos/ellas/ustedes	les

Esteban me pone muy nerviosa.

A mí me ponen nervioso sus hermanas.

EL FUTURO

(yo)		-é
(tú)	viajar	-ás
(él, ella, usted)	comer	-á
(nosotros/as)	dormir	-emos
(vosotros/as)		-éis
(ellos, ellas, ustedes)		-án

FORMAS IRREGULARES

TENER	tendr-	-é
SALIR	saldr-	-ás
QUERER	querr-	-á
PONER	pondr-	-emos
DECIR	dir-	-éis
HACER	har-	-án
PODER	podr-	

EL CONDICIONAL

	LLEVARSE
(yo)	me llevaría
(tú)	te llevarías
(él, ella, usted)	se llevaría
(nosotros/as)	nos llevaríamos
(vosotros/as)	os llevaríais
(ellos, ellas, ustedes)	se llevarían

FORMAS IRREGULARES

PODER	podr		ía
SABER	sabr		ías
TENER	tendr	+	ía
QUERER	querr		íamos
HACER	har		íais
			ían

Tomaría clases de piano, pero no tengo dinero.

PREGUNTAS DIRECTAS

¿**Cuál es** tu deporte preferido?
¿**Qué** deporte prefieres: el fútbol o el golf?
¿**A qué hora** te acuestas?
¿**Dónde pasas** las vacaciones?
¿**Con quién** vives?
¿**De dónde** eres?
¿**En qué** hotel te alojas?
¿**De qué** están hablando?
¿**Con cuál** viajarás?
¿**De cuál** estás hablando?
¿**Desde cuándo** vives en Honduras?
¿**En quién** confías más?
¿**Hacia dónde** se dirige el avión?

PREGUNTAS INDIRECTAS

Me gustaría saber
Quiero preguntar
Me interesa saber

{ cuál...
qué...
dónde...
cuándo...
con quién... }

Ahora rellena tú una ficha similar con tu descripción. Tu profesor/a recogerá todas las fichas y las repartirá en la clase. Cada estudiante lee una descripción y explica si se llevaría bien con esa persona o no y por qué.

14–10 ¿Qué más quieres saber?

Finalmente tienes que vivir con la persona de 14–9 más incompatible contigo. ¿Qué más cosas quieres saber? Haz una lista de seis cosas.

Me gustaría saber

si _Ana le gustan los deportes_
cómo _Felipe tiene un colección de insectos_
qué _deportes Ana le gustan_
de dónde _Susana baila_
desde cuándo _insectos Felipe tiene._
con quién _Ana conoce con-_

14–11 ¿Qué harás?

Los dos deciden escribir una lista donde se comprometen a hacer cinco cosas para asegurar una convivencia sin problemas. Escribe una lista de cinco promesas: cosas que harás o no harás.

EJEMPLO:

(Vas a vivir con Felipe)
Seré muy ordenado y no **dejaré** cosas por el suelo.

Escribe también cinco promesas que la otra persona debe firmar.

EJEMPLO:

(Susana va a vivir contigo)
Limpiarás la casa todas las semanas.

14–12 ¿Qué harías?

Para conocer más a tu compañero/a, te interesa saber qué haría en ciertas situaciones hipotéticas. Hazle preguntas sobre las siguientes situaciones y sobre una inventada por ti.

1. Estás sentado en un autobús y a tu lado hay una señora mayor de pie.
2. Estás en una playa y ves a una persona gritando en el agua.
3. Estás en una boda y ves que llevas una media negra y otra verde.
4. Estás en un banco y llegan unos ladrones para robarlo.
5. Estás en un restaurante y tu novio/novia te dice que se ha enamorado de otra persona.
6. Estás paseando por un parque y ves a tu actor/actriz favorito/a.
7. Estás conduciendo por la carretera y ves a una persona haciendo autostop.
8. _____

EJEMPLO:

E1: ¿Qué **harías** en el autobús?
E2: Por supuesto me **levantaría** y **cedería** mi asiento a la señora.

INTERACCIONES

Expressing disagreement during conversation

Expressing disagreement is as important as conveying agreement. This is especially true when debating an issue. You can express varying degrees of disagreement with these expressions:

Disagreement	*Eso no es así.*	It's not like that.
	No es cierto/ verdad.	That's not true.
	No puede ser.	That can't be.
Strong disagreement	*De ninguna manera/ de ningún modo.*	No way.
	Eso es imposible/ absurdo…	That's impossible, absurd…
	Ni hablar.	No way.
	Para nada.	Not at all.
	En absoluto.	Absolutely not.
Personal disagreement	*(Creo que) te equivocas.*	(I believe) you are wrong.
	Estás (totalmente) equivocado/a.	You are (totally) wrong.
	Estoy en contra.	I am against that.
	No estoy (nada) de acuerdo (contigo).	I disagree (with you).
	No lo veo así.	I don't see it like that.

14–13 ¿Cómo se resolverían estos problemas?

Completa este cuadro con soluciones hipotéticas para estos problemas. Agrega un problema más que te preocupe y da su solución. Luego habla con tu compañero/a para ver si está de acuerdo.

1. Las diferencias entre ricos y pobres (disminuir) con…

2. La contaminación en las grandes ciudades (terminarse) con…

3. La destrucción de la capa de ozono (frenar) con…

4. Los conflictos entre Israel y Palestina (solucionarse) con…

5. La piratería musical (desaparecer) con…

6. _____

EJEMPLO:

E1: En mi opinión, las diferencias entre ricos y pobres **disminuirían** con más **solidaridad** de la gente rica.
E2: **Yo no lo veo así:** lo importante es tener las mismas oportunidades desde el principio.

14–14 Nuestra sociedad

Decidan cuáles son los tres defectos más graves de la sociedad en que vivimos, y cuáles son las tres cualidades que debería tener. Luego compartan sus decisiones con la clase.

DEFECTOS	CUALIDADES
1.	1.
2.	2.
3.	3.

EJEMPLO:

E1: Yo creo que el mayor defecto es el egoísmo y la avaricia. La gente es muy egoísta.
E2: No, te equivocas; lo peor es la falta de solidaridad. A la gente no le preocupa la pobreza.
E3: No lo veo así. A muchos les preocupa la pobreza.

14–15 Julio Visquerra, un pintor hondureño

Cada uno de ustedes va a leer un texto sobre un artista hondureño. En cada texto falta parte de la información. Preparen una lista de preguntas para su compañero/a referidas a la información que no tienen.

Cuadro de Julio Visquerra

ESTUDIANTE A

Nació en _____, Honduras, en 1943. De muy niño se trasladó a la ciudad de _____, donde cursó la enseñanza elemental. A lo largo de estos estudios no tuvo estímulos para las actividades artísticas. Al contrario, él dice que _____ siempre desaprobó las muestras de dibujo que le presentaba, criticándolas de forma despectiva. Al principio tuvo muchas dificultades para ganarse la vida, pero logró sostenerse trabajando como vendedor de libros y restaurador de antigüedades. Esto le dio la base para visitar museos, conocer galerías privadas y tratar con numerosos pintores nacionales y extranjeros. Además hizo viajes a países con importante actividad artística, como por ejemplo España y otros países vecinos, principalmente _____. Sus obras han sido expuestas en países como Austria, España, Estados Unidos y Francia. Un elemento básico de la pintura visquerreana es la presencia de _____ en muchos de sus cuadros. Las frutas son el símbolo inequívoco: representan _____, _____ y _____. Por eso las vemos siempre cayendo, casi nunca en estado inerte.

ESTUDIANTE B

Nació en Olanchito, Honduras, en _____. De muy niño se trasladó a la ciudad de La Ceiba, donde cursó la enseñanza elemental. A lo largo de estos estudios no tuvo estímulos para las actividades artísticas. Al contrario, él dice que uno de sus profesores siempre desaprobó las muestras de dibujo que le presentaba, criticándolas de forma despectiva. Al principio tuvo muchas dificultades para _____, pero logró sostenerse trabajando como _____ y _____. Esto le dio la base para visitar museos, conocer galerías privadas y tratar con numerosos _____. Además hizo viajes a países con importante actividad artística, como por ejemplo España y otros países vecinos, principalmente Francia. Sus obras han sido expuestas en países como _____, _____, _____ y _____. Un elemento básico de la pintura visquerreana es la presencia de frutas en muchos de sus cuadros. Las frutas son el símbolo inequívoco: representan vida, esperanza y movimiento. Por eso las vemos siempre cayendo, casi nunca en estado inerte.

EJEMPLO:

E1: ¿**A qué** ciudad se trasladó Julio de niño?
E2: A La Ceiba.

¿Te gustaría conocer a Julio? ¿Por qué? ¿Qué le preguntarías?

14–16 Situaciones: *¿Somos compatibles?*

Two students interview each other in order to find out whether they are compatible. They want to see whether they could share a room during one academic year. Each prepares a questionnaire with six questions about aspects they consider important (personality, habits, etc.). The questionnaires also include three hypothetical situations.

ESTUDIANTE A

You need to interview a potential roommate. Before the interview, you need to prepare a questionnaire with six questions and three hypothetical situations. You are very organized, study quite a lot, and are very traditional.

ESTUDIANTE B

You need to interview a potential roommate. Before the interview, you need to prepare a questionnaire with six questions and three hypothetical situations. You are quite disorganized, don't like to study, and are very liberal.

TAREA

Elaborar preguntas y hacer una entrevista a una persona de nuestra universidad o entorno.

 ## PREPARACIÓN

Escucha la primera parte de esta entrevista con el pintor hondureño Julio Visquerra.

1. ¿Sobre qué temas hace preguntas el periodista? Márcalos a continuación.

Julio Visquerra

☐ EL AMOR
☑ LAS PINTURAS
☑ LAS EXPERIENCIAS PASADAS
☑ LA INFANCIA
☑ LAS OPINIONES
☐ LOS PROYECTOS
☐ LOS GUSTOS
☑ LA PERSONALIDAD
☐ LAS COSTUMBRES

2. ¿Dónde tiene lugar la entrevista?
3. ¿Cómo era Julio de niño? Describe su personalidad.
4. Según Julio, ¿cuál es el secreto del éxito (*success*)?
5. ¿Cuántos años vivió Julio en Europa?

 En esta segunda parte de la entrevista se borraron las preguntas. Trata de escribirlas tú.

1. ¿Qué significa la fruta que aparece en muchas de sus obras?

2.

3.

4.

5.

6.

Ahora compara tus preguntas con las de un/a compañero/a.

Paso 1 La persona
Piensen en una persona a quien les gustaría entrevistar. Puede ser un hispanohablante de nuestra universidad, un familiar hispanohablante, alguien de nuestra comunidad, su profesor/a, etc.

Paso 2 Los temas
Pónganse de acuerdo sobre qué temas son los más importantes para conocer bien a alguien. Luego piensen en posibles preguntas relacionadas con esos temas.

```
LISTA DE TEMAS

1. _____

2. _____

3. _____
```

Paso 3 Las preguntas
Cada uno de ustedes debe formular cuatro preguntas. Tengan en cuenta lo que saben sobre la formulación de preguntas. Por ejemplo, podemos preguntar…

> ¿**Cómo** es usted?
>
> ¿**Cuál** es su tipo de arte preferido?
>> a. el abstracto
>> b. el clásico
>> c. todos
>
> ¿**Qué** animal le **gustaría** ser?
>
> ¿**De qué** cosas se avergüenza usted?

Elijan las mejores preguntas y elaboren el cuestionario con 12 preguntas que van a usar para la entrevista.

Paso 4 Presenten su cuestionario a la clase con las preguntas que prepararon y justifiquen por qué eligieron estas preguntas para esta persona.

Paso 5 La entrevista
Hagan la entrevista a su invitado/a.

Paso 6 Foco lingüístico.

AYUDA

A mí me gustaría saber…

> **si…**
> **dónde…**
> **con quién…**
> **por qué…**
> **qué…**
> **cuándo…**

Ése es un tema **muy** importante / interesante.

Ése **no** es un tema **tan** importante.

Ése es un tema **demasiado** personal.

Me gustaría saber si está casada.

NUESTRA GENTE

GENTE QUE LEE

ESTRATEGIAS PARA LEER

Review of vocabulary strategies (II): Word formation and Spanish affixes

Words are formed by adding *affixes* to their roots. For example, the adjective *honestos* is formed by the root *honest* and the affix *-os*. The root contains its meaning; the affix, information about its gender and/or number (in this case, it tells us that the word is masculine and plural). If we added the affix *des-* to this word, we would change its meaning: *deshonestos* means the opposite of *honestos*. Here are affixes that change the meaning or category of a word by being placed *before* the word:

ante-	*(anteponer)*	*in-/im-*	*(incierto, imposible)*	*re-*	*(reacción, repintar)*
anti-	*(antibalas, antirobo)*	*pos-*	*(posmoderno, posponer)*	*sobre-*	*(sobrenatural, sobresalir)*
contra-	*(contradecir)*	*pre-*	*(prehistoria, predecir)*	*sub-*	*(subsuelo, submarino)*
des-	*(descubrir)*				

Can you ad an affix to the roots below? Did you make up some new words? What do they mean?

desarrollo (development)	*ataque* (attack)	*título* (title)	*guerra* (war)
aprobar (approve)	*hacer* (do)	*personal* (personal)	*ojos* (eyes)
discutible (debatable)	*nombre* (name)	*mamá* (mom)	*brazo* (arm)

New words are also formed by compounding two words to form a new one. Can you guess what these words mean by looking at their parts?

telaraña = tela + araña	*portafolio = portar + folio*
boquiabierto = boca + abierto	*salvavidas = salvar + vidas*
medianoche = media + noche	*hispanohablante = hispano + hablante*
abrelatas = abrir + latas	*altibajo = alto + bajo*

ANTES DE LEER

14–17 Hispanos en la televisión

¿Conoces personajes hispanos en la televisión de Estados Unidos? Nombra algunos.

14–18 Activando estrategias

1. Lee el título del texto y mira el texto por encima. ¿Qué tipo de texto vas a leer? ¿Cómo lo sabes?
2. Lee el primer párrafo. ¿Te da información adicional sobre el contenido del texto?

DESPUÉS DE LEER

14–19 ¿Comprendes?

1. ¿Qué opina América Ferrera de la familia hispana que aparece en su serie? ¿Es estereotípica o no?
2. ¿Qué piensa América Ferrera de la belleza?
3. ¿Tuvo América Ferrera problemas por ser hispana para trabajar en televisión?
4. ¿Cree América Ferrera que hay estereotipos sobre los hispanos en televisión?
5. ¿Qué consejo da América Ferrera a las mujeres que son tímidas?

A LEER

AMÉRICA FERRERA: UNA ACTRIZ DE ORIGEN HONDUREÑO

La actriz estadounidense América Ferrera interpreta el papel principal en la serie de televisión estadounidense *Ugly Betty*: la hispana Betty Suárez. Este programa, basado en la serie original colombiana *Yo soy Betty, la fea* fue muy **exitoso** en Estados Unidos entre 2006 y 2010. Para Ferrera, **definitivamente** este ha sido su mayor logro como actriz. En esta entrevista, Ferrera habla sobre la serie que **protagonizó**, su concepto de belleza y el papel de las mujeres latinoamericanas en Hollywood.

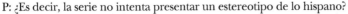

América Ferrera

P: ¿Qué le parece la manera en que se retrata a la familia hispana en *Ugly Betty*? ¿Piensa que esto contribuye a la imagen que tiene el público de Estados Unidos de la comunidad latina?

R: Yo estoy muy **orgullosa** de la manera en que nuestra comunidad es mostrada en la serie, porque la familia de Betty no es tradicional y rompe los estándares típicos. La familia de Betty es pequeña, en contraste con la típica familia latina que se veía en la televisión en el pasado, donde había muchos hijos, y primos, y los abuelos.... . **Sin embargo** la serie trata temas que siempre han sido relevantes dentro de la comunidad latina que vive en Estados Unidos, **como** la emigración o los seguros médicos.

P: ¿Es decir, la serie no intenta presentar un estereotipo de lo hispano?

R: **Exactamente**, porque no hay una familia típica hispana en Estados Unidos. Hay muchas. Los latinos en Estados Unidos viven de formas muy diferentes.

P: Usted se ha convertido en una de las mayores figuras latinas en Hollywood. ¿Ha tenido algún problema en su carrera debido a su apariencia o a su origen?

R: No, nunca. Las cosas han cambiado mucho. Ahora hay latinos en cualquier programa de televisión. Me siento **sumamente** afortunada de vivir en una época donde es posible tener una carrera como latina, **ya que** sé que hace diez o quince años esto no habría sido (*would not have been*) posible. **Asimismo**, pienso que todavía hay barreras y estereotipos, pero **ciertamente** se han dado grandes pasos para superar**los**.

P: ¿Qué consejo le daría a las mujeres que tienen timidez o inseguridades?

R: Yo les diría que todas las personas tienen sus **inseguridades**, pero hay que aprender a superar**las**.

P: ¿Por qué piensa que el tema de la belleza ha atraído a tantos espectadores a ver esta serie?

R: En mi opinión, en nuestra sociedad hay un enfoque excesivo en la vanidad y la belleza de las personas, pero yo creo hay muchas maneras de ser bello. Hay mujeres que simplemente se sienten bonitas, como Betty, **mientras que** hay otras que son muy bellas pero no han desarrollado su máximo potencial y no son felices. Ésa es la gran lección de la serie, y creo que por eso atrae a tanta gente.

14–20 Activando estrategias

1. Según el contexto, ¿qué crees que significa la palabra 'protagoniza' (p. 1)? Búscala en el diccionario y comprueba si tu predicción era correcta.

2. ¿Qué función tienen los conectores 'sin embargo', 'como", 'mientras que' y 'ya que'?

3. Busca en el diccionario el conector 'asimismo'. ¿Qué significa y qué función tiene?

4. Mira las palabras terminadas en -*mente*. ¿Cuáles son cognados y cuáles no?

5. Explica cómo se han formado y qué significan estas palabras: 'exitoso', 'orgullosa' e 'inseguridades'.

6. ¿A qué o quién se refieren los pronombres subrayados 'superar**los**' y 'superlar**las**' al final del texto?

14–21 Expansión

¿Cómo presenta la televisión de Estados Unidos a los hispanos? ¿Hay estereotipos? ¿Crees que la población hispana está bien representada en la televisión?

GENTE QUE ESCRIBE

ESTRATEGIAS PARA ESCRIBIR

Using a bilingual dictionary

When you write in Spanish, it is sometimes necessary to use a bilingual dictionary. Before looking up words, familiarize yourself with your dictionary. Dictionary entries, especially those for the most commonly used words, are not simple. They contain symbols and abbreviations that you need to recognize and interpret. They are not standard; every dictionary is different. Let's see an example: You are writing about a person you really dislike, and one of the characteristics that bothers you about this person is the fact that he is fake, so you look up this word.

> **fake** n (painting etc) *falsificación* f; (person) *impostor(a)* m/f; ◆ adj *falso* ◆ vt *fingir*; (painting, etc.) *falsificar*

What do these abbreviations mean (n, f, m/f, adj, vt)? Are you looking for a noun, a verb, or an adjective? If you followed the process, you came up with **falso**. Thus, you would write something like this: *Me cae muy mal porque es una persona muy falsa.*

MÁS ALLÁ DE LA FRASE

Cohesive writing (II): Using connectors

Cohesive devices include *discourse markers*, also called *transition words* or *connectors*. They can serve multiple functions in a text: to organize information in a sequence (*primero, después...*), to express cause and effect (*por eso, ya que...*), to introduce examples (*por ejemplo, como...*), to clarify information (*o sea, es decir...*), to add information or ideas (*además, también...*), to sequence events in time (*más tarde, antes...*), to summarize ideas (*en resumen, para resumir...*), to introduce conclusions (*en conclusión, para concluir...*), to make generalizations (*en general*), to point out similarities (*de modo similar, igualmente...*), and to draw comparisons and contrasts (*en cambio*). We will review these connectors in detail within the next lessons. Always review how you used these cohesive mechanisms during the editing part of the writing process.

14–22 Una reseña sobre tu cantante o grupo musical favorito

Tu cantante o grupo musical favorito va a dar un concierto en tu escuela o universidad. Escribe una reseña para una revista en español. Aquí tienes algunos aspectos que podrías incluir en tu reseña. Puedes pensar en otros.

- ☐ datos biográficos relevantes
- ☐ discos y canciones más relevantes
- ☐ personalidad y carácter
- ☐ género(s) y estilo(s)
- ☐ influencias
- ☐ temática de sus canciones

 ¡ATENCIÓN!

Piensa en las personas que van a leer esta reseña (los lectores de la revista). Asegúrate de que hay una secuencia lógica entre los párrafos y dentro de cada párrafo; usa el diccionario para buscar significados y conceptos que no sabes expresar en español; presta atención al uso de conectores.

COMPARACIONES

14–23 ¿Cómo eran los mayas de Copán?

Lean esta información y decidan cuáles son los seis datos más interesantes para ustedes. Organicen los datos de más a menos interesantes. Escriban su lista y después compárenla con las del resto de la clase.

Conociendo a los mayas de Copán

Las mayas fueron una de las más esplendorosas culturas conocidas de Mesoamérica. Su civilización de más de 3.000 años se extendió por lo que hoy es la parte occidental de Honduras y El Salvador, todo el territorio de Guatemala y Belice y el sur de México. Hoy, cerca de dos millones y medio de personas descienden directamente de antepasados mayas y hablan todavía unos 28 idiomas diferentes.

Durante el período clásico (entre los años 250 a.C. y 900 d.C.) la cultura maya floreció en Copán (Honduras), una de sus más importantes ciudades-estado, la cual contaba con unos 20.000 habitantes. Sin embargo, para el año 1200 d.C. la ciudad estaba abandonada. Tal vez los investigadores puedan algún día resolver el gran misterio de Copán.

Los mayas sobrevivieron seis veces más tiempo que el imperio romano y construyeron más ciudades que los antiguos egipcios. Fueron una de las cinco culturas antiguas que desarrollaron un lenguaje escrito. En Copán está el texto jeroglífico más largo del mundo, que contiene datos calendarios y astronómicos, e información sobre los gobernantes.

Los mayas fueron hábiles arquitectos y escritores, desarrollaron las matemáticas y diseñaron un calendario solar más exacto del que hoy conocemos. Eran politeístas. La belleza era muy importante para los mayas. Llevaban muy poca vestimenta pues no la consideraban importante para su apariencia personal. En cambio, usaban plumas y otras pieles de animales como vestidos y también como joyas.

14–24 Otras antiguas civilizaciones

¿Cómo eran los antiguos pobladores de tu región o país? ¿En qué se parecen y en qué se diferencian?

CULTURA

La población de ascendencia hondureña en Estados Unidos es de aproximadamente 700.000 personas, y está localizada principalmente en grandes ciudades como Nueva Orleans, Miami, Nueva York, Houston y Washington, DC. Los hondureños que han emigrado a Estados Unidos desde los años 60 lo han hecho principalmente por razones económicas.

Roberto Quesada nació en Honduras en 1962 y desde 1989 reside en Nueva York. Ha dado conferencias en varias universidades norteamericanas y en la actualidad es el Primer Secretario de la Embajada de Honduras ante la ONU. Entre los temas que más le preocupan a Quesada, y sobre los que escribe, está la migración latinoamericana a Estados Unidos. *Big Banana*, su tercera novela escrita en inglés, trata de un joven hondureño que quiere triunfar como actor en Estados Unidos y para ello se traslada a Nueva York, donde entra en contacto con la comunidad latina y donde le suceden innumerables aventuras.

Uno de los personajes de ascendencia hondureña más populares en Estados Unidos es la actriz América Ferrera, hija de padres hondureños inmigrantes. Ha sido elegida Mujer latina del año por varias organizaciones, y fue nombrada Líder Latina en 2007 por el Congressional Hispanic Caucus. Ese mismo año ganó el Globo de Oro como mejor actriz.

Go to **MySpanishLab** to review what you have learned in this chapter.

Flashcards	Oral Practice	Practice Test / Study Plan	amplifire Dynamic Study Modules	Tutorials	Videos	Extra Practice

🔊 VOCABULARIO

El carácter y la personalidad
(Personality traits)

la alegría	*happiness*
la amistad	*friendship*
la avaricia	*greed*
la belleza	*beauty*
la bondad	*goodness*
el defecto	*fault, defect*
la dulzura	*sweetness*
el egoísmo	*egoism*
la envidia	*envy*
la estupidez	*stupidity*
la felicidad	*happiness*
la fidelidad	*fidelity, loyalty*
la generosidad	*generosity*
la hipocresía	*hypocrisy*
la honestidad	*honesty*
la impaciencia	*impatience*
la inseguridad	*insecurity*
la inteligencia	*intelligence*
la pedantería	*pedantry*
el sentido del humor	*sense of humor*
la seriedad	*seriousness*
la simpatía	*warmth, charm*
la sinceridad	*sincerity*
el talento	*talent*
la tenacidad	*tenacity*
la ternura	*tenderness*
la vanidad	*vanity*
el vicio	*vice*
la virtud	*virtue*

Adjetivos (Adjectives)

alegre	*happy*
amable	*nice, kind*
autoritario/a	*authoritarian*
avaro/a	*miserly, avaricious*
bello/a	*beautiful*
bonito/a, lindo/a	*pretty*
desordenado/a	*disorderly, untidy*
despistado/a	*absent-minded*
divertido/a	*funny*
educado/a	*well mannered, educated*

egoísta	*selfish*
envidioso/a	*envious, jealous*
fiel	*faithful, loyal*
generoso/a	*generous*
hipócrita	*hypocritical*
honesto/a	*honest*
inseguro/a	*insecure*
maleducado/a	*ill-mannered*
miedoso/a	*fearful*
nervioso/a	*nervous*
optimista	*optimist*
pesimista	*pessimist*
progresista	*liberal*
sensible	*sensitive*
serio/a	*reliable, serious*
sincero/a	*sincere, genuine*
sociable	*sociable, friendly*
hablador/a	*talkative*
introvertido/a	*introvert*
extrovertido/a	*extrovert*
testarudo/a	*stubborn*
tierno/a	*tender, soft*
tranquilo/a	*calm, quiet*

Verbos (Verbs)

actuar	*to perform*
angustiar	*to distress*
anunciar	*to announce*
apreciar	*to notice, to appreciate*
borrar	*to delete, to erase*
coleccionar	*to collect*
deprimir	*to depress*
emocionar	*to excite, to touch*
especializarse (en)	*to specialize (in)*
indignar	*to anger*
meditar	*to meditate*
odiar	*to hate*
preocupar	*to worry*
roncar	*to snore*
soportar	*to stand, to bear, to put up with*
suavizar	*to smooth*
tener algo en común	*to have something in common*
tropezar (ie) con	*to run into*

CONSULTORIO GRAMATICAL

1 Verbs Like *Gustar (II)*

The subject of a sentence that contains a verb like gustar is NOT the person experiencing the feeling or the person who makes a value judgment: it is the thing, issue, person, or activity about which one expresses such feeling or judgment. Here is a list of verbs and the grammar that governs this structure.

	gusta	**salir** de noche solo.	*INFINITIVE*
	encanta	**ir** al médico.	
	molesta	**trabajar** mucho.	
	preocupa		
	emociona		
	da risa / miedo		
(A mí) **me**	interesa	**este** programa.	*SINGULAR NOUN*
(A ti) **te**	pone nervioso/a / triste	**esta** noticia.	
(A él, ella, usted) **le**	hace gracia / parece chistoso		
(A nosotros/as) **nos**	gustan		
(A vosotros/as) **os**	encantan		
(A ellos, ellas, ustedes) **les**	molestan	**estos** programas.	*PLURAL NOUN*
	preocupan	**estas** noticias.	
	interesan		
	emocionan		
	dan risa / miedo		
	ponen nervioso/a / triste		
	hacen gracia / parecen chistosos		

To say we like or dislike someone.

Me		muy/bastante bien.
Te	**cae** (ONE PERSON)	muy/bastante mal.
Le	**caen** (SEVERAL PEOPLE)	regular.
No me cae/n		(muy) bien.

To express varying degrees we can use adverbs.

me		**muchísimo**	
te	gusta/n	**mucho**	
le	interesa/n	**bastante**	
me		**mucho** miedo	**mucha** pena
te	da/n	**bastante** miedo	**bastante** pena
le		**un poco de** miedo	**un poco de** pena
no { me / te / le	da/n	**demasiado** miedo / **mucho** miedo / **nada de** miedo	**demasiada** pena / **mucha** pena / **nada de** pena
me		**muy** nervioso/a, triste...	
te	pone/n	**bastante** nervioso/a, triste...	
le		**un poco** nervioso/a, triste...	
no { me / te / le	pone/n	**muy** nervioso/a / **demasiado** nervioso/a / **nada** nervioso/a	

A mí me da mucho miedo salir solo de noche.

A mí no me da nada de miedo.

2 The Future Tense: Form and Uses

Future actions can be expressed with the future indicative (with or without explicit indication of a future time). The future indicative is a very consistent tense, and most verbs have a regular form of the future tense, which is formed by adding endings to the infinitive form.

	INFINITIVE + ENDINGS	
(yo)		**-é**
(tú)	via**jar**	**-ás**
(él, ella, usted)	com**er**	**-á**
(nosotros/as)	dorm**ir**	**-emos**
(vosotros/as)		**-éis**
(ellos, ellas, ustedes)		**-án**

Irregular forms

TENER	tendr-	
SALIR	saldr-	
VENIR	vendr-	**-é**
PONER	pondr-	**-ás**
HABER	habr-	**-á**
DECIR	dir-	**-emos**
HACER	har-	**-éis**
PODER	podr-	**-án**
SABER	sabr-	

¡En noviembre correré el maratón de 42 kilómetros 195 metros!

Uses of the future tense

We already know that IR a + infinitive (with or without an explicit indication of time) is a common way to express future actions in Spanish, especially in conversational Spanish and when we express plans or intentions that refer to future actions. The future tense can also be used in both of these sentences. The speaker chose the IR a + Infinitive because s/he is emphasizing that s/he has the intention to do so.

(El próximo año) **vamos a hacer** más ejercicio y trabajar menos.
(Next year) we are going to do more exercise and work less.

Mañana **vamos a revisar** la gramática de la Lección 14.
Tomorrow we are going to review the grammar of Lesson 14.

The future tense is used more often in formal Spanish; it is used to express the result of a condition, to reassure someone about something, or to express a promise.

Si intentas ser más simpático, **tendrás** más amigos.
If you try to be nicer, you will have more friends.

Si tienes pensamientos positivos, **te pondrás** contento.
If you have positive thoughts, you will get happy.

3 The Conditional Tense: Form and Uses

As with the future tense, the conditional is also formed by adding the endings to the infinite form. Those verbs that are irregular in the future are also irregular in the conditional.

Regular forms

CHARLAR	charlar-	
CENAR	cenar-	**-ía**
BESAR	besar-	**-ías**
CONOCER	conocer-	**-ía**
ENTENDER	entender-	**-íamos**
PERDER	perder-	**-íais**
IR	ir-	**-ían**
VIVIR	vivir-	

Irregular forms

PODER	podr-	
SABER	sabr-	**-ía**
HACER	har-	**-ías**
HABER	habr-	**-ía**
PONER	pondr-	**-íamos**
DECIR	dir-	**-íais**
TENER	tendr-	**-ían**
SALIR	saldr-	
VENIR	vendr-	

Uses of the conditional tense

We use the conditional to talk about hypothetical actions and situations.

Creo que **me llevaría** bien con tu hermana; parece muy simpática.
I think I would get along with your sister; she seems very nice.

We also use it to talk about what we would like to do, usually with the verbs **gustar** and **encantar**.

Me gustaría conocer a una persona divertida, inteligente y honesta.
I would like to meet a funny, intelligent and honest person.

Me encantaría salir contigo.
I would love to go out with you.

We can express recommendations and advice.

Yo **iría** a ver esa película: parece que es muy buena.
I would go see that movie: it is supposed to be very good.

Deberías salir más y conocer gente.
You should go out more and meet people.

We can express wishes that are difficult or impossible to achieve.

Tomaría un avión y **me iría** al Caribe ahora mismo.
I would take a plane and go to the Caribbean right now.

Cenaría contigo pero tengo otro compromiso.
I would have dinner with you but I have another commitment.

4 Direct and Indirect Questions

Direct questions

In Lecciones 4 and 5 (Estrategias para la comunicación oral) we studied multiple ways to formulate direct questions. These questions are introduced by interrogative words such as **dónde, cómo, cuándo, cuánto, qué, quién/es,** and **por qué.**

¿Dónde pasas la Navidad?
Where do you spend Christmas?

¿Cómo vas a trabajar, en carro o en autobús?
How do you go to work, by car or by bus?

¿Por qué vienes tan tarde?
Why do you come so late?

Y en esta fotografía, **¿quiénes** son tus padres?
In this picture, who are your parents?

¿Qué haces mañana? / **¿Qué** prefieres, un té o un café? (+ VERB)
What are you doing tomorrow? / What do you prefer, a tea or a coffee?

¿Qué carro es mejor? / **¿Qué** tipo de música te gusta? (+ NOUN)
Which car is better? / What kind of music do you like?

When we wish to single out a person or a thing from among a group we use **cuál / cuáles.**

● ¿Me das **un libro** para leer esta noche?
—Can you give me a book to read tonight?

○ Sí, claro, estos dos están muy bien...
—Yes, sure, these two are very good...

   ¿Cuál prefieres?
   Which one do you prefer?

In questions with a preposition, the preposition is placed before the question word.

¿De dónde eres?
Where are you from?

¿A cuál te refieres?
Which one are you referring to?

¿De cuál estás hablando?
Which one are you talking about?

¿Hasta cuándo serás cantante?
How much longer will you be a singer?*

¿Con quién hablas cada día?
Who do you speak with everyday?

¿Desde cuándo vives en Honduras?
How long have you been living in Honduras?

¿Con cuántos músicos viajas?
How many musicians are you traveling with?

¿Contra quién juega Honduras?
Who is Honduras playing against?

¿En quién confías más?
Who do you trust more/the most?*

¿En qué hotel te alojas?
What hotel are you staying in?

¿De qué están hablando?
What are they talking about?

¿Hacia dónde se dirige el avión?
Where is the plane heading?*

¿A qué te refieres?
What are you referring to?

¿Con cuál viajarás?
Which one will you travel with?

**In these English translations, the
preposition disappears.*

Indirect questions

Me gustaría saber
Me parece interesante saber
Quiero preguntarte

YES / NO ANSWERS:
si vive solo. *(whether he lives alone)*
si le gusta bailar. *(whether s/he likes dancing)*

OPEN-ENDED ANSWERS:
dónde vives. *(where you live)*
cómo se llama tu esposa. *(what your wife's name is)*

15 GENTE que se DIVIERTE

15–1 Divertirse en España

Lee el texto sobre España. ¿En qué áreas destaca España culturalmente? ¿Qué tipo de diversión les gusta a los españoles?

Ahora fíjate en las cinco fotos. ¿Qué crees que anuncia cada una? ¿Por qué?

una película
una obra de teatro
una discoteca
una ópera
un restaurante

una exposición de pintura / de fotografía
un bar de tapas / de copas
un espectáculo de danza / magia / flamenco
un festival de teatro / de danza / de cine
un concierto de rock / de música clásica

TAREA

Planificar un fin de semana en una ciudad de España.

NUESTRA GENTE

España
Hispanos/latinos en Estados Unidos

Explore Spain with Club cultura!

1

Ven a nuestras cenas mágicas
y vive una noche muy especial en

La mandrágora
El primer restaurante mágico y esotérico

MENÚ SELECCIONADO astrológicamente para cada día
A LA HORA DE LAS BRUJAS, actos mágicos y parapsicológicos realmente espectaculares
CARTA ASTRAL para cada uno de los comensales
RESPUESTAS A SUS PREGUNTAS con las artes adivinatorias del tarot

SHOW DE HIPNOSIS Y MENTALISMO
Y TODO ELLO POR UN PRECIO ÚNICO Y AJUSTADÍSIMO
Calabria, 171. Reservas individuales y grupos. Tel. 226 42 53 - 226 60 42

2

VERDI
UN BAILE DE MÁSCARAS
OPERA 2001 PRESENTA

CULTURA

España es un país miembro de la Unión Europea y su forma de gobierno es la monarquía parlamentaria. De acuerdo con su Constitución, el castellano es lengua oficial del país y la lengua materna del 89% de los españoles. La Constitución reconoce tres lenguas más: el euskera, el catalán y el gallego, que se hablan en ciertas regiones del territorio español.

España es un país con una riqueza cultural increíble que se manifiesta en todas las áreas: arquitectura, pintura, literatura, música, gastronomía, moda, cine, teatro, danza, fiestas populares, etc. Además tiene uno de los patrimonios culturales más importantes del mundo.

La diversión (cine, teatro, espectáculos, restaurantes, bares y discotecas) se caracteriza por tener lugar en la noche, incluso hasta altas horas de la madrugada. La vida nocturna comienza tarde. Muchos clubes abren a la medianoche y no cierran hasta el amanecer.

ACERCAMIENTOS

15–2 ¿Qué les gusta hacer?

Escucha a estas personas. ¿Cuál de estas actividades les gusta hacer los fines de semana?

1. MARTA: _____

2. PABLO: _____

3. JUAN ENRIQUE: _____

4. LORETO: _____

5. CARMIÑA: _____

¿Y a ti? ¿Qué te interesa más? ¿Por qué?

EJEMPLO:

E1: A mí me gusta ir a la ópera.
E2: Pues a mí me gusta ver buenas películas.

15–3 Los sábados por la noche

¿Qué haces normalmente los sábados por la noche? Coméntalo con tus compañeros/as.

	NORMALMENTE	A VECES	(CASI) NUNCA
Voy a algún concierto.		✓	
Voy al teatro.		✓	
Voy al cine.		✓	
Tomo algo con amigos.	✓	✓	
Salgo a cenar.		✓	
Me quedo en casa viendo la tele.	✓		
Voy a casa de amigos.	✓		
Voy a bailar.		✓	
Otras cosas:		✓	

EJEMPLO:

E1: Yo, normalmente, los sábados por la noche me quedo en
casa: veo la tele, leo...
E2: Yo no, yo salgo con amigos a tomar algo, o voy al cine.

VOCABULARIO EN CONTEXTO

15–4 ¿Qué hacen los españoles en su tiempo libre?

Lean estos datos del Ministerio de Cultura español sobre las prácticas culturales y de ocio de los españoles.

Frecuencia de hábito (en % de población total)					
	DIARIO	**UNA VEZ A LA SEMANA**	**UNA VEZ AL MES**	**UNA VEZ AL AÑO**	**TOTAL**
Lectura					
Libros	22,4	30,1	40,9		59,1
Prensa	30,3	58,4	65,3		79,7
Revistas		13,1	40,6		65,0
Bibliotecas		7	13,1	19,1	28,5
Museos				27,4	42,1
Teatro			2,8	23,7	31,9
Opera				2,7	8,7
Conciertos música clásica				8,4	18,3
Conciertos música actual				24,9	42,5
Cine		7,5	31,1	58,6	72,1
Vídeo / DVD	3,3	27,8	42,9		61,8
Televisión					98,0
Ordenador	15,1	28,3	30,3		51,3
Toros					8,6
Espectáculos deportivos					25

Comenten los datos y saquen al menos cinco conclusiones relevantes sobre los españoles y su ocio.

EJEMPLO:

Los españoles no visitan mucho a las bibliotecas; los datos dicen que el 7% las visita una vez a la semana y solamente el 19,1% las visita una vez al año.

¿Crees que estos comportamientos respecto al ocio y la cultura son similares a los de tu país?

15–5 Planes para el viernes

Es viernes y Valentín no sabe qué hacer. Sus compañeros y compañeras de trabajo están haciendo planes para esta noche. Escucha las cuatro conversaciones.

	¿QUÉ VA(N) A HACER?	¿POR QUÉ?
Clara	No **lo** sabe.	Ha llamado a Tina pero ella tiene planes.
Tina	_____	_____
Claudia y Lola	_____	_____
Federico y Alejandro	_____	_____
Ramón y Beatriz	_____	_____

15–6 Tres conversaciones

¿Te has fijado en las palabras y las expresiones que usan en las conversaciones 1, 2 y 3 de 15–5? Escucha otra vez y anota algunas.

CONTEXTO	CONVERSACIÓN 1	CONVERSACIÓN 2	CONVERSACIÓN 3
PROPONER ACTIVIDADES			
ASENTIR			
HACER CITAS	He quedado (quedar con alguien)		
ACTIVIDADES Y LUGARES DE OCIO			

15–7 Guía del ocio

Mira la guía del ocio. Identifica a qué lugares van a ir los personajes y descríbelos.

	¿ADÓNDE VA(N)?	DESCRÍBELO
Claudia y Lola	_____	_____
Tina	_____	_____
Federico y Alejandro	_____	_____
Ramón y Beatriz	_____	_____

 15–8 La cita de Valentín

Lean la información sobre Valentín. ¿Con quién creen que puede salir esta noche?

VALENTÍN ES MUY AFICIONADO AL FÚTBOL Y NO LE GUSTA DEMASIADO IR AL CINE.

ACABA DE ROMPER CON ELENA, SU NOVIA, Y ESTÁ UN POCO TRISTE.

ESTÁ UN POCO GORDO, TIENE EL COLESTEROL ALTO Y ESTÁ A DIETA.

NO SOPORTA BAILAR PERO LE ENCANTA LA MÚSICA CLÁSICA.

LE GUSTA CLARA.

	SÍ	NO	¿POR QUÉ?
con Clara			
con Tina			
con Claudia y con Lola			
con Federico y con Alejandro			
con Ramón y con Beatriz			

¿Y tú con quién saldrías (o no) esta noche? ¿Por qué? Compáralo con tus compañeros/as de clase.

Yo (no) saldría con _____ porque _____.

GRAMÁTICA EN CONTEXTO

15–9 Cine

¿Has visto algunas de estas películas? Añade dos más a la lista. Luego piensa en una y di algo sobre ella sin mencionar el título. Tus compañeros/as tienen que adivinar el título y decir si la han visto o no.

EJEMPLO:

E1: Es una película de aventuras y sale Harrison Ford. Es **buenísima**.

E2: Sí. ¡Indiana Jones! La he visto también. **Me encantó**.

E3: ¿De qué trata?

El laberinto del fauno	*El secreto de sus ojos*
Volver	*El mago de Oz*
Babel	*El padrino*
_____	_____

15–10 ¿Habéis visto...?

Recomienda a tus compañeros una buena película. En primer lugar, cada uno de ustedes va a rellenar esta fichas con su película favorita. Luego deben describir su película y dar su opinión.

> Director _____
> Salen (actor y/o actriz principales) _____
> Trata de: _____
> Es _____-ísima. A mí _____

EJEMPLO:

¿**Han/Habéis visto** *Gladiador*? Trata de un gladiador romano. Es **de** Ridley Scott. **Sale** Russell Crowe que es un actor **buenísimo**. A mí **me encantó**.

15–11 ¿Te apetece ir al zoo?

Lean la información sobre dos lugares para pasarlo bien una tarde en Madrid. Cada uno de ustedes prefiere un lugar diferente. Traten de convencer a su compañero/a con una propuesta.

MUSEO THYSSEN-BORNEMISZA, Madrid

Horario
De martes a domingo de 10:00 a 19:00 horas.
Lunes cerrado. La taquilla cierra a las 18:30 horas.
El museo cierra los días 1 de enero, 1 de mayo y el 25 de diciembre.

Admisión: Colección permanente: 8 euros.
Estudiantes: 5,50 euros.

Información
Inaugurado en 1992 tras un acuerdo entre el Barón Thyssen (era su colección privada) y el estado español. Con tres plantas, el museo recorre la historia de la pintura occidental desde el siglo XVIII hasta el siglo XX. De interés especial: los maestros holandeses, las salas de pintura italiana del siglo XVI, las salas impresionistas y expresionistas, *El Paraíso* de Tintoretto y *Arlequín con espejo* de Picasso.

HABLAR SOBRE ESPECTÁCULOS Y PRODUCTOS CULTURALES

- ● ¿**Han/Habéis visto** *Los Otros*?
- ○ Yo no.
  Yo sí, es...
  ...genial / buenísima / divertidísima.
  ...bastante buena / interesante.
  ...un rollo / muy mala.

A mí { me encantó.
me gustó bastante.
no me gustó nada. }

No soporto ese tipo de películas.

Es una comedia. / una película { de miedo/terror/suspense.
de acción.
del oeste.
de aventuras.
de guerra.
de ciencia ficción. }

- ● ¿De quién es? / ¿Quién es el director?
- ○ El **director es** Alejandro Amenábar.
  Es una película **de** Alejandro Amenábar.

- ● ¿Quién sale?
- ○ El protagonista es Antonio Banderas.
  Sale Penélope Cruz.

- ● ¿De qué trata?
- ○ **Trata de** un periodista que va a Bosnia y...

PONERSE DE ACUERDO PARA HACER ALGO

PREGUNTAR A LOS DEMÁS
¿Adónde podemos ir?
¿Qué te/le/os/les apetece hacer?
¿Adónde te/le/os/les gustaría ir?
¿Quieres quedar para hacer algo?

PROPONER
¿Por qué no vamos al cine?
¿Te/os/le/les apetece ir a tomar algo?
Podríamos ir al cine.

ACEPTAR
Vale.
Buena idea.

EXCUSARSE
Es que { hoy / esta noche } { no puedo. / no me va bien. }

LA CITA
¿Dónde quedamos?
¿Quedamos en la puerta del cine?

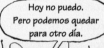
Hoy no puedo.
Pero podemos quedar para otro día.

PRESENTE DE SUBJUNTIVO

VERBOS REGULARES

HABLAR	COMER	VIVIR
hable	coma	viva
hables	comas	vivas
hable	coma	viva
hablemos	comamos	vivamos
habléis	comáis	viváis
hablen	coman	vivan

VERBOS IRREGULARES

SER	IR	PODER
sea	vaya	pueda
seas	vayas	puedas
sea	vaya	pueda
seamos	vayamos	podamos
seáis	vayáis	podáis
sean	vayan	puedan

haber	hay-	tener	teng-
poner	pong-	decir	dig-
hacer	hag-	salir	salg-
venir	veng-	saber	sep-

USO DEL SUBJUNTIVO: EXPRESIÓN DE OPINIÓN, PROBABILIDAD Y DUDA

PRESENTAR LA PROPIA OPINIÓN

(Yo) creo que...
(Yo) pienso que... } + INDICATIVO
En mi opinión,...

...ese restaurante **es** carísimo.

(Yo) no creo que...
Dudo que... } + SUBJUNTIVO
No estoy seguro/a de que...

...ese restaurante **sea** carísimo.

EXPRESAR PROBABILIDAD O DUDA

Es posible que
Es probable que } + SUBJUNTIVO
(No) es probable que...

...ese restaurante **sea** carísimo.

SER: LUGAR Y HORA DE EVENTOS

La película **es** a las ocho y media.
Es en el Cine Rex.

ZOO AQUARIUM MADRID

Horario
De 10.30 h. hasta el anochecer

Precio
Adultos; 18,50 euros. Niños y tercera edad; 15 euros

Información
El Zoo de Madrid es uno de los más modernos e importantes de Europa y el único que reúne en un mismo espacio un zoológico, un acuario, un delfinario y un aviario. El zoo ocupa una extensión de 20 hectáreas. Además ofrece exhibiciones de focas y leones marinos, un pabellón de naturaleza misteriosa y un invernadero con plantas tropicales.

EJEMPLO:
E1: ¿Por qué no vamos al museo Thyssen?
E2: No sé... No me apetece. Prefiero ir al zoo.

15-12 ¿Quedamos?

Llama a tu compañero/a para hacer planes para el sábado por la noche. Deben decidir dónde y cuándo quedarán y qué harán. Tu compañero/a no está seguro/a de poder ir, y tiene que expresar probabilidad o duda.

15-13 Excusas, excusas...

Hablen con su compañero/a para proponerle ir a ciertos eventos. Digan dónde y a qué hora son. Ustedes deben buscar una excusa para no ir, pero traten de ser convincentes.

1. Un concierto de Juanes el sábado por la tarde a las seis.
2. Un partido de baloncesto con su equipo favorito.
3. Una obra de teatro en español.
4. Una fiesta en casa de un/a amigo/a.
5. _____
6. _____

EJEMPLO:
E1: Hay un concierto de Juanes el sábado. ¿Te apetece ir?
E2: No creo que pueda. Es que tengo una cena. ¿A qué hora es?
E1: Es a las ocho.
E2: No sé, me va muy mal.
E1: Quizá termines la cena antes.
E2: No sé, no creo que termine antes de las ocho.

INTERACCIONES

ESTRATEGIAS PARA LA COMUNICACIÓN ORAL

Verbal courtesy (III)

The conditional tense is widely used in Spanish to express courtesy for different communicative purposes (suggestions, advice, opinions, requests, etc.). Basically, it attenuates whatever is suggested, requested, and so on. Expressing courtesy is not the only function of the conditional tense, and not all verbs can be used in this way. These are the most frequent verbs used in the conditional: *deber, decir, desear, gustar, importar, necesitar, poder, querer, tener que.*

• Advice and suggestions:	- **Deberías** estudiar más.
	- Yo me **llevaría** un paraguas. Está lloviendo.
• Opinions:	- Yo **diría** que esto no es correcto.
• Wishes:	- Me **gustaría** ir al cine esta noche.
• Petitions, requests:	- ¿Le **importaría** bajar el volumen de la radio?
	- ¿**Podrías** prestarme 20 euros?
• Proposals:	- ¿**Te apetecería** venir conmigo al teatro?
	- ¿Le **gustaría** ir a cenar conmigo?

In general, the more formal the context, the more advisable it is to use verbal courtesy; however, it is important to note that English and Spanish differ in the use and amount of verbal courtesy. For example, about 60% of all petitions in formal contexts in Spanish are made using the imperative, while in English they constitute only about 20%.

15-14 ¿Qué dirías?

¿Qué dirías a tu compañero/a en cada una de estas ocasiones? Tu compañero/a te debe responder. Recuerden la cortesía verbal.

1. Quieres proponerle ir a cenar contigo.
2. Necesitas su carro/coche porque el tuyo está en el taller.
3. Pasa demasiadas horas enfrente de la tele.
4. Quieres saber qué quiere hacer en su cumpleaños.
5. Quieres saber su opinión sobre el programa de televisión _____ .
6. Tu amigo/a tiene un examen mañana pero va a salir de fiesta esta noche.

15-15 Te recomiendo...

Recomienda a tu compañero/a un lugar o actividad de ocio en la ciudad donde estudias.

un lugar para hacer deporte   un restaurante   una discoteca
un club   un museo   un café   una biblioteca   un parque   un monumento

EJEMPLO:

Si te gusta la música disco, yo iría a Mirabelle. Me encanta.

15-16 ¿Qué ponen hoy en la tele?

Esto es una programación de un canal de televisión español. Intenten adivinar qué tipo de programas aparecen, y pregunten a su profesor/a sobre los programas que no sepan. Después intercambien sus opiniones sobre cada uno de estos tipos de programa y comenten si los ven o no.

	TIPO DE PROGRAMA
08:10 PRIMERA PLANA Todos los públicos.	_____
09:10 DORA LA EXPLORADORA Todos los públicos.	_____
10:45 EL PROGRAMA DEL VERANO Incluye _Karlos Arguiñano en tu cocina_. Todos los públicos.	_____
14:30 INFORMATIVOS TELECINCO Todos los públicos.	_____
15:30 AQUÍ HAY TOMATE Recomendado para mayores de 13 años.	_____
16:30 PECADO ORIGINAL Todos los públicos.	_____
19:35 ¡MIRA QUIÉN BAILA! Todos los públicos.	_____
20:30 INFORMATIVOS TELECINCO Todos los públicos.	_____
21:15 ÍDOLO ESPAÑOL Todos los públicos.	_____
22:00 LOS SERRANO "Algo sucio" Recomendada para mayores de 13 años.	_____
23:00 MUJERES DESESPERADAS Recomendada para mayores de 13 años.	_____
24:00 MADRUGADA DE CINE _Terror en la oscuridad._ Recomendada para mayores de 18 años.	_____
02:30 DOCUMENTAL _Del hombre al mono._ Todos los públicos.	

EJEMPLO:

E1: "Los Serrano" es una película española.

E2: **No creo que sea** una película. Me parece que es una serie de televisión.

E1: A mí las series me encantan. Veo varias todas las semanas. ¿Y tú?

15–17 Situaciones: _Ocio y entretenimiento_

Two students have just arrived to the place where you study for summer school. They visit the Office of Student Life in order to obtain information about things to do on weekends and in their free time.

ESTUDIANTE A

You are very interested in art (painting, photography. . .) and you like cultural activities, such as exhibitions and concerts. You don't like going out at night very much. You love all types of music, especially classical. You also love quiet places in which to walk and meditate.

ESTUDIANTE B

You love going out at night to bars and discos and dancing. Night life and exotic places are more interesting to you than museums or quiet places.

ESTUDIANTE C

You work for the Office of Student Life. Two students visit your office to obtain information about things to do on weekends and in their free time. Answer their questions and give them suggestions and recommendations based on their interests.

TAREA

Gente en acción

Planificar un fin de semana en Madrid, la capital de España.

PREPARACIÓN

Antes de planear las actividades, vamos a leer todas estas informaciones que aparecen en la revista *Gente de Madrid*.

MADRID DÍA Y NOCHE

Madrid es una de las ciudades con más vida de Europa. El clima y el carácter de los madrileños han hecho proliferar muchos locales dedicados al ocio. Además de las posibilidades de diversión concretas -zoo, parques de atracciones, museos, etc.- hay innumerables bares, discotecas, cabarets, *after hours* y locales de música en vivo. En especial si visita la capital de España en primavera o en verano, prepárese para acostarse muy tarde, pues poquísimas ciudades en el mundo tienen una vida nocturna como la de Madrid. En Madrid se sale a cenar entre las 10 y las 11. Se acude a un bar hasta más o menos las 2 y luego se va a una o varias discotecas. Algunas cierran a altas horas de la madrugada.

VISITAS DE INTERÉS

EL MADRID DE LOS AUSTRIAS
Los edificios más antiguos de Madrid (s. XVI). Pequeñas plazas y las calles con más encanto de la ciudad, ideales para recorrer a pie.

LA GRAN VÍA
El centro de Madrid por excelencia, una calle que nunca duerme. Cafeterías, cines, tiendas, librerías...

LA PLAZA DE SANTA ANA
Centro favorito de reunión de los turistas y estudiantes extranjeros. Ofrece una enorme variedad de bares de tapas, restaurantes, cafés, clubs de jazz, pensiones y hoteles.

EL BARRIO DE SALAMANCA
Una de las zonas más elegantes de Madrid. Tiendas lujosas en calles como Serrano o Velázquez, restaurantes...

EL PALACIO REAL (S. XVIII)
En su interior se pueden admirar cuadros de Goya y de artistas franceses, italianos y españoles. C/ Bailén. De lunes a sábado: 9-18h. Festivos: 9-15h.

LA PUERTA DEL SOL
El centro oficial del territorio español, donde se halla el Km 0 de la red viaria. Bares, tiendas y mucha animación.

EL BARRIO DE CHUECA
El distrito que nunca duerme. La modernidad de Madrid se concentra en sus calles. Restaurantes de diseño, las mejores tiendas de la ciudad, clubs de noche, terrazas...

EL BARRIO DE MALASAÑA
Ambiente bohemio y *underground* en bares de rock y en cafés literarios abiertos hasta la madrugada.

EL PASEO DE RECOLETOS Y LA CASTELLANA
Los edificios más modernos de Madrid, como las sedes de los grandes bancos, la Torre Picasso o las Torres KIO.

EL PARQUE DE EL RETIRO
Un parque enorme con agradables paseos y un lago para remar.

EN CARTEL

SARA BARAS EN MARIANA PINEDA
Sobre una idea de Federico García Lorca y con coreografía de Sara Baras vuelve a Madrid *Mariana Pineda*. 6 únicas funciones. Teatro Lope de Vega (Gran Vía, 57). De martes a jueves, 21h; de viernes a domingo, 22h. Precio: 36 euros.

ARTE Y CULTURA

GABRIEL GARCÍA MÁRQUEZ
Conferencia sobre el escritor G. García Márquez en el Círculo de Bellas Artes: "El concepto de realidad en la narrativa hispanoamericana". Domingo, 18h.

CENTRO DE ARTE REINA SOFÍA
Santa Isabel, 52. Tel. 914 675 062. http://museoreinasofia.mcu.es Organiza interesantes exposiciones de arte contemporáneo que incluyen las últimas vanguardias. Cierra los martes.

MUSEO DEL PRADO
Paseo del Prado. Tel. 913 302 800. http://museoprado.mcu.es. Horario: de martes a domingo, de 9 a 19h. Lunes cerrado. La mejor pinacoteca del mundo. Posee las incomparables colecciones de Goya, Velázquez, El Greco...

THYSSEN-BORNEMISZA
Paseo del Prado, 8. Tel. 913 690 151. www.museothyssen.org. De martes a domingo de 10 a 19h. La mejor colección privada de pintura europea.

DE NOCHE

MOBY DICK CLUB
www.mobydickclub.com. Sala de conciertos, con una original decoración, donde se realizan actuaciones de música, transmisiones en directo, actuaciones en vivo. Los lunes a partir de las 23.30h, sesiones a la carta: el público escoge los temas que quiere que toque la banda de música.

LOLITA
www.lolitalounge.net. Ritmos electrónicos, disco y *funk* en dos plantas. Ambientado en la estética de la Dolce Vita y decorado a lo retro, este local ofrece planes alternativos para el ocio: los viernes, proyección de cortometrajes; los jueves, café-teatro y una vez al mes, pasarela de las últimas creaciones de jóvenes diseñadores de moda.

CHOCOLATE
C. Barbieri, 15. Tel. 915 220 133. www.interocio.es/chocolate. Este café-restaurante, situado en Chueca, ofrece una cocina imaginativa, además de un cocktail-bar. Menú de día y de noche.

TABERNA CASA PATAS
C. Cañizares, 10. Tel. 913 690 496. www.casapatas.com. Las noches de flamenco con más duende de Madrid, con artistas de la talla de Remedios Amaya o Niña Pastori, en un tablao nunca saturado por autobuses de turistas. Antes y durante el espectáculo se sirven tapas de jamón, queso, lomo o chorizo, platos de pescadito frito, entrecots y la especialidad de la casa: rabo de toro. Horario de restaurante de lunes a domingo: de 12 a 17h y de 20 a 2h. Espectáculo: L, M, X y J a las 22.30h. V y S a las 24h.

MONTANA
C. Lagasca, 5. Tel. 914 359 901. Restaurante de cocina mediterránea, donde puede degustar los productos de la temporada, la magia de una cocina directa y natural: huevos estrellados, aves y bacalao son algunas de sus especialidades. Menú a mediodía.

DEPORTES

LIGA DE CAMPEONES
Final de la *Champions League* en Madrid. Sábado a las 21h. Estadio Santiago Bernabéu. Entradas: 912 222 345.

Ahora escribe tus preferencias para el fin de semana.

Plan para el fin de semana en Madrid

Visita

		ACTIVIDADES
Viernes	viernes por la noche	*May dra club*
Sábado	por la mañana	*el parque de el retiro*
	comida del sábado	
	sábado por la tarde	
	sábado por la noche	
Domingo	por la mañana	
	comida del domingo	
	domingo por la tarde	*Centro de Arte Reina Sofía*

🔊 Escucha el programa de radio "Gente que se divierte" y completa o modifica tus planes para el fin de semana.

👥 **Paso 1** ¿Qué quieren hacer?
En grupos de seis personas, cada uno/a explica las cosas que más le apetece hacer durante el fin de semana y busca un/a compañero/a para hacerlas. El grupo se dividirá en parejas. Luego, cada pareja tiene que organizar la cita: decidir la hora, el lugar, quién reserva las entradas, etc.

EJEMPLO:

E1: Pues a mí, el sábado por la mañana **me apetece** ir de compras al barrio de Salamanca. ¿A quién le apetece?
E2: A mí.
E1: Pues podemos ir juntos, si quieres.
E2: Vale, ¿a qué hora quedamos? ¿A las diez?
E1: Mejor un poco más tarde, ¿qué tal a las once?
E2: Perfecto.

Paso 2 Ahora cada persona completa su agenda de planes con información específica.

EJEMPLO:

He quedado con Jason el sábado por la mañana a las nueve para ir a la Gran Vía a desayunar.

Paso 3 El grupo escribirá un informe con los seis lugares más populares entre los miembros del grupo. Después presentará su lista a la clase.

Paso 4 Foco lingüístico.

AYUDA

¿DÓNDE Y CUÁNDO?
El concierto **es** a las ocho.
El concierto **es** en el Teatro Real.

PARA CONCERTAR UNA CITA
¿Cómo
¿A qué hora } **quedamos?**
¿Dónde

¿Quedamos en mi hotel?
¿Te/os/le/les va bien...
  ...delante del cine?
  ...a las seis?
  ...el sábado?

PARA PROPONER OTRO LUGAR U OTRO MOMENTO
Preferiría / Me va mejor...
  ...un poco más tarde.
  ...por la tarde.

PARA HABLAR DE UNA CITA
He quedado a las tres con María para ir al Museo del Prado.

📖 NUESTRA GENTE

GENTE QUE LEE

ESTRATEGIAS PARA LEER

Review of pre-reading strategies

Before reading a text in depth, it is important to get a general idea of what you are about to read. Many elements surrounding a text can give you information about its content.

1. What type of text are you reading? A newspaper article, a letter, a recipe, an e-mail, a movie review?
2. Look at visuals, such as pictures, graphics, maps, and charts. These give you an indication of what you are about to read. Try to predict the content.
3. Read the title and subtitles: These can give you an idea of the content, as well as the order in which it will be presented.
4. If the text is organized in clear paragraphs, read the first sentence of each paragraph: In many cases, this is the topic sentence, which tells you what kind of information the paragraph will contain.
5. What do you already know about the topic? Are you familiar with it? If so, it will be easier to understand the text.

These pre-reading strategies are not a substitute for reading. As you read, you will be checking the information from the text against the information that you expected to find.

ANTES DE LEER

15–18 El cine español

Marca los nombres de directores, actores o actrices españoles que conoces. Luego comparte esta información con la clase. Cuidado: hay tres que no son españoles. Identifícalos.

- ☐ Pedro Almodóvar
- ☐ Alfonso Cuarón
- ☐ Salma Hayek
- ☐ Javier Bardem
- ☐ Benicio del Toro
- ☐ Penélope Cruz
- ☐ Icíar Bollaín
- ☐ Belén Rueda
- ☐ Julio Medem

15–19 Activando estrategias

1. Lee el título y la cita que aparece debajo. ¿Qué información anticipan sobre el texto que vas a leer?
2. Observa la foto. ¿Anticipa nueva información?
3. Lee la primera frase del texto. ¿Qué tipo de texto crees que vas a leer?
4. Ahora lee las primeras palabras de cada párrafo. ¿De qué aspectos específicos trata este texto?
5. ¿Qué sabes de la película española *Mar adentro* y de su director Alejandro Amenábar?

DESPUÉS DE LEER

15–20 ¿Comprendes?

1. ¿Qué personajes componen el "triángulo amoroso" de esta película?
2. ¿Cuáles son las dos mejores partes del guión?
3. ¿Con qué dos aspectos demuestra Bardem que es el mejor actor español?
4. ¿Quién es el compositor de parte de la música de esta película?
5. El texto dice que esta es la mejor película de Amenábar.   Verdadero   Falso

A LEER

MAR ADENTRO: EL DERECHO A MORIR

"¿Quién soy yo para juzgar a los que quieren vivir?"
RAMÓN SAMPEDRO

En la película *Mar Adentro*, Alejandro Amenábar demuestra una excepcional **sabiduría** convirtiendo una historia sobre la muerte en una reflexión sobre la vida.

La historia narrada es ya conocida: Ramón Sampedro, tetrapléjico, lleva ya casi 30 años en una cama al cuidado de su familia. Su única ventana al mundo es la de su habitación, cerca del mar (el mar donde de joven viajó, el mar que le dio la vida y se la quitó). Desde entonces, su único deseo es terminar con su vida dignamente, y en este proceso la **llegada** de dos mujeres altera su mundo: Julia, una abogada que apoya legalmente su lucha, y Rosa, una chica de pueblo **enamorada** de Ramón y convencida de que vivir **merece la pena**. Para este, sin embargo, la persona que de verdad lo ame lo ayudará a realizar ese último viaje.

El soberbio guión de Amenábar, con el humor e ironía constantes de Ramón Sampedro, ofrece un justo equilibrio entre drama y sonrisas. Por encima de los diálogos, destaca el enfoque de ensueño de los viajes al mar del protagonista, y la secuencia del accidente, un triste momento que cambia la vida **de golpe**.

Un magnífico guión interpretado por magníficos actores. En primer lugar, el protagonista, el magistral Javier Bardem, que muestra una vez más que es, sencillamente, el mejor actor español que existe, en un **papel** complicado, por el sorprendente maquillaje y por el hecho de limitar la **expresividad** a un rostro, una mirada, y los diálogos de un hombre que sufre y llora riendo. En segundo lugar están los excelentes roles co-estelares y de apoyo de Belén Rueda (Julia, maravillosa y clásica) y Lola Dueñas (Rosa, con una sonrisa que llena la pantalla y pone la parte dulce a este melodrama). Estos dos personajes y Ramón forman un complejo triángulo **amoroso**.

La música, obra del mismo director, es hermosa y sirve de apoyo perfecto al guión: los tres **personajes** principales son acompañados por un tema —compuesto por el director — que reaparece, y la **banda sonora** es de una fuerza tan poderosa como las imágenes. Formando parte de esta banda sonora, unas exquisitas selecciones de ópera —arias y clásicos — nos tocan el corazón.

Esta **cinta** marca un cambio drástico de estilo en la filmografía de Amenábar, definitivamente uno de los mejores directores y compositores que existen. No es la mejor película de este genio detrás de las cámaras, pero será recordada como un canto

a la libre voluntad, como una película emocionante, **bellísima**, elegante, como un drama realista, como una historia romántica, que además trata de comprender lo que significa tomar la decisión de dejar de vivir antes de tiempo y defender**la** ante los demás.

15–21 Activando estrategias

1. Si "saber" significa *to know*, ¿qué significa la palabra en negrita "sabiduría"?

2. Según el contexto, ¿qué significan las palabras "papel", "personajes", "banda sonora" y "cinta"?

3. Busca en el diccionario las expresiones "merece la pena" y "de golpe".

4. Explica cómo se han formado las palabras "llegada", "enamorada", "expresividad", "amoroso" y "bellísima".

5. ¿A qué o quién se refieren los pronombres "este" y "defender<u>la</u>"?

15–22 Expansión

¿Conoces otras películas donde se trata el tema de la eutanasia? ¿Crees que lo hacen de forma objetiva?

GENTE QUE ESCRIBE

ESTRATEGIAS PARA ESCRIBIR

Editing your writing for content, organization, and cohesion

Good writers plan, review, edit, and revise. The planning stage entails considering readers and purpose, developing an outline, and creating topic sentences. Good writers also review what they are writing: they stop and reread, go back and make changes (edit), and plan what to write next. During this part of the process, they focus on the content more than on the language. It is advisable to edit your writing for content and organization before beginning to revise the grammar, vocabulary, and so on.

- Content: is it relevant, interesting, appropriate, well-developed? Think again about your readers and the purpose of your writing. Are you achieving this purpose?
- Organization: Are there summary sentences? Are your paragraphs well organized? Is your composition easy to follow?
- Cohesion in paragraphs: Do they have clear topic sentences? Do the other sentences in the paragraph contain more specific information than the topic sentence? Are they related to the topic sentence? Did you repeat key words or structures, or use referent words (pronouns or demonstratives)? Did you connect your sentences with transitions (connectors)?

Take a moment to evaluate the content and organization of the reading *Mar adentro: el derecho a morir.* Analyze the cohesion in the reading. In particular, comment on (a) how the paragraphs achieve coherence (give specific examples), and (b) what specific elements in the sentences and between the sentences help achieve cohesion.

MÁS ALLÁ DE LA FRASE

Expository writing (I): Connectors for adding and sequencing ideas, summarizing, and concluding

Adding:	◆ *también* (also) ◆ *además* (also, moreover; furthermore) ◆ *asimismo* (likewise) ◆ *igualmente* (likewise); *es más* (furthermore)
Sequencing:	◆ *para empezar* (first of all, to start) ◆ *en primer lugar* (first of all, in the first place) ◆ *en segundo lugar* (second of all, in the second place) ◆ *en tercer lugar* ◆ *para continuar* (to continue) ◆ *después* (next) ◆ *a continuación* (then, next) ◆ *al mismo tiempo* (at the same time) ◆ *por último* (finally, last) ◆ *en último lugar* (last)
Summarizing:	◆ *para terminar* (finally) ◆ *para resumir* (to sum up) ◆ *en resumen* (in sum) ◆ *para concluir* (to conclude) ◆ *en conclusión* (in conclusion) ◆ *así pues* (therefore)

15–23 Una reseña cinematográfica

Estás a cargo de la sección de cine de una revista en español. Esta semana te toca escribir una reseña sobre _____ (título de la última película que has visto). Aquí tienes algunas ideas. Puedes fijarte en el estilo y formato de la lectura anterior.

- Datos generales: director, actores y actrices, año
- Introducción
- Argumento
- Guión
- Dirección
- Interpretación (actores, actrices)
- Música
- Otros

COMPARACIONES

15–24 Dos ciudades españolas para pasarlo bien

Estos textos describen la oferta cultural y de ocio para jóvenes de estas ciudades.

Bilbao es una moderna metrópoli de más de un millón de habitantes. El Museo Guggenheim es solo un ejemplo de su modernidad. La vanguardia del arte, la moda, la música y el ocio está presente en Bilbao con grandes conciertos de música pop y rock. Además hay encuentros anuales como la Muestra de Cine Fantástico de Bilbao, o el Festival Internacional de Cine Documental y Cortometraje. Bilbao se ha convertido en un atractivo centro de actividad nocturna para los jóvenes de la zona norte, uniéndose las tradicionales zonas de copas y "marcha" con iniciativas como Bilbao. Gaua (Bilbao. Noche), del Ayuntamiento de Bilbao. Este programa de ocio nocturno ofrece a los jóvenes numerosas actividades lúdicas, juegos, cursos, talleres y sesiones de cine en los diversos barrios de la ciudad.

Barcelona es una ciudad mediterránea y cosmopolita con un riquísimo patrimonio histórico-artístico. La agenda cultural conduce al visitante a museos, exposiciones y a una excelente programación de música, teatro y danza. En Barcelona se organizan numerosos festivales. El BAM (Barcelona Acció Musical), Sónar (Festival Internacional de Música Avanzada y Arte Multimedia) o el BAC! (Barcelona de Arte Contemporáneo) demuestran el interés por las últimas tendencias artísticas y musicales. Las fiestas tradicionales, como las fiestas de la Mercè, o las más modernas como el Festival de Verano del Grec, convocan a los grupos más prestigiosos del panorama internacional. Para la noche, discotecas, salas de música en directo, bares y restaurantes que se encuentran en lugares emblemáticos de la ciudad como la Diagonal, el barrio de Gràcia y terrazas en el Port Olímpic. A orillas del mar Mediterráneo hay muchas playas urbanas en las que disfrutar del buen clima, o practicar windsurf, vela, buceo o piragüismo.

1. ¿Qué te parece lo más interesante de cada una de estas ciudades? Imagina que estás en Bilbao. ¿Qué actividades te interesarían más? ¿Y si estás en Barcelona?

2. ¿Es este tipo de actividades típico de la ciudad donde vives o estudias? ¿Hay diferencias? ¿Qué actividades de ocio hace la gente joven en una ciudad?

CULTURA

En Estados Unidos hay unas 700.000 personas de ascendencia española. La presencia de exploradores y colonizadores españoles en Estados Unidos comienza en 1513 en Florida con Juan Ponce de León. El primer asentamiento español fue la ciudad de San Agustín (Florida), fundada en 1565, seguido de otros en Nuevo México, California, Arizona y Texas. Desde el siglo XIX, Nueva York y Florida han recibido a muchos españoles, y durante la época de la dictadura de Franco (especialmente entre 1936 y 1956) muchos intelectuales se exiliaron a Estados Unidos. El actor Martin Sheen y el astronauta Miguel López Alegría son dos importantes estadounidenses de ascendencia española.

CULTURA

Un número significativo de doctores, ingenieros, artistas y profesores universitarios españoles ha contribuido a la ciencia, la cultura y el arte de Estados Unidos. Algunos de ellos son: José Andrés, cocinero y empresario que ha dado reconocimiento a la gastronomía española; Plácido Domingo, uno de los mejores cantantes de ópera del mundo y Director de la Ópera de Washington y de Los Ángeles; Antonio Banderas, Javier Bardem y Penélope Cruz, actores que han conseguido gran éxito en todo el mundo; Enrique Iglesias y Alejandro Sanz, dos de los cantantes con más fama en Estados Unidos; Valentín Fuster, el mayor experto mundial en cirugía cardiovascular y director de Cardiología del Hospital Monte Sinaí en Nueva York; y Santiago Calatrava, uno de los mejores arquitectos del mundo, que ha construido museos y puentes en Estados Unidos, ha diseñado el rascacielos más alto del país en Chicago y ha diseñado la estación de transportes del World Trade Center, en Nueva York.

P. Domingo

Go to **MySpanishLab** to review what you have learned in this chapter.

Flashcards | Oral Practice | Practice Test / Study Plan | amplifire Dynamic Study Modules | Tutorials | Videos | Extra Practice

 VOCABULARIO

El cine y la televisión (Movies and television)

la actuación	acting, performance
el argumento	plot
la cadena	TV network
el canal	TV channel
la cartelera	movie guide
el cine	cinema, movies
el concurso	contest
el cortometraje	short film
el documental	documentary
la entrada	ticket
el guión	script
las noticias	the news
la película de acción	action movie
de terror	horror movie, thriller
del oeste	western
ciencia ficción	science fiction
policíaca	detective movie
la programación	programming
el/la protagonista	main actor/actress
la retransmisión	broadcasting
la serie	TV series
la taquilla	box office
el telediario	news
la telenovela	soap opera
la temporada	season

Los espectáculos y la oferta cultural (Arts and entertainment)

el baile	dance
la banda sonora	soundtrack
la colección de arte	art collection
el compositor	composer
el concierto	concert
el cuadro	painting
la diversión	enjoyment
la danza	classic or traditional dance
la exposición	exhibition
la música en vivo	live music
la obra de arte	work of art
la obra de teatro	(theater) play
el parque de atracciones/ diversiones	amusement park
el partido de fútbol	soccer game
la plaza de toros	bullfighting ring
el teatro	theater

El ocio y el tiempo libre (Free time and leisure)

el ambiente	atmosphere
la cita	appointment, date
las copas	drinks

el espectáculo	show
la feria	fair
el placer	pleasure
la taberna	bar
la tendencia	trend
la terraza	outdoor seating
la vida nocturna	night life

Adjetivos (Adjectives)

animado/a	lively
conmovedor/a	moving
diurno/a	daytime, day
emocionante	exciting, thrilling
encantador/a	charming
entretenido/a	entertaining
genial	extraordinary
impresionante	impressive
innovador/a	innovative
lindo/a	nice
nocturno/a	night
pesado/a	boring, slow, tedious

Verbos (Verbs)

acudir (a)	to attend, to turn up
agradecer (cz)	to thank
amanecer (cz)	to dawn
arrepentirse (ie)	to regret
asistir	to attend, to be present at
celebrarse	to take place, to occur
disfrutar	to enjoy
divertirse (ie)	to have fun
excusarse	to excuse oneself
planear, planificar	to plan
quedar (con)	to make an appointment with
quedarse	to stay
reunirse con	to meet with
salir (lg)	to go out
sorprender	to surprise
sorprenderse	to be surprised, to be amazed

Expresiones útiles (Useful expressions)

concertar una cita	to make an appointment
dar una excusa	to make an excuse
echar un vistazo a	to take a quick look
ir de copas	to go out for a drink
salir a cenar	to go out for dinner
ser un rollo	to be very boring
ser aficionado/a a	to be a regular of, to be a fan of
tener lugar	to take place
tomar unas copas	to have a drink

CONSULTORIO GRAMATICAL

saber - sepa

1 The Present Subjunctive

The present subjunctive is formed by replacing the infinitive endings of the verbs (-ar, -er, -ir), and adding the endings of the present subjunctive to the verb stem.

REGULAR				IRREGULAR		
-AR	**-ER/-IR**	**O/UE**	**E/IE**			
HABLAR	VIVIR	PODER	QUERER	HABER	SER	IR
hable	viva	pueda	quiera	**hay**a	**se**a	**vay**a
hables	vivas	puedas	quieras	**hay**as	**se**as	**vay**as
hable	viva	pueda	quiera	**hay**a	**se**a	**vay**a
hablemos	vivamos	podamos	queramos	**hay**amos	**se**amos	**vay**amos
habléis	viváis	podáis	queráis	**hay**áis	**se**áis	**vay**áis
hablen	vivan	puedan	quieran	**hay**an	**se**an	**vay**an

The stem of the present subjunctive of irregular verbs is the same as that of the first person of the present indicative.

The same occurs with other irregular verbs: tener (tengo–tenga), decir (digo–diga), pedir (pido–pida), salir (salgo–salga), sentir (siento–sienta), oír (oigo–oiga), etc.

		INDICATIVE	SUBJUNCTIVE
TENER	(yo)	**tengo**	**teng**-a
PONER	(yo)	**pongo**	**pong**-a
DECIR	(yo)	**digo**	**dig**-a
HACER	(yo)	**hago**	**hag**-a
SALIR	(yo)	**salgo**	**salg**-a
VENIR	(yo)	**vengo**	**veng**-a

2 Use of Present Subjunctive to State Your Opinion

The subjunctive mode is used most of the time in subordinate clauses with different functions. In this lesson, we will concentrate on noun clauses.

A noun clause is a subordinate clause that depends on a main clause and that has the same function as a noun; therefore, it can be replaced by a pronoun. It is always introduced by **que**.

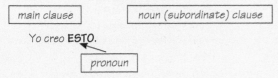

Yo creo que **la democracia en España es muy estable hoy día.**

| main clause | noun (subordinate) clause |

Yo creo ESTO.

| pronoun |

When the verb of the main clause expresses opinion, the noun clause will have a verb in indicative.

creo
pienso
considero   } que + INDICATIVO
me parece

Creo que   **iré** a ver esa película: es muy buena.
                puedo salir esta noche: no tengo trabajo.

I think that   **I will go** see that movie: it is very good.
                I can go out tonight: I don't have work.

However, if the main clause is negative, the subjunctive mode is used in the noun clause.

No creo que   **vaya** a ver esa película: es muy mala.
                pueda salir esta noche: tengo mucho trabajo.

I don't think that   **I will go** see that movie: it is very bad.
                I will be able to go out tonight: I have a lot of work.

¿Quieres ir al cine esta noche conmigo?

No creo que pueda. Tengo muchísimo trabajo.

3 Use of Present Subjunctive to State Probability or Doubt

When we are certain of something, the verb of the noun clause will be in indicative.

Estoy seguro de que	la película **tendrá** mucho éxito.
I am sure that	*the movie will be very successful.*
Seguro que	el zoo está abierto hasta las nueve.
I am sure that	*the zoo is open until 9.*

If we want to express a certain degree of uncertainty, the subjunctive mode will be used in the noun clause.

Es posible que
Es probable que
No estoy seguro de que } la película **tenga** éxito.
Dudo que   el zoo **esté** abierto hasta las nueve.
No creo que

It is possible that
It is probable that
I am not sure that } *the movie will be successful.*
I doubt that   *the zoo will be open until nine.*
I don't think that

Some expressions of probability are followed by the subjunctive mode as independent clauses (not noun clauses).

Posiblemente
Probablemente } esa película **tenga** éxito.
Quizá *(maybe)*   el zoo **esté** abierto hasta las nueve.
Tal vez *(maybe)*

*However, the common expression **a lo mejor** (maybe) always takes indicative.*

A lo mejor esa película **tiene** éxito.

4 Talking about Arts and Entertainment

- ¿Has visto *Mar adentro*?
- ¿Has leído *La tabla de Flandes*?
- ¿Has oído el último disco de *Ojos de brujo*?

-Have you seen *Mar adentro*?
-Have you read *La tabla de Flandes*?
-Have you heard *Ojos de Brujo's* last record?

- Sí, (no) está muy bien.
- Sí, me encantó / no me gustó nada.
  me gustó muchísimo.
  me pareció algo aburrido/a.

-Yes, it is (not) very good.
-Yes, I loved it/I did not like it at all.
  I liked it a lot.
  I thought it was a bit boring.

- Sí, es genial / fantástico/a / horrible / extraordinario/a.
- Sí, es buenísimo/a / malísimo/a / divertidísimo/a / aburridísimo/a.
- Sí, es una maravilla / es un desastre / es un rollo.
- Sí, es muy bueno/a / Sí, es muy malo/a.

-Yes, it is great/fantastic/horrible/outstanding.
-Yes, it is really good/really bad/really funny/really boring.
-Yes, it is wonderful/a disaster/a bore.
-Yes, it is very good/ Yes, it is very bad.

No soporto (*I can't stand*)
No me interesa (*I am not interested in*)   ese tipo de } películas.
música.
libros.

 ¡ATENCIÓN!

SUPERLATIVE = ADJECTIVE FORM MINUS THE LAST VOWEL + **ísimo/a/os/as**

bueno	⟶ buen**ísimo/s**		divertido	⟶ divertid**ísima/s**
interesante	⟶ interesant**ísimo/s**		malo	⟶ mal**ísima/s**

Talking about genres of film, television...

Es una comedia / un drama / una película policíaca.
Es una película de acción / de terror / de aventuras / de ciencia ficción / del oeste.

El director es Almodóvar. = **Es una película de** Almodóvar.
La directora es Icíar Bollaín. = **Es una película de** Icíar Bollaín.

El / la protagonista es
Sale } Javier Bardem / Penélope Cruz.

● ¿ **De qué trata la película?** (*What is the film about?*)
○ **Trata de** una chica que se enamora de... (*It's about a girl who falls in love with...*)

5 Planning and Agreeing on Activities

To ask others what they want to do

¿Adónde podemos ir? (*Where can we go?*)
¿Adónde te/le/os/les gustaría ir? (*Where would you like to go?*)
¿Qué te/le/os/les apetece hacer? (*What do you feel like doing?*)

Proposing an activity

¿Por qué no vamos al cine? (*Why don't we go to the movies?*)
¿Te/os/le/les apetece ir al cine? (*Do you feel like going to the movies?*)
Podríamos ir al cine. (*We could go to the movies.*)
Me apetece dar un paseo. (*I feel like going for a walk.*)
Me gustaría dar una vuelta. (*I would like to go for a walk.*)

Accepting an invitation

Vale, de acuerdo. (*Okay, great.*)
Buena idea. (*Good idea.*)
Perfecto. (*Perfect.*)
Muy bien. (*Very well.*)

Declining an invitation

No, es que
(*No, the thing is that*) {
hoy
esta noche **estoy ocupado/a.**
el lunes **no puedo.**
a las diez
}

Setting a time and a place to meet

¿Cómo quedamos? (*When / where are we meeting?*)

¿A qué hora { **quedamos?** (*What time are we meeting?*)
¿Dónde { **nos vemos?** (*Where are we meeting?*)

¿Quedamos en mi hotel? (*Should we meet in my hotel?*)

● **¿Te va bien** el martes? (*Does Tuesday work for you?*)
○ No, el martes **me va mal.** Tengo otra cita. (*No, Tuesday doesn't work for me. I have another appointment.*)

¿Qué tal el martes? (*How about Tuesday?*)
         a las diez? (*How about at ten?*)

¿Quieres quedar mañana? (*Do you want to meet tomorrow?*)

Talking about time and place of events

El concierto **es** en el Teatro Real.   El partido **es** a las ocho.
*The concert **is** at the Teatro Real.*   *The game **is** at 8.*

*Unlike in English, the conditional of **gustar** and other similar verbs is not generally used for accepting invitations, but rather to soften the tone when declining an invitation using an excuse.*

Me gustaría, pero... no puedo.
Me encantaría, pero... es que tengo mucho trabajo.

16 GENTE INNOVADORA

 TAREA

Diseñar una "casa inteligente"

16–1 Uruguay: ciencia y tecnología

Lee las dos notas culturales referidas a Uruguay. ¿Qué nos indican sobre este país?

NUESTRA GENTE

Uruguay
Hispanos/latinos en Estados Unidos

★ ★ ★ ★ ★ ★
Explore
Uruguay with
Club cultura!

16–2 Tecnología e innovación

Piensen en beneficios y problemas relacionados con estas innovaciones tecnológicas. Después ordénenlos de más (1) a menos (8) importante para el progreso de la humanidad. Finalmente, compartan y comparen sus ideas con la clase.

	Beneficio	Problema
☐ Teléfono móvil	*puedes traer*	
☐ Internet		
☐ Libro electrónico		
☐ Carros híbridos		
☐ Correo electrónico		
☐ Sistema de navegación GPS		
☐ Clase virtual		

CULTURA

Uruguay es el país de América Latina con la menor brecha (*gap*) digital, es decir, respecto al acceso de su población a las tecnologías de la información y la comunicación. Le siguen Chile y Argentina. En el continente americano Canadá es el número uno y Estados Unidos el número dos.

CULTURA

Uruguay se convirtió en 2009 en el primer país del mundo donde cada niño que asiste a la escuela tiene una computadora. La computadora portátil "de 100 dólares" XO fue diseñada para niños, y además de ser duradera, tiene varias innovaciones, entre ellas una pantalla que se puede leer a la luz del sol. Además, se puede cargar con energía solar.

ACERCAMIENTOS

16–3 Más innovaciones

Ahora la clase debe votar para decidir cuál de estas tres innovaciones es la más importante.

SISTEMA DE IDENTIFICACIÓN DE GANADO BOVINO
Uruguay es el único país del mundo en el que existe una plataforma digital que registra e identifica de forma individual el 100% del ganado bovino del país: su historia, su ubicación geográfica. La plataforma permite responder a emergencias sanitarias como enfermedades del ganado.

LA RADIO SOCIAL
Creada por el argentino Roberto Gluck, es una aplicación que convierte el texto de tus redes sociales en audio y lo mezcla con tu música favorita desde cualquier dispositivo móvil, creando una experiencia 'sociomusical'. Introduce una nueva forma de consumir redes sociales que no requiere la atención visual del usuario.

VIDEOCONFERENCIAS PARA PAÍSES EMERGENTES
Es un software con el que se pueden hacer videoconferencias en regiones emergentes donde el acceso a Internet es difícil. Permite crear un aula virtual interactiva donde los profesores pueden impartir clases a 50 alumnos y hablar con ellos con un simple 'clic' en un enlace y desde cualquier ordenador.

16–4 ¿Para qué sirven?

Aquí tienen una serie de cosas que usamos cada día. ¿Cuándo se inventaron y qué utilidad tienen?

vacuna   papel   tarjeta de crédito   rueda   lápiz
reloj   fotocopiadora   anteojos   fósforos   frenos de disco

AÑO	INVENTO	SIRVE PARA...
5500 a.C.	rueda	
105	papel	
1268	anteojos	
1500		
1565		
1795	lápiz, vacuna	
1821	fosforos	
1902	frenos de disco	
1938	fotocopiadora, ~~----~~	
1950	tarjeta de credito	

EJEMPLO:

E1: Yo creo que el lápiz se inventó en 1268.
E2: No, no, fue más tarde: en el año 1795 o 1821.
E3: No, yo creo que es anterior: en el 1565, porque se inventó en el siglo XVI.

16–5 Su innovación

Piensen en algo revolucionario e innovador que todavía no exista. ¿Cómo se llama? ¿Qué tiene? ¿Para qué es? Luego completen la ficha y expliquen a la clase su invento. Al final la clase va a votar por el grupo que haya presentado la innovación más original.

Se llama _____

Es un/a _____

que tiene _____

para _____

VOCABULARIO EN CONTEXTO

16–6 Inventos para todos

Estos inventos han cambiado nuestras vidas. ¿Cuál de ellos te parece más necesario? ¿Por qué?

EL CIERRE DE CREMALLERA (1912)
Desde que existe, todo cierra mejor y más deprisa: carteras, abrigos, bolsillos, pantalones, etc. En los últimos años le salieron competidores como el velcro y los botones de clip, pero, por el momento, parece que tiene asegurada la supervivencia.

EL BOLÍGRAFO O LAPICERA (1940)
Conocido en Argentina como "la birome", por el nombre de su inventor, el señor Biro, fue patentado y popularizado por el señor Bic. Este invento convirtió la pluma en objeto elegante y de lujo. Su futuro está amenazado por las computadoras, las agendas electrónicas y otros inventos que están cambiando los hábitos de escritura de la gente.

LA LAVADORA (1901)
La primera lavadora apareció gracias a Alva John Fisher. Su uso se popularizó cuando la electricidad llegó a todos los hogares. Desde la máquina de Fisher —un tambor lleno de agua y jabones, con un motor que lo hacía girar— hasta ahora, las lavadoras han evolucionado muchísimo. Algunas lavan y secan la ropa, pueden programarse para ponerse en funcionamiento a horas específicas, reducen el consumo de electricidad, etc.

LA COMPUTADORA (1946)
En 1946 se terminó la construcción del ENIAC (*Electronic Numerical Integrator and Computer* por sus siglas en inglés, o Computador e Integrador Numérico Electrónico), el primer ordenador electrónico de la historia. Era capaz de realizar en un segundo 5.000 sumas y 300 multiplicaciones. A partir de ese momento, la evolución de las computadoras adquirió un ritmo cada vez más acelerado. Una computadora actual es siete millones de veces más rápida que el ENIAC.

EL TELÉFONO CELULAR (1983)
El concepto de una red de radio celular surgió en 1947 en los laboratorios Bell, pero hasta 1983 no se fabricaron los primeros teléfonos celulares. La evolución de estos aparatos de uso personal y su generalización en el mercado han sido espectaculares. Los teléfonos actuales sirven para muchas más cosas que llamar por teléfono, como por ejemplo enviar mensajes de texto, almacenar fotos y música, navegar en Internet y ver la televisión.

LA CÁMARA DIGITAL (1991)
Kodak creó en 1991 la primera cámara digital profesional, dirigida a los profesionales del periodismo fotográfico, pero la primera cámara digital para el mercado de consumo, y que conectaba a una computadora con cable, fue diseñada por Apple en 1994. Su uso se ha extendido de manera impresionante entre el público en general desde el 2003. Las grandes empresas de fotografía ya casi no fabrican las antiguas cámaras analógicas y producen más cámaras digitales.

 16–7 Más inventos

¿Qué otras cosas añadirían a la lista de objetos que han cambiado nuestras vidas? Piensen en cuatro inventos y justifiquen sus decisiones.

1. El/la ___television___ porque _puedo jugar vodeo jurgis_ .
2. El/la _____ porque _____ .
3. El/la _____ porque _____ .
4. El/la _____ porque _____ .

Elijan los dos primeros y escriban textos similares a los del ejercicio 16–6.

_____

_____

_____

_____

16–8 ¿Para qué sirven?

Mira los dibujos y examina las partes de la computadora. Después, explica a tu compañero/a cómo es tu computadora actual o una que desees tener.

el ratón

el archivo

el cable

el enlace

el teclado

el procesador de textos

la pantalla

la memoria

la impresora

el sitio web

la aplicación

el sistema operativo

EJEMPLO:

E1: Mi computadora es una Mac, tiene una pantalla de 20 pulgadas, el disco duro es de tres GBs. Tengo varios programas instalados...

E2: La computadora que quiero es una PC; la pantalla es de 17 pulgadas y el disco duro es de un GB.

16–9 Nuevas tecnologías

¿Conocen estas nuevas tecnologías, programas y aplicaciones? ¿Cómo han cambiado su vida?

Wikipedia	Firefox	YouTube
Facebook	Banca en línea	Wi-Fi
iTunes	Twitter	Televisión de alta definición
Instagram	Google	Otro/a:
iPad	Blogs	_____
Tumblr	Consola de videojuegos	

GRAMÁTICA EN CONTEXTO

16–10 Bingo

Vamos a jugar al bingo. Antes de comenzar la actividad, cada estudiante escribe seis de las palabras en el cuadro (tarjeta) de abajo. Uno/a de ustedes es el director del juego y describe los objetos (de qué están hechos, qué forma tienen, para qué sirven, etc.), pero sin decir el nombre. Cuando el director describe un objeto, los estudiantes que lo tienen en su cuadro lo marcan. Gana el/la que termine de llenar primero todas las casillas en su tarjeta.

(la) bombilla	(la) linterna	(las) gafas 3D
(el) iPad	(el) enchufe	(el) escáner
(el) libro electrónico	(la) memoria USB	(el) microondas

EJEMPLO:

E1: Es una cosa **que** sirve **para** poner los datos de tus amigos, familia, etc. **Se usa** también **para** escribir las cosas que tenemos que hacer cada día. **Es** cuadrado y tiene teclas para escribir. **Se puede** poner en el bolso.
E2: La agenda electrónica.

16–11 Innovaciones ecológicas

Escucha estas tres noticias y después completa las frases.

1. TransMilenio es un sistema de autobuses que _____ y con el que _____. Estos autobuses sirven para _____.

2. La bicilavadora es una máquina que _____ y con la que no _____. Con la bicilavadora se puede _____.

3. La cocina solar es un aparato que _____ y con el que _____. Con la cocina se puede _____ pero no se puede _____.

¿Cuál de estos tres inventos te parece el más importante? ¿Por qué?

16–12 Inventos prácticos, divertidos o imposibles

Aquí hay una lista de cosas que no existen. Relaciona las dos columnas y completa la información que falta. ¿Cuáles de estas cosas crees que son necesarias para el progreso?

una máquina	que **responda** a las órdenes de la voz humana.
un carro	que no **ocupe** más espacio que un libro.
una moto	que **pase** las páginas él solo.
un periódico	que **tenga** más horas por la noche.
un libro	que no **haga** ruido.
un reloj	que no **pueda** superar los 100 km/hora.
una computadora	que _____
un teléfono	que _____
un/una _____	que _____

EJEMPLO:

Yo creo que es necesario inventar un carro **que no haga** ruido.

DESCRIBIR OBJETOS

Es un país...
   ...**pequeño**.
   ...**con** mucha tecnología.
   ...**que** tiene muchos teléfonos celulares.

FORMA Y MATERIAL

Es   grande   pequeño/a
   de   tela / plástico / madera / cristal / papel

PARTES Y COMPONENTES
un teléfono **con** contestador
(= **que tiene** contestador)
una televisión **con** TIVO
(= **que tiene** TIVO)

UTILIDAD
Sirve para cocinar.
Se usa para escribir.

FUNCIONAMIENTO
Se enchufa.
Se abre solo/a.
Funciona **con** energía solar.

PROPIEDADES

Se puede/No se puede... { conectar.
usar en el carro.

FRASES RELATIVAS: INDICATIVO O SUBJUNTIVO

Uruguay es un país...
   ...**que tiene** educación gratuita.
¿Conoces algún país...
   ...**que tenga** educación gratuita?

RELATIVOS CON PREPOSICIÓN

Es una cosa...
   ...**con la que** puedes abrir latas.
   ...**en la que** pones libros.

Es un aparato con el que ahorras mucha electricidad.

SE: IMPERSONALIDAD

En Uruguay **se usan** mucho los teléfonos celulares.

En Uruguay **se ve** a mucha gente con teléfonos celulares.

LO/LA/LOS/LAS, LE/LES

	Objeto directo	Objeto indirecto
él, usted	lo	le
ella, usted	la	le
ellos, ustedes	los	les
ellas, ustedes	las	les

OI:
- ● ¿Qué tienes que comprar**le** a Juan?
- ○ **Le** tengo que comprar una memoria USB.

OD:
- ● ¿Dónde compraste esa computadora? Es muy buena.
- ○ **La** compré en Circuit One.

DOBLE PRONOMBRE: INDIRECTO + DIRECTO
- ● ¿Te dieron un premio?
- ○ Sí, **me lo** dieron la semana pasada.

- ● ¿A Juan le dieron un premio?
- ○ Sí, **se** (=le) **lo** dieron la semana pasada.

DUPLICACIÓN DE OBJETO DIRECTO
- ● ¿Dónde compraste esos pantalones y esa cartera? Son preciosos.
- ○ **Los pantalones los** compré en Madrid y **la cartera la** compré en Montevideo.

¿Esa cartera **la** compró en Montevideo?

DUPLICACIÓN DE OBJETO INDIRECTO
A Jaime **le** di los libros y a María **le** envié los discos.

16–13 Uruguay, un país de futuro

Ahora lean los datos sobre Uruguay. Después completen el texto.

Población total	3.460.000
Población por encima del nivel de pobreza	96.5%
Tasa de alfabetización	98% (la más alta de Latinoamérica)
Índice de desarrollo humano (IDH)	0.792 (tercero más alto de Latinoamérica)
Distribución de la riqueza	45,3 (uno de los países con mayor igualdad de Latinoamérica)
Educación gratuita	100% (primaria, secundaria y universitaria)
Telecomunicaciones digitalizadas	100%
Porcentaje de computadoras por habitante	22,1% (segundo más alto de Latinoamérica)
Porcentaje de usuarios de Internet	58% (primero de Latinoamérica)
Acceso a la energía eléctrica	99% del territorio

Uruguay es un país **que** _____ y **en el que se puede** _____. Además es un lugar **donde** _____ y **en el que** _____. Es un país **que** _____, **que** _____ y **donde** _____. Finalmente, es un país **donde se puede** _____.

Ahora piensen en otro país…

…**que tenga** una red de telecomunicaciones altamente digitalizada
…**en el que** la educación **sea** gratuita
…**que tenga** una tasa de alfabetización muy alta
…**en el que** el acceso a Internet y computadoras **sea** muy alto:

EJEMPLO:

E1: A ver… un país **que tenga** educación gratuita… ¡Canadá!
E2: Sí, creo que en Canadá **se puede** estudiar gratis.

16–14 ¿Puedes comprármelo?

Piensa en cinco aparatos, aplicaciones o programas que no tengas. Después pregunta a tu compañero/a si puede comprár**telo** o prestár**telo**. Tu compañero/a te dará alguna solución alternativa.

EJEMPLO:

E1: No tengo una memoria USB. ¿Puedes **prestármela**?
E2: No, lo siento, no **te la puedo prestar**, porque solo tengo una y **la** necesito. Quizá puedas **pedírsela** a tu mamá por tu cumpleaños.

INTERACCIONES

Some common expressions used in conversation (I)

- To show surprise or disbelief:

¿Sí? (Really?)
¿De verdad / veras? (Really?)   ● *Han inventado un robot que puede hacer tu tarea.*
¡No me digas! (You don't say!)   ○ *¿Sí? ¡No me digas!*
¡No puede ser! (That can't be!) ● *¿Qué? ¡No puede ser!*

- To show that something is not normal:

¡Qué raro! (How weird / odd!)   ● *Mi computadora es nueva, pero no funciona.*
¡Qué extraño! (How strange / odd!) ○ *¡Qué raro!*

- To express satisfaction / sadness about recent news or events:

¡Qué bien! (Great!)   ● *Me han regalado un iPod.*
¡Qué suerte! (How lucky!)   ○ *¿Sí? ¡Qué suerte!*
¡Qué pena / lástima! (How sad!) ● *Pero no tiene cámara de fotos.*
                                    ○ *¡Ah, **qué pena**!*

- To express a total lack of knowledge about something:

¡No tengo ni idea! (I have no idea!) ● *Oye, ¿cuántos megabites de memoria tiene tu computadora?*
¡Ni idea! (No idea!)   ○ *¡Ni idea!*

 16–15 Las compras en Uruguay

Uno de ustedes viajó a Uruguay y estuvo en Montevideo dos semanas. Compró muchos recuerdos del viaje para llevar a casa. Muéstrale a tu compañero/a las cosas que compraste. Fíjense en el modelo.

Tortugas de cerámica hechas a mano

EJEMPLO:

E1: Compré esta estatua en una tienda de artesanía. Es **de cerámica** y está hecha a mano.
E2: ¿A mano? **¡No me digas!**
E1: Sí, a mano. Y era la última que había en la tienda.
E2: ¿Sí? **¡Qué suerte!**
E1: ¿Y **el cuadro**? ¿**Lo** compraste en esa tienda también?
E2: No, **el cuadro lo** compré en el museo.

Cuadro de Rafael Pérez Barradas, artista uruguayo

Póster del carnaval de Montevideo

Balón de fútbol

Mates

16–16 ¿Tienes...?

Vamos a hacer grupos de cuatro personas. Cada persona del grupo tiene que pedir tres cosas a otros/as compañeros/as de clase. Fíjense en el modelo. El juego termina cuando un grupo consigue reunir las 12 cosas.

ESTUDIANTE A

- un libro digital
- una computadora con cámara
- un aparato para escuchar música en el autobús

ESTUDIANTE C

- una tarjeta de crédito sin límite
- un carro con navegador GPS
- algo para hacer café o té en tu cuarto

ESTUDIANTE B

- un teléfono móvil con acceso a Internet
- algo para grabar la voz
- un programa para editar video

ESTUDIANTE D

- una televisión con pantalla plana
- un despertador con música
- una radio digital

EJEMPLO:

E1: ¿Tienes un libro **que sea** digital?
E2: Lo siento, pero no tengo libros **que sean digitales**.
E1: ¡Qué lástima! ¿Y algo **que sirva** para grabar la voz?
E2: Sí, tengo un iPhone **que puede** grabar la voz.
E1: ¡Qué bien! Gracias.

16–17 ¿Qué hay que inventar?

Inventen un objeto útil para cada uno de estos grupos de personas. Después compartan con la clase sus inventos.

Los despistados (*absent-minded*)   Los perezosos
Los tímidos   Los _____

EJEMPLO:

E1: Para los daltónicos, lápices de colores **que tengan** escrito el nombre de cada color.
E2: Sí, o **que digan** los colores cuando los tocas.

Ahora piensen en dos cosas que les gustaría tener pero todavía no se han inventado.

EJEMPLO:

Un aparato encuentracosas, que encuentre siempre las cosas que estoy buscando.

16–18 Situaciones: *En la oficina de patentes*

A student has invented a _____. S/he is visiting the patent office to register her/his invention.

ESTUDIANTE A

You invented a _____. You are at the patent office to register your invention. Explain what it is, how it works, what its purpose is, what properties it has, and so on. Be very specific.

ESTUDIANTE B

You work at a the patent office. A student is in your office registering her/his invention. Ask questions related to its purpose, functioning, and properties. React to the inventor's explanations.

TAREA

Diseñar un "dormitorio inteligente"

PREPARACIÓN

Lean este texto. Después miren la casa y hagan una lista de los problemas que tienen estas personas. Añadan otros problemas que tiene la gente en su vida cotidiana.

¿Qué es la domótica?

Esta palabra viene del latín *domus*, que significa "casa". Es el conjunto de sistemas que automatizan una vivienda y que pueden ser de cuatro tipos: seguridad, ahorro de energía, bienestar y comunicación. Estos sistemas pueden estar integrados por medio de redes interiores y exteriores de comunicación, con cable o inalámbricos, y se pueden controlar desde dentro o fuera de la casa.

EJEMPLO:

Muchas veces no hay agua caliente en un baño porque otra persona está usando la ducha, por ejemplo.

Paso 1 Ahora completen el cuestionario de la página 281.

¿VIVES EN UN DORMITORIO O APARTAMENTO INTELIGENTE?
¿TE GUSTARÍA? RESPONDE A ESTE CUESTIONARIO.

SEGURIDAD

1. ¿Se encienden y apagan las luces cuando no estás en casa, para dar la impresión de que hay alguien? . . . . Sí ☐ No ☐
2. ¿Tienes alarma de detección de incendios? . . . . Sí ☑ No ☐
3. ¿Tienes cámaras fuera de tu casa para ver quién está afuera? . . . . Sí ☐ No ☑

COMODIDAD

4. ¿Se encienden y se apagan las luces cuando vas de un cuarto a otro? . . . . Sí ☐ No ☐
5. ¿Se cierran y abren tus persianas en función de la luz solar? . . . . Sí ☐ No ☐
6. ¿Se regula la temperatura de tus cuartos de forma independiente? . . . . Sí ☐ No ☐
7. ¿Puedes hacer funcionar tu televisor, estéreo, etc., con la voz? . . . . Sí ☐ No ☐

AHORRO DE ENERGÍA Y AGUA

8. ¿Se cierran los grifos automáticamente después de unos segundos? . . . . Sí ☐ No ☐
9. ¿Tienes aparatos que solo funcionan en horas de tarifa reducida? . . . . Sí ☐ No ☐
10. ¿Usas energías renovables? . . . . Sí ☐ No ☐

COMUNICACIÓN

11. ¿Puedes controlar equipos y aparatos por Internet? . . . . Sí ☐ No ☐
12. ¿Son tus controles inalámbricos? . . . . Sí ☐ No ☐

Paso 2 Elijan los seis problemas más importantes que aparecen en el cuestionario. Completen la tabla con problemas de cada categoría.

SEGURIDAD	COMODIDAD	AHORRO ENERGÍA/AGUA	COMUNICACIÓN
1.	1.	1.	1. ~~Internet~~ internet esten
2.	2.	2.	2. ~~no~~ el ~~dinero~~ super es muy roto mal

Paso 3 Ustedes van a idear un dormitorio "inteligente". Debe ser ecológico y cómodo. Solo puede tener seis innovaciones tecnológicas. Para cada problema que identificaron en el Paso 2, piensen en una tecnología que lo resuelva.

SEGURIDAD	COMODIDAD	AHORRO DE ENERGÍA	COMUNICACIÓN
1.	1.	1.	1.
2.	2.	2.	2.

Paso 4 Presenten su proyecto a la clase explicando y justificando las seis innovaciones. La clase votará por el mejor proyecto.

Paso 5 Foco lingüístico.

AYUDA

Es una máquina **para**...
Es una herramienta que **sirve para**...
Es un aparato **con el que se puede**...
...tiene un sistema **con el que se puede**...
...tiene unos aparatos **que** sirven **para**...

NUESTRA GENTE

GENTE QUE LEE

ESTRATEGIAS PARA LEER

The journalistic text (news)

The news text attempts to answer all the basic questions about any particular event—who, what, when, where, and why. The structure of a news piece is sometimes called "inverted pyramid": it starts with key information and gives supporting information in subsequent paragraphs. News stories also meet at least one of these characteristics (relative to the intended audience): proximity, prominence, timeliness, human interest, oddity, or consequence.

Newspapers generally use an expository writing mode and style, but they can incorporate more or less objectivity and sensationalism. A piece of news should be intelligible to the vast majority of potential readers, as well as engaging and succinct. There is normally a headline or title of the story, a sub-headline (a sentence or several sentences near the title), and a first sentence, which normally tries to answer most or all of the five questions. This structure enables readers to stop reading at any point and still come up with the essence of a story.

ANTES DE LEER

16–19 **Tecnología en el cine**

En los años ochenta comenzó la era digital en el cine. ¿Conoces películas realizadas con técnicas digitales (con computadora)? ¿Cuáles de estas películas crees que son mejores desde el punto de vista tecnológico?

La guerra de las galaxias (1977)	*Gravity* (2013)	*The Day After Tomorrow* (2004)
Origen (2010)	*El señor de los anillos* (2001)	*The Matrix* (1999)
Titanic (1997)	*Lo imposible* (2012)	*Avatar* (2009)

DESPUÉS DE LEER

16–20 **¿Comprendes?**

1. ¿Dónde realizó Álvarez el cortometraje *Ataque de pánico*?

2. ¿Por qué las productoras de Hollywood estaban interesadas en Álvarez?

3. Según Álvarez, ¿cuáles son los tres requisitos para un cortometraje de calidad? ¿Cuál es el requisito más importante?

4. ¿En qué se inspiró Álvarez para realizar su cortometraje?

5. ¿Cuál será el tema de su próxima película? ¿Dónde se filmará?

16–21 **Activando estrategias**

1. Pronombres objeto. ¿Qué tipo de objeto son: directo o indirecto? ¿A qué o quién se refieren? "lo", "colgarlo", "preguntarle", "le" (p. 2); "manejarlas", comprándolo", "bajándolo" (p. 4).

2. Pronombres relativos: ¿A qué o quién se refieren estos relativos? "en los que", "con los que" (p. 3); "en el que", "lo que", "en los que" (p. 4); "en el que" (p. 6).

3. Expresiones referenciales: ¿A qué se refieren las expresiones "todas las demás" (p. 2) y "a todo ello" (p. 4)?

4. ¿Qué significan las palabras "desembarca" (título) y "aterriza" (p.1); "colgó", "desechó" (p. 2); "herramientas", "hilo" (p. 4)? Usa el diccionario. ¿Qué entradas debes buscar?

A LEER

DE MONTEVIDEO A HOLLYWOOD

*E*l uruguayo Federico Álvarez **desembarca** en *Hollywood tras destruir Montevideo con robots gigantes*

Después de poner fin a la quietud y sosiego de Montevideo con un **cortometraje** sobre titánicos robots que aniquilan la ciudad, el novel director de cine uruguayo Federico Álvarez **aterriza** en Hollywood dispuesto a comandar una invasión alienígena de dimensiones millonarias.

A sus 31 años, este **montevideano** se ha convertido en el **cineasta** debutante mejor pagado por la industria de Hollywood, después de comprobar la excelencia técnica de *Ataque de pánico*, cortometraje que realizó con solo 300 dólares y que se convirtió en un "boom" **en cuanto lo colgó** en YouTube. Dos semanas después de colgarlo en la red, empresarios de compañías como Dreamworks, Fox y Warner invitaron a Álvarez a Los Ángeles, para preguntar**le**: "Si hiciste esto con 300 dólares, ¿qué serías capaz de hacer con 40 millones?" **Sin embargo**, **en cuanto** el uruguayo escuchó la oferta de la productora de Sam Raimi, director de *Spiderman*, que **le** ofreció 40 millones de dólares para rodar una película de ciencia ficción, **desechó todas las demás**.

A los 8 años, este uruguayo ya filmaba a sus muñecos Playmobil con la cámara de video casera que su padre trajo de Europa, y a los 14 tenía su propio ordenador y sus primeros programas de animación, **en los que** "dibujaba con el ratón", recuerda. Cuando llegó a la universidad para estudiar comunicación, Álvarez ya había rodado y editado tanto que su única obsesión era disponer de equipos técnicos verdaderos **con los que** hacer realidad lo que florecía en su imaginación.

Según Álvarez, la calidad de su cortometraje fue posible porque dispuso de las **herramientas** técnicas necesarias, sabía cómo manejar**las** y contó con un **hilo** argumental (la destrucción de su ciudad natal). A su juicio, cualquiera puede cumplir esos tres requisitos: "Hoy todo el mundo tiene acceso al software, comprándo**lo** o bajándo**lo** de Internet". Aprender a usar esas herramientas también está al alcance de cualquiera[1], pues solo hay que bajar las instrucciones de uso de la red. El tercer requisito quizá sea el más importante, **ya que** "montones de efectos especiales acumulados, si no hay un mínimo hilo narrativo, no tienen sentido", dice Álvarez. En su caso, la inspiración llegó tras ver un pequeño corto **en el que** unos robots destruían Ámsterdam. "Yo también quise generar la sensación de una historia extraordinaria que ocurre a la vuelta de la esquina"[2], dice. **A todo ello** se sumó su tendencia a "mirar el entorno, observar cómo arde el fuego o cómo se refleja la luz", **lo que** hizo posible el realismo de *Ataque de Pánico*, cuatro minutos de ficción **en los que** cualquier montevideano temblaría de miedo.

Para diseñar las explosiones de los edificios —todos emblemas de la ciudad, como el Palacio Salvo o el Palacio Legislativo— el cineasta se fijó en imágenes de guerras, **en particular** de la guerra de Irak. "La referencia no fue otra película, sino que fue la realidad", resalta.

Gracias a Hollywood, Álvarez volverá a rodar en Uruguay, aunque ahora un **largometraje** millonario, **en el que** adelanta que "no habrá más robots" pero sí una invasión alienígena.

[1]anyone's reach   [2]around the corner

---

5. Palabras compuestas o derivadas. ¿Cómo se han formado y qué significan estas palabras: "cortometraje" (p. 1); "montevideano", "cineasta" (p. 2), "largometraje" (p. 6)?

6. Di el significado y función de estos conectores: "en cuanto", "sin embargo" (p. 2), "ya que" (p. 4), "en particular" (p. 5).

16–22 Expansión

1. ¿Piensas que la tecnología ha tenido un efecto positivo o negativo en el cine?

2. ¿Por qué crees que las películas con buenos efectos especiales tienen tanto éxito? ¿Crees que esto es lo más importante en una película?

GENTE QUE ESCRIBE

ESTRATEGIAS PARA ESCRIBIR

Reviewing the vocabulary and grammar of your written work

Reviewing vocabulary means revising both the **forms** (gender and number issues, agreement, spelling) and the **meanings** of the words or expressions. Ask yourself the following questions:

a. Are words spelled correctly and with the right gender or number, if applicable?
b. Have I used any false cognates?
c. Have I tried to incorporate newly learned vocabulary and expressions?
d. Have I tried to "translate" complex ideas from English into Spanish?
e. Are there repeated words? Could I use synonyms instead? Could I paraphrase instead?
f. Is my composition representative of the amount of vocabulary that I know?

When reviewing grammar, here are some questions you may ask yourself:

a. Does my composition represent a variety of grammatical structures?
b. Have I tried to include any new structures that have just been introduced in class?
c. Does every sentence have a conjugated verb? Are the verb forms correct?
d. Did I use more than one verb tense? Are they correct in their form and their intended use?
e. Have I checked the composition for agreement (gender and number) between articles and nouns, between nouns and all adjectives, and between subjects and verbs?
f. Am I sure that I have used direct and indirect object pronouns correctly?

MÁS ALLÁ DE LA FRASE

Expository writing (II): connectors for giving examples, restating ideas, generalizing, and specifying

Giving an example:	◆ *como* (like, such as) ◆ *como por ejemplo* (such as, for example) ◆ *como ejemplo* (as an example) ◆ *para ilustrar esto* (to illustrate)
Restating:	◆ *o sea* (I mean; that is) ◆ *es decir* (that is) ◆ *en otras palabras* (in other words)
Generalizing:	◆ *en general* (generally) ◆ *generalmente* (generally)
Specifying:	◆ *en particular* (in particular) ◆ *específicamente* (specifically)

16–23 El mejor software del campus

Esta semana la revista en español necesita un artículo que describa los tres tipos de software más útiles para un estudiante que acaba de llegar (*just arrived*) a tu universidad o escuela. El artículo debe tener

- un título;
- una introducción que justifique la elección de este software; y
- tres párrafos que describan **qué necesita** un/a nuevo/a estudiante en materia de software, con una descripción de cada uno de los tipos de software (para qué sirve, cómo funciona, etc.).

COMPARACIONES

16–24 Ciencia en Uruguay

Lee estas dos noticias. ¿Cuál te parece más importante? ¿Por qué?

Julio Ángel Fernández, astrónomo uruguayo, redefinió en 2006 el concepto de "planeta". Como consecuencia de esta propuesta, el sistema solar está integrado por ocho planetas, ya que Plutón no integra la categoría. Esto continúa siendo una cuestión muy debatida por la comunidad científica.

Tres doctores y tres ingenieros uruguayos compartieron con Al Gore el premio Nobel de la Paz en 2007 por su trabajo sobre el cambio climático. Ellos integran el Panel Intergubernamental de Cambio Climático (IPCC por sus siglas en inglés) junto a cientos de científicos de todo el mundo.

16–25 Premios Nobel de las ciencias

Hay solamente siete ganadores de un Nobel en Medicina o Química en Latinoamérica y España. Estos son dos de ellos. ¿Cuál les parece más interesante?

NOMBRE	DISCIPLINA	APORTACIÓN	AÑO	PAÍS
Mario Molina (1943–) AP/Wide World Photos	Química	Sus estudios sobre la química de la atmósfera, especialmente sobre la formación y descomposición del ozono, son fundamentales para la prevención del adelgazamiento de la capa de ozono.	1995	México
Severo Ochoa (1905–1993)	Medicina	Sus estudios en el campo de la biología molecular son decisivos para el desciframiento del código genético (ADN) de los seres humanos.	1959	España

16–26 Más innovadores

Ordenen estos descubrimientos de más importante (1) a menos importante (4). Justifiquen sus opiniones.

Luis Miramontes	México	primera pastilla anticonceptiva	1951
Jacinto Convit	Venezuela	vacuna contra la lepra	1989
Manuel Elkin Patarroyo	Colombia	investigación para conseguir la vacuna sintética contra la malaria	hoy en día
Carlos Finlay	Cuba	identificación del mosquito que causa la fiebre amarilla	1881

CULTURA

Uruguay tiene unos 3,4 millones de habitantes, de los que aproximadamente 1,1 millones viven en Montevideo, la capital. Durante los años 70 y 80 unos 600.000 uruguayos emigraron a España, Italia, Argentina y Brasil. Unos cuantos miles llegaron a Estados Unidos. En las últimas dos décadas la emigración ha continuado. La población uruguaya o de ascendencia uruguaya en Estados Unidos es muy pequeña (unas 60.000 personas) y se ubica en Miami, Nueva Jersey y Washington, DC.

Go to **MySpanishLab** to review what you have learned in this chapter.

Flashcards | Oral Practice | Practice Test / Study Plan | amplifire Dynamic Study Modules | Tutorials | Videos | Extra Practice

VOCABULARIO

Los materiales *(Materials)*

el algodón	*cotton*
el cartón	*cardboard*
el cobre	*copper*
el cristal, vidrio	*glass*
el cuero	*leather*
la lana	*wool*
la madera	*wood*
el metal	*metal*
el oro	*gold*
el plástico	*plastic*
la plata	*silver*
la seda	*silk*
la tela	*cloth*

Ciencia y tecnología *(Science and technology)*

la agenda electrónica	*electronic calendar, planner*
el archivo	*file*
la batería, pila	*battery*
el/la biólogo/a	*biologist*
la cámara digital	*digital camera*
el/la científico/a	*scientist*
el/la computador/a	*computer*
la computadora de bolsillo	*pocket computer*
la computadora portátil	*laptop*
el descubrimiento	*discovery*
el disco compacto	*compact disc*
el DVD (reproductor de)	*DVD player*
la electricidad	*electricity*
el enchufe	*plug*
la energía	*energy*
el enlace	*link*
el escáner	*scanner*
la fotocopiadora	*copy machine*
la impresora	*printer*
la máquina	*machine*
la memoria	*memory*
el navegador	*browser*
el ordenador	*computer*
la pantalla	*screen*
el procesador de textos	*word processor*
el ratón	*mouse*
la red	*the Web*
el teclado	*keyboard*
el teléfono celular/móvil	*cell phone*
la vacuna	*vaccine*

Adjetivos para describir objetos y aparatos *(Adjectives describing objects and appliances)*

complicado/a	*complicated*
digitalizado/a	*digitized*
económico/a	*inexpensive*
eléctrico/a	*electric*
importado/a	*imported*
inalámbrico/a	*wireless*
lento/a	*slow*
ligero/a	*light*
pesado/a	*heavy*
práctico/a	*convenient, handy*
rápido/a	*fast*
roto/a	*broken*
silencioso/a	*quiet*

Verbos *(Verbs)*

apagar	*to turn off*
arreglar	*to repair, to fix*
averiarse	*to break down*
averiguar	*to find out*
avisar	*to warn, to inform*
bajar	*download*
descubrir	*to discover*
desenchufar	*to unplug*
digitalizar	*to digitize*
encender	*to turn on*
enchufar	*to plug in*
estropearse	*to get damaged, to break down*
funcionar	*to work (for a machine)*
fundirse	*to blow*
grabar	*to record*
inventar	*to invent*
llevar a cabo	*to carry out*
malograrse; averiarse	*to break down*
ocurrir	*to happen*
patentar	*to patent*
prender	*to turn on*
reparar	*to repair, to fix*
romperse	*to break*
subir	*upload*
superar	*to surpass, excel*

CONSULTORIO GRAMATICAL

1 Describing Objects

When describing something, we attach certain qualities or properties to a noun. There are many grammar structures that we can use after the noun:

Una maleta   **pequeña** (*small*)   (*ADJECTIVE*)
(*A suitcase*)   **negra** (*black*)

            sin ruedas (*without wheels*)
            de tela (*made of cloth*)
            con cerradura (*with a lock*)   (*PREPOSITION + NOUN*)
            para una muchacha joven (*for a young woman*)

            para viajar (*for traveling*)   (*PREPOSITION + INFINITIVE*)

We can also use a relative pronoun that introduces a relative clause. The relative clause has the same function as the three structures above (to describe something):

Es una maleta **que no tiene ruedas** = Es una maleta sin ruedas (*QUE + CONJUGATED VERB*)
Es una maleta **que pesa muy poco** = Es un maleta ligera.

To describe shape and material

	ADJECTIVE			DE + NOUN
un objeto / una figura	**largo/a** (*long*)		**de** (*made of*)	tela (*cloth*)
	corto/a (*short*)			cuero (*leather*)
	cuadrado/a (*square*)			plástico (*plastic*)
	redondo/a (*round*)			madera (*wood*)
	rectangular (*rectangular*)			cristal (*crystal*)
	plano/a (*flat*)			papel (*paper*)

To describe parts and components

una maleta **sin** ruedas (= que no tiene ruedas)   un teléfono **con** pantalla (= que tiene pantalla)
a suitcase **without** wheels   a telephone **with** a screen

To describe the purpose

Es un aparato que **sirve para** medir la temperatura.   Son unos aparatos **sin los que** no podríamos trabajar.
It's a device **used for** measuring temperature.   They are devices **without which** we would not be able to work.

Es un aparato **con el que** se puede hacer café.   Son unas televisiones **a las que** les puedes conectar un iPod.
It's a device **with which** one can make coffee.   They are televisions **to which** you can connect an iPod.

Es una cosa **en la que** se puede poner mantequilla.
It's something **in which** one can put butter.

To describe the operation

Se enchufa. (*You can plug it in.*)

Se abre solo/a. (*It opens automatically.*)

Lleva pilas. (*It works with batteries.*)

Funciona con... (*It works with...*)
           ...gasolina. (*gas.*)
           ...energía solar. (*solar energy.*)

To describe the properties

(No) se puede...   ...mojar (*get wet*).
                    ...doblar (*bend*).
                    ...usar en el carro.

Es una cosa con la que puedes hablar con otras personas. Es de plástico y puede ser de muchos colores.

¡Un teléfono!

2 Impersonal Se

*Impersonal sentences are those that have no explicit subject. The Spanish language has several ways to present information without making the subject explicit. One of them is the use of the pronoun **se** followed by a verb. The verb is always in the third person singular, except when it is followed by a complement that is plural and is not introduced by a preposition.*

En España **se investiga** sobre fuentes alternativas de energía. (SE + third-person singular)
*In Spain, **research is conducted** about alternative sources of energy.*

Se necesita mucho dinero para hacer investigación. (SE + third-person singular)
*A lot of money **is needed** to conduct research.*

Hoy día **se hacen** muchos teléfonos celulares en China. (SE + third-person plural)
*Today many cell phones **are made** in China.*

- ¿Cómo funciona este teléfono?
- Muy fácil: **se abre, se aprieta** la tecla verde y **se marca** el número.

—*How does this phone work?*
—*Very easy: you open it, press the green key, and dial the number.*

 ¡ATENCIÓN!

*In Spanish, if reflexive verbs are used, then the impersonal **se** is avoided so that it is not repeated. Other impersonal constructions, such as TÚ or UNO/UNA, are used.*

- ¿Y cómo es la vida en la escuela?
- Bueno, durante la semana, **uno se levanta** temprano para ir a clase.

 (tú) te levantas

3 Direct and Indirect Object Pronouns

We already know that there are two types of object (not subject) pronouns: indirect and direct.

Subject pronouns	Direct object pronouns	Indirect object pronouns
yo	me	me
tú	te	te
nosotros/as	nos	nos
vosotros/as (third person)	os	os
él, usted	lo	le
ella, usted	la	le
ellos, ustedes	los	les
ellas, ustedes	las	les

*The third-person indirect object pronouns (**le** and **les**) usually refer to people.*

Tengo que enviar una copia de este diseño a Juan = **Le** tengo que enviar una copia.
*I have to send a copy of this design to Juan. I have to send **him** a copy.*

*The third-person direct object pronouns (**lo, la, los,** and **las**) can refer to people or things.*

- ¿Dónde compraste esa computadora? Es muy buena.
- **La** compré en Circuit One.

—*Where did you buy that computer? It is very good.*
—*I bought **it** at Circuit One.*

- ¿Y esos CDs?
- **Los** venden en Circuit One también.

—*And those CDs?*
—*They sell **them** in Circuit One as well.*

 ¡ATENCIÓN!

*Remember that direct objects that are human usually require the preposition **a**.*

- ¿Conoces **a** ese ingeniero?   —¿Conoces **a** estos doctores?
- No, no **lo** conozco.   —No, no **los** conozco.

When we use two object pronouns (direct and indirect) in a sentence, the order in which they are positioned is as follows: the indirect object is placed before the direct object pronoun. If both are third person pronouns, the indirect object pronoun le becomes **se**.

● ¿Te dieron un premio?   —*Did they give you an award?*

○ Sí, **me lo** dieron la semana pasada.   —*Yes, they gave* ***it to me*** *last week.*

● ¿A Juan le dieron un premio?   —*Did they give an award to Juan?*

○ Sí, **se** (=le) **lo** dieron la semana pasada.   —*Yes, they gave* ***it to him*** *last week.*

When a direct or indirect object has already been mentioned, it is normally positioned at the beginning of the sentence, before the verb. When the direct object is brought to the front of the sentence, we must also use the direct object pronoun. This is called **duplication**.

● ¿Qué quieres hacer con estos libros y esos CDs?   —*What do you want to do with these books and those CDs?*

○ **Los libros los** voy a regalar y **los discos los** voy a guardar.   —*I'm going to give* ***the books*** *away, and I'm going to keep* ***the CDs***.

When the indirect object is brought to the front of the sentence, the indirect object pronoun follows.

A Jaime le di los libros y a María le envié los CDs.
I gave the books ***to Jaime***, *and I sent the CDs* ***to María***.

4 Subjunctive versus Indicative in Relative Clauses

As we studied in Lección 15, the subjunctive mode is used in subordinate clauses with different functions. In this lesson, we will concentrate on relative clauses (clauses that have the same function as an adjective).

When the relative clause describes people that we know personally, or specific things that we know exist, we use the indicative mode.

Es una maleta **que tiene** ruedas.   Tengo una computadora **que tiene** mucha memoria.
It is a suitcase ***that has*** *wheels.*   *I have a computer* ***that has*** *a lot of memory.*

Es un artista **que diseña** cosas muy prácticas.
S/he is an artist ***who designs*** *many practical things.*

We use the subjunctive mode, however, to talk about the characteristics of unknown, unspecified, or hypothetical people or things.

Quiero comprar una maleta **que tenga** ruedas.   Necesito una computadora **que tenga** mucha memoria.
I want to buy a suitcase with wheels.   *I need a computer with a lot of memory.*

¿Conoces a algún artista uruguayo **que diseñe** cosas prácticas?
Do you know an Uruguayan artist ***who designs*** *practical things?*

5 Relative Clauses with Prepositions

*Relative pronouns require a preposition (***de, con, en, a, por, para***, etc.) when they relate to any other part of the sentence that originally had a preposition.*

    Es una maleta **con la que** viajo mucho. (= Viajo mucho **con** esta maleta.)
    It's a suitcase ***with which*** *I travel a lot.* (= *I travel a lot with this suitcase.*)

In cases like those described above, the definite article is required and there is always agreement in gender and number with the noun.

    Es una una computadora **con la que** puedo acceder a Internet.
    Necesito una computadora **con la que** pueda acceder a Internet.
    Tenemos unas computadoras **con las que** se puede acceder a Internet.
    Necesitamos unas computadoras **con las que** se pueda acceder a Internet.

    It's a computer ***with which*** *I can access the Internet.*
    I need a computer ***with which*** *I can access the Internet.*
    We have computers ***with which*** *the Internet can be accessed.*
    We need computers ***with which*** *the Internet can be accessed.*

17 GENTE que cuenta HISTORIAS

17–1 Bolivia en la historia

¿Qué sabes de Bolivia? Describe las fotos y di qué te sugieren. Luego lee los datos sobre Bolivia en diferentes puntos de su historia y escribe cuatro frases en que se contrasten los datos.

EJEMPLO:

En 1850 la capital de Bolivia era Sucre, pero desde 1900 es La Paz.

1. Hace 12.000 años	el territorio de Bolivia ya estaba habitado.
2. Antes del siglo XIII	había culturas preincaicas como la de Tiahuanaco.
3. En el siglo XIII	Bolivia era parte del imperio incaico.
4. En el siglo XVI	Bolivia era parte del imperio español.
5. En 1809	Bolivia no era una nación independiente.
6. En 1850	la capital era Sucre.
	Bolivia era una nación independiente.
7. Desde 1900	la capital es La Paz.
8. Hoy día	Bolivia es una nación independiente. La Paz y Sucre son las capitales.

TAREA

Escribir el final de un relato de misterio.

NUESTRA GENTE

Bolivia
Hispanos/latinos en Estados Unidos

Explore Bolivia with *Club cultura!*

Tiahuanaco, Bolivia

La Paz, Bolivia

Sucre, Bolivia

ACERCAMIENTOS

17–2 Bolivia en la historia (II)

¿Sabías estas cosas sobre Bolivia?

1. La Cultura de Tiahuanaco se desarrolló cerca del lago Titicaca.

2. Diego de Almagro llegó al actual territorio de Bolivia en 1535. Fue el primer europeo en territorio boliviano.

3. La ciudad de Potosí fue la mayor productora de plata del mundo durante todo el siglo XVII.

4. Bolivia se declaró independiente el 6 de agosto de 1825 con el nombre de República de Bolivia, en honor a Simón Bolívar, quien fue su primer presidente.

5. Entre 1964 y 1982 Bolivia tuvo muchos gobiernos militares.

6. En 2006 ganó las elecciones presidenciales Evo Morales, el actual presidente de Bolivia.

Antiguos indígenas bolivianos

Potosí, Casa de la moneda

EJEMPLO:

No sabía que Almagro llegó a Bolivia en 1535.

17–3 Tu país en la historia

Escribe tres frases como las de 17–1 y tres frases como las de 17–2 referidas a tu país. Después comparte esta información con la clase. ¿Lo sabían?

1. Antes del siglo XIII...

2. En el siglo XVI...

3. En _____ ...

4. En...

5.

6.

VOCABULARIO EN CONTEXTO

17–4 Una caso misterioso

El martes 13 de abril a las cuatro de la tarde todo parecía normal en el Hotel Presidente de La Paz, Bolivia. Sin embargo, unas horas después, sucedió algo muy extraño: una famosa actriz desapareció de forma misteriosa. Observen a los once personajes que están en el vestíbulo del hotel y lean las once frases. Luego escriban en el cuadro quién creen que dijo cada cosa.

Valerio Pujante "Dejé de fumar el mes pasado".	_____ "Yo viajo mucho. El mes pasado, por ejemplo, estuve en Santiago, en Nueva York y en Madrid".
_____ "Tuve un accidente de coche la semana pasada. Por suerte, no fue muy grave".	_____ "Ayer llevé en carro a Laura al club de tenis".
_____ "Ayer llegué con dos de mis hombres a La Paz a una reunión de negocios".	_____ "Ayer llegó un grupo muy grande de turistas y hoy tenemos mucho trabajo".
_____ "Sí, ayer gané".	_____ "Ayer tuve una entrevista con Pedro Almodóvar".
_____ "El año pasado estuve varias veces en este hotel. Cada año vengo a La Paz en verano y hago entrevistas a los ricos y famosos que pasan sus vacaciones acá".	_____ "Anteayer me llamó el jefe y me dijo que tenía un "trabajo" para mí: algo fácil".
_____ "Soy viuda desde el mes pasado".	

EJEMPLO:

E1: "Soy viuda desde el mes pasado".

E2: Eso lo dijo Sonia Vito. En la imagen está vestida de negro.

17-5 Misterio en el Hotel Presidente

Lean este artículo de periódico. Después escriban qué relación tienen los personajes mencionados en el artículo con la actriz desaparecida.

Miércoles 14 de abril

EL PLANETA

Misteriosa desaparición de la actriz Cristina Rico en un lujoso hotel de La Paz

La Paz / EL PLANETA

Según fuentes bien informadas, la policía no dispone todavía de ninguna pista ni realizó ninguna detención. El inspector Palomares, responsable del caso, declaró que piensa interrogar a clientes y personal del hotel, en busca de alguna pista que aclare el paradero de la actriz.

A la 1h de esta madrugada pasada, el chofer y guardaespaldas de Cristina Rico, Valerio Pujante, avisó a la policía de la misteriosa desaparición de la famosísima actriz boliviana. Valerio Pujante, de

La actriz Cristina Rico

nacionalidad chilena, la estuvo esperando en la recepción del hotel donde esta se alojaba. La actriz le había dicho que iba a cenar con un amigo y que iba a salir del hotel a las diez y media de la noche. A las once y media la actriz todavía no había salido de su cuarto y por eso la llamó desde la recepción. Nadie respondió. En ese momento decidió avisar a la dirección del hotel. Después de comprobar que no estaba en su habitación, el director comunicó la extraña desaparición a la policía.

Últimamente Cristina Rico se ha convertido en una de las más cotizadas actrices bolivianas. El mes pasado firmó un contrato para protagonizar una película junto a Leocadio Dicarpio. También fue noticia en los últimos meses por su relación con Santiago Puértolas,

banquero y propietario de la revista 15 segundos y otras revistas del corazón. El conocido hombre de negocios también se encontraba en el hotel la noche de la desaparición. La representante de la actriz, Sonia Vito, declaró a este periódico: "Es muy extraño. Todo el mundo la quiere. Estamos muy preocupados".

También se aloja en el hotel la tenista Laura Toledo, íntima amiga de la actriz, acompañada por su novio y entrenador, el peruano Carlos Rosales. Laura Toledo declaró que estaba consternada y que no podía encontrar ninguna explicación a la misteriosa desaparición de su amiga. Probablemente la tenista sea la última persona que vio a Cristina, ya que estuvo con ella hasta las diez de la noche en su cuarto.

La popular Clara Blanchart, periodista de la revista 15 Segundos, comentó que la noche de la desaparición también vieron en el hotel al conocido hombre de negocios Enrique Ramírez, que fuentes bien informadas vinculan a una mafia que actúa en el área.

---

1. Valerio Pujante: _____

2. Santiago Puértolas: _____

3. Sonia Vito: _____

4. Laura Toledo: _____

5. Carlos Rosales: _____

6. Clara Blanchart: _____

7. Enrique Ramírez: _____

17-6 Conversaciones telefónicas

Ahora escuchen las conversaciones telefónicas. ¿Quiénes hablan? Completen el cuadro con sus hipótesis.

	Creo que son...	Creo que están hablando de...	Quizá...
CONVERSACIÓN 1	_____	_____	_____
CONVERSACIÓN 2	_____	_____	_____
CONVERSACIÓN 3	_____	_____	_____

GRAMÁTICA EN CONTEXTO

17–7 Aquella noche…

En este relato de misterio aparecen **acciones** (en pretérito), pero no están las **circunstancias** en que sucedieron. Escriban el relato incluyendo las circunstancias. Añadan conectores (*y, pero, entonces, así que…*).

> Aquella noche el inspector Palomares se acostó temprano. A las 7h de la mañana sonó el teléfono. Como siempre: una llamada urgente de la comisaría y un nuevo caso. Se levantó, se vistió y tomó un café rápidamente. Salió inmediatamente a la calle y buscó su viejo carro. A las 7.30 llegó al Hotel Presidente de La Paz. Estacionó el carro y fue al mostrador de recepción. El director, Cayetano Laínez, lo recibió inmediatamente. Palomares fue directo al grano:
> —¿Sospecha de alguien? —preguntó Palomares.
> —No —respondió el director—, en absoluto.
> —¿Cuándo se enteró usted de la desaparición de Cristina Rico?
> —A las doce. A las doce de la noche. El chofer vino a verme y me lo explicó.
> —¿Habló usted con alguien más?
> —Anoche, no. Esta mañana hablé con el recepcionista del hotel.
> —Bueno. Quiero interrogar a todo el personal

CIRCUNSTANCIAS

1. **Estaba** cansado.
2. **Hacía** mucho calor.
3. **Había** poco tráfico.
4. **Era** bajito y **tenía** bigote.
5. Yo **estaba** en el restaurante

Ahora añadan al relato que han escrito estos cuatro **eventos anteriores**. Incluyan también expresiones temporales cuando sea necesario (*la noche antes, el día anterior…*).

1. El sol ya **había salido.**
2. **Había trabajado** mucho.
3. Una actriz famosa **había desaparecido** en el hotel Presidente.
4. Afortunadamente, lo **había estacionado** cerca de la casa.

17–8 Errores

Un periódico publicó la historia de la desaparición de Cristina Rico, pero hay ocho errores. Hagan las correcciones necesarias. Luego comparen sus correcciones con las del resto de la clase.

EL PLANETA   Miércoles 14 de abril

Desaparición de famosa modelo

Cristina Rico, una modelo chilena, desapareció anoche del hotel Florida Park. El director del hotel avisó a la policía de la desaparición de Cristina. Cristina es novia del famoso Pablo

García Cano. Su hermana, la tenista Laura Toledo y su novio venezolano, Leonardo Oliveira, la vieron por última vez a las 12 de la noche.

EJEMPLO:

E1: Dice que Cristina Rico es chilena.
E2: Sí, pero no es chilena, **sino** boliviana.

PRETÉRITO VS. IMPERFECTO

El PRETÉRITO
expresa acciones y eventos pasados.

El IMPERFECTO
- evoca las circunstancias de una acción o un evento en el pasado;
- describe lugares, gente, costumbres, ideas u opiniones pasadas.

Estaba cansado y se acostó pronto. (causa–efecto)

Salió a la calle. **Eran las nueve** de la mañana. (contexto temporal)

Cuando se levantó, **hacía** sol.

Yo **pensaba** que Bolivia **tenía** mar.

Yo pensaba que el español era muy difícil.

Sí, pero es fácil.

PLUSCUAMPERFECTO

había	
habías	estado
había +	ido
habíamos	dicho
habíais	
habían	

El PLUSCUAMPERFECTO
- expresa acciones, circunstancias o eventos pasados, anteriores a otros.

Estaba muy cansado y me acosté a las 9 de la noche.

¿A las 9?

Sí, es que me había levantado a las 5 de la mañana.

La noche anterior **había dormido** poco y se acostó pronto.

Cuando se levantó, ya **había salido** el sol.

ESTAR + GERUNDIO

ESTABA + GERUNDIO
Expresa una acción en progreso que sirve de contexto para otra acción que sucede al mismo tiempo.

Estábamos dando un paseo cuando vimos a Carmen.

ESTUVE + GERUNDIO
Expresa una acción en progreso que ocurre durante un tiempo específico.

Estuvo estudiando toda la tarde.

PERO / SINO

NO... SINO
Corrige informaciones erróneas. Añade datos contrapuestos.

No fue el domingo **sino** el lunes.
No estuvo en mi casa **sino** en la de Ana.

NO... PERO
Corrige informaciones erróneas. Añade datos adicionales no contrapuestos.

No estuvo en mi casa **pero** me llamó por teléfono.

17–9 ¿Qué hizo Cristina el martes?

El inspector Palomares está investigando qué hizo Cristina Rico el martes 13. En la habitación de la actriz encontró estas pistas. ¿Pueden ayudarlo? Completen el cuaderno de notas del inspector escribiendo frases relacionadas a partir de las primeras frases que aparecen en el cuaderno.

EL MARTES A LAS 5 DE LA TARDE FUE A CLASE DE GOLF
Dos horas antes había comido con Sonia en Arabella.

_____
_____
_____
_____
_____
_____

17–10 Coartadas

Escucha a Laura Toledo y Carlos Rosales. ¿Tienen buenas coartadas?

LAURA   ¿Qué **estuvo haciendo**?
        ¿Qué **estaba haciendo** cuando tocaron la puerta de su cuarto?

CARLOS ¿Qué **estuvo haciendo**?
        ¿Qué **estaba haciendo** cuando lo vio alguien de la recepción?

17–11 Su coartada

Hagan estas preguntas a su compañero/a para ver si tienen una buena coartada. Después expliquen a la clase si creen que su compañero/a es sospechoso/a.

1. ¿Qué estabas haciendo a las 10 de la noche del martes?

2. ¿Qué estuviste haciendo el martes entre las 8 y las 12 de la noche?

EJEMPLO:

Jen es sospechosa porque el martes a las diez **estaba viendo** la tele, sola, en su cuarto.

INTERACCIONES

ESTRATEGIAS PARA LA COMUNICACIÓN ORAL

Some common expressions used in conversations (II)

- To let someone know about something (emphatic)

¿Sabes? (You know?)

¿Sabes qué? (You know what?)

- ● *¿Adónde vamos: al cine o al teatro?*
- ○ *¿Sabes qué? Prefiero ir al cine. No me gusta mucho el teatro ¿sabes?*

- To talk about new information about events, people…

¿Sabes que…? (Do you know that…?)

¿Sabías que…? (Did you know that…?)

- ● *¿Sabías que Juan se casó con Rosa?*
- ○ *No, no lo sabía. / ¡No, no tenía ni idea!*

17–12 ¿Sabías que…?

Lean los datos que su profesor/a les asignó. Compartan la información con su compañero/a.

EJEMPLO:

E1: ¿**Sabías que** la moneda de Bolivia se llama "boliviano"?

E2: No, **no tenía ni idea. A propósito,** ¿sabías tú que el país se llama Estado Plurinacional de Bolivia?

E2: No, **no lo sabía.**

ESTUDIANTE 1

Independencia	6 de agosto de 1825
Moneda	Boliviano
Lenguas oficiales	Español, quechua, aymara y guaraní La nueva constitución de 2009 reconoce además 37 lenguas originarias.
Ciudades	Potosí es la segunda ciudad más alta del mundo.
Ríos y lagos Río Amazonas Lago Titicaca	Es uno de los dos ríos más grandes del mundo (con el Nilo). Es el lago más grande del mundo por encima de 2.000 m de altura.

ESTUDIANTE 2

Nombre oficial	Estado Plurinacional de Bolivia
Datos históricos 1836–1838 1883 1982	Formó parte de la Confederación Peruano-boliviana. Perdió definitivamente el departamento del Litoral (actual región de Antofagasta de Chile) y su salida al mar. Se restauró la democracia en Bolivia.
Población	Tiene unos 10,5 millones de habitantes. La población indígena constituye aproximadamente el 55% de la población, la población mestiza el 30% y la población blanca el 15%.
Lema nacional	"La unión es la fuerza"

17-13 ¡No me digas!

Cada uno de ustedes elige una caja y lee solo la información de esa caja. Después cuenten a sus compañeros/as una anécdota basada en los elementos de la caja. Sus compañeros/as les harán preguntas.

> hace unos días
> en casa tranquilamente
> escuchar un ruido
> ver a unos ladrones en la casa de al lado
> llamar a la policía
> los ladrones escaparse
> estar asustado/a
> dos días antes un robo en la casa de al lado

dormirme

> anoche
> en casa
> a punto de dormirse
> sonar el teléfono
> escuchar una voz extraña en otro idioma
> llamar dos veces más
> yo tenía miedo
> una hora antes ver película de terror

había visto

> ayer por la tarde
> ir por la calle
> encontrar $1.000 en el suelo
> comprarse ropa, música, libros
> invitar a cenar a un amigo
> la semana antes encontrar $100

> el verano pasado
> en carro por una carretera secundaria
> pararse el carro de repente
> ver un OVNI
> parar frente al carro
> bajar un ser muy extraño
> el año anterior un amigo visitar otro planeta

17-14 Lo vi en las noticias

Cada uno de ustedes debe escribir dos noticias de la semana pasada. Después cuéntenle estas noticias a su compañero/a. Su compañero/a le va a hacer preguntas sobre las circunstancias que rodearon los eventos.

EJEMPLO:

E1: ¿**Sabes que** robaron un cuadro del Museo de Arte de La Paz?

E2: No, **no tenía ni idea**. ¿Cómo fue?

E1: Pues, parece que a las 4 de la mañana entraron dos hombres y...

17-15 Situaciones: *Una novela/película interesantísima*

Two students have seen the movie/read the book _____, which tells an interesting story about _____. Another student has not seen/read it, but wants to know what it is about.

ESTUDIANTE A

You and your friend have read the book/seen the movie _____, which is a story about _____. Another friend wants to know what it is about. You tell the story, but you have a very bad memory and give a lot of incorrect information.

ESTUDIANTE B

You and your friend have read the book/seen the movie _____, which is a story about _____. Another friend wants to know what it is about. Your friend starts telling the story but s/he has a bad memory and gives a lot of incorrect information. You need to correct her/him.

ESTUDIANTE C

You have not seen/read _____ but are very interested in knowing about the story. Ask two friends about it.

TAREA

Gente en acción

Escribir el final de un relato de misterio.

PREPARACIÓN

¿Qué hicieron aquella noche?
Escucha y completa el cuadro con lo que hicieron aquella noche cada uno de los personajes siguientes.
¿Tienen buenas coartadas?

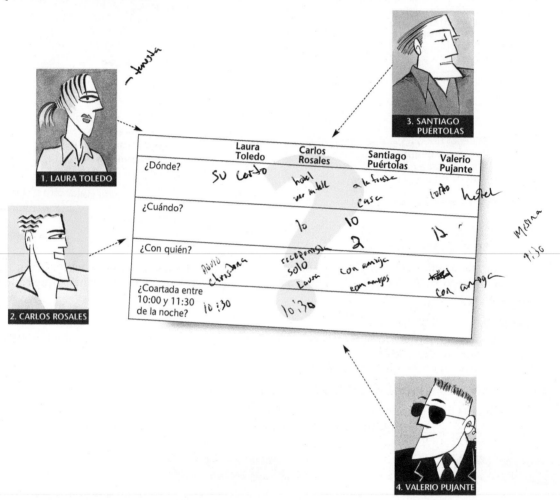

	Laura Toledo	Carlos Rosales	Santiago Puértolas	Valerio Pujante
¿Dónde?	su corto	hotel var in dell	a la fiesta casa	corto hotel
¿Cuándo?		10	10	12
¿Con quién?	Alvio christina	recepcionsa solo Laura	con amigos con amigos	con amigos
¿Coartada entre 10:00 y 11:30 de la noche?	10:30	10'30		

1. LAURA TOLEDO

2. CARLOS ROSALES

3. SANTIAGO PUÉRTOLAS

4. VALERIO PUJANTE

Ahora hagan grupos de cuatro personas y comprueben que todos comprendieron la información de las audiciones.

Paso 1   Los sospechosos

Pongan a todas estas personas en orden, de más sospechosa a menos sospechosa. Decidan quiénes son sus tres principales sospechosos.

☒ Valerio Pujante ☒ Clara Blanchart ☒ Carlos Rosales
☒ Santiago Puértolas ☐ Pablo García Cano ☒ Juana Ferret
☒ Sonia Vito ☐ Laura Toledo ☐ Enrique Ramírez

Paso 2 Sus hipótesis
¿Por qué desapareció Cristina Rico del Hotel Presidente? Formulen hipótesis terminando estas frases.

☐ Cristina había decidido romper el contrato de la película con Leocadio Dicarpio y...

☐ La tenista había descubierto que su novio estaba enamorado de Cristina y...

☐ El chofer y ella habían decidido escaparse a una isla desierta y...

☐ Cristina estaba enamorada de...

☐ La mafia secuestró a Cristina para...

☐ Juana Ferret era la madre de Cristina pero...

¿Cuáles de las posibles explicaciones les parecen más lógicas?
Elijan las tres explicaciones más convincentes.

Paso 3 ¿Qué pasó?

> **AYUDA**
>
> A mí **me parece que** ...
> **No puede ser** porque...
> **No** fue... **sino**...
> **No** estuvo en... **sino** en...
> **No** cenó con... **sino** con...

El inspector Palomares ya sabe lo que pasó. ¿Y ustedes? Revisen sus hipótesis anteriores y hagan una lista de todos los datos que tienen de ejercicios anteriores. Después escriban una historia contando lo que, en su opinión, sucedió.

Paso 4 Un/a representante de cada equipo presentará el relato a la clase. La clase votará cuál es el relato más convincente.

Paso 5 Foco lingüístico.

 **NUESTRA GENTE**

GENTE QUE LEE

ESTRATEGIAS PARA LEER

Reading a narration

Narration is a universal genre, and there are basic aspects shared by narratives in all languages. They usually begin with an orientation, where the setting of the story is presented (time and place) as well as the characters and their roles; then there is a story line (oftentimes with a problem and a resolution), and finally some sort of conclusion or reflection. When reading narrative texts, try to identify these elements. Narrations can be in the first person (the narrator is part of the story) or in the third person (the narrator is not usually part of the story). Also, make sure you understand the sequence of events. Look for time expressions (*el año siguiente, en esa época*, etc.), and time markers (*antes, durante*, etc.).

ANTES DE LEER

17–16 Cuentos

1. ¿Qué es un cuento? ¿Son los cuentos solo para niños o también para adultos?

2. ¿Qué escritores famosos de cuentos para adultos conoces? ¿Conoces a alguno de estos escritores?

☐ Gabriel García Márquez (Colombia)   ☐ Juan Rulfo (México)

☐ Jorge Luis Borges (Argentina)   ☐ Julio Cortázar (Argentina)

DESPUÉS DE LEER

17–17 ¿Comprendes?

1. ¿Desde dónde hasta dónde viajó el protagonista/narrador de esta historia? ¿Por qué?

2. ¿Cuál fue el primer problema que tuvo el protagonista cuando comenzó su viaje?

3. ¿Qué le preguntaron los policías en el aeropuerto?

4. ¿Qué vio el protagonista cuando salió a la calle en el auto de la policía?

5. ¿A dónde lo llevaron primero? ¿Qué estuvo haciendo allí?

6. ¿A dónde lo llevaron después? ¿Qué hizo allí?

17–18 Activando estrategias

1. Identifica en el texto las tres partes de una narrativa (orientación, desarrollo y conclusión).

2. Revisa la lista de marcadores de tiempo de la sección *Más allá de la frase*. Luego subraya todos los que aparecen en el texto y explica su función.

3. Revisa la secuencia de eventos. ¿Hay un orden cronológico?

4. Usa las estrategias de vocabulario que conoces para averiguar el significado de las palabras en negrita. Explica qué estrategias usaste para cada una de ellas.

17–19 Expansión

1. ¿Qué es el país de las maravillas? Busca las referencias a la literatura infantil que aparecen en el texto y explícalas. ¿Por qué crees que el autor las usa?

2. ¿Qué opinión tiene el autor del país donde reside? ¿Es positiva o negativa? Da ejemplos.

3. Compartan sus impresiones sobre la primera vez que llegaron a un país extranjero o un lugar diferente de donde viven.

A LEER

EN EL PAÍS DE LAS MARAVILLAS DE VÍCTOR MONTOYA

El avión despegó como un pájaro gigante y se elevó al cielo, dejando atrás la tierra que me vio nacer. [...] La azafata, una muchacha hecha de marfil y sonrisa, me entregó una caja de comida y dijo algo que no entendí. Después hizo **ademanes** con las manos, como una muda que se dirige a un sordo, pero tampoco entendí. Entonces se volvió y desapareció en el compartimiento que estaba cerca de la puerta de acceso. Me quedé pensativo, avergonzado, al constatar que el idioma, aparte de ser un instrumento de comunicación, era también una barrera infranqueable. Cuando el avión aterrizó en el aeropuerto de Arlanda, tras muchas horas de viaje, salí con el **maletín** en la mano y avancé por un pasillo que me llevó hacia una cabina de control de pasaportes, donde me detuvieron dos policías que, tomándome por los brazos, me condujeron a un cuarto que parecía una oficina. [...] Me senté en la silla de enfrente, sujetando el maletín en la mano.

—¿A qué viniste a Suecia? —me preguntó en español, mientras miraba detenidamente el pasaporte.
—Vine a solicitar asilo político —contesté, mirándolo con la misma intensidad con que él miraba el pasaporte.

[...] Al final del interrogatorio, me hicieron firmar un formulario, imprimieron un sello rojo en el pasaporte y me sacaron rumbo a un garaje, donde estaba aparcado un auto de color azul, que tenía dos sirenas en el techo y una inscripción donde decía: "Polis". Me acomodé en el asiento **trasero**, y el auto, **a poco de** dar vueltas en un laberinto subterráneo, salió hacia un paisaje **blanquecino**, que era el más hermoso que jamás había visto en mi vida. Era invierno y el termómetro marcaba 15 grados bajo cero [...]. En el trayecto, a medida que iba contemplando los bosques y las casas que parecían **arrancadas** de los cuentos de hadas, cayó el manto de la noche a las 15 y 30 de la tarde. En ese instante pensé que el clima de Suecia, con su frío y su oscuridad, era distinto al clima de mi pueblo, donde el sol ardía en la franela azul del cielo y la tierra calentaba los pies.

El auto se detuvo delante de un hotel. En las calles había mujeres hermosas como Blancanieves y hombres enfundados en ropas que me recordaron a los esquimales de las tarjetas postales. Los policías, sin dirigirme la mirada ni la palabra, me bajaron del auto y me acompañaron hasta la oficina del hotel, donde hablaron con el administrador [...] quien, sonriéndome desde detrás del mostrador, me alcanzó las llaves de una habitación. Las paredes de la habitación estaban decoradas con una serie de cuadros y grabados, la cama lucía una sábana impecable, la repisa tenía televisor y

teléfono, y el **ropero** era demasiado grande para lo poco que llevaba en el maletín. [...] Prendí el televisor a colores. [...] Estaban transmitiendo un programa culinario, donde dos hombres, vestidos con delantales impecables, preparaban una comida exótica; una visión que, por supuesto, me golpeó de inmediato; era la primera vez que veía a dos hombres en la cocina, manejando los instrumentos con habilidad y destreza.

[...] Cerca del mediodía, ya de pie, bien cambiado y peinado, esperé a los policías que, un día antes, me habían traído al hotel. Y, mientras miraba los copos de nieve que caían danzando a través de la ventana, escuché unos golpes en la puerta. Abrí y me enfrenté al hombre que me entregó las llaves de la habitación. Me saludó en un idioma desconocido, me tomó amigablemente por el brazo y me condujo hacia el restaurante, donde me enseñó una mesa llena de comidas y bebidas. Quedé **boquiabierto** y no supe qué hacer. El hombre del hotel, al verme abobado en medio de tanta comida, me miró a los ojos, se llevó una mano vacía a la altura de la boca, hizo un **ademán** como hacen las madres cuando dan de comer a sus hijos y me señaló la mesa con la otra mano. Después se volvió y se fue. [...] Me retiré hacia una mesa del fondo, desde donde pude observar a quienes comían en abundancia, mientras pensaba en lo injusto del mundo, donde pocos tienen todo y muchos nada. **A ratos**, no podía concebir cómo este país, ubicado en el techo del mundo, podía ser tan rico siendo tan pequeño. Era una verdadera sociedad de consumo, donde se arrojaban los restos de la comida en bolsas de plástico, con la misma facilidad con que se tiraban las ropas usadas, los muebles y los aparatos electrodomésticos.

Cuando volví a la habitación, encontré a los dos policías en la puerta. Uno de ellos [...] dijo: "**Alista** tus cosas". No pregunté por qué. Alisté mi maletín y salí del hotel junto a ellos. Afuera, el frío calaba hasta los huesos y el viento arrojaba puñados de nieve en la cara. El policía abrió la puerta del auto [...] cerró la puerta de un golpe y no volvió a decir palabra, hasta que llegamos a un campamento de refugiados [...] En el campamento de refugiados, que estaba a medio camino entre el infierno y el paraíso, volví a nacer de nuevo. Allí aprendí un nuevo idioma, me acostumbré a un nuevo clima y hasta me enamoré de una muchacha hermosa, cuya sonrisa amplia, tan amplia como la naturaleza sueca, me devolvió las esperanzas que tenía perdidas. Desde ese día han pasado muchos años y en el país de las maravillas han cambiado muchas cosas. Pero esta es otra historia, que les contaré otro día.

ESTRATEGIAS PARA ESCRIBIR

Writing a narrative

When writing a narrative in Spanish, keep these recommendations in mind:

1. Pay attention to the pacing of your narrative, so as to keep your readers interested. Pacing a narrative is the art of glossing over insignificant details while focusing on the significant ones.
2. Maintain a consistent point of view (first person or third person).
3. Include appropriate details in your text. Writers include enough pertinent details to make the event being described clear to their readers.
4. Pay attention to your use of preterit, imperfect, and pluperfect.
5. If possible, present your narrative in chronological order, and include enough discourse markers to make your story coherent and easy to follow.

17–20 ¿Cómo nació nuestra escuela?

Escribe un artículo sobre la historia de tu universidad o escuela. El artículo debe

- incluir una introducción u orientación;
- tener una parte central con un buen equilibrio entre descripción y acción;
- incluir un final, conclusión o reflexión.

MÁS ALLÁ DE LA FRASE

Narrative writing: Connectors of time used in narratives

REFERIDOS A UN TIEMPO POSTERIOR

luego, después	*then*
(inmediatamente) después (de)	*immediately after*
más tarde	*later*
enseguida	*right away, immediately*
a las/los ⎫	*amount of time + later*
al cabo de ⎭ + cantidad de tiempo	
el/la + día / año / mes / semana + siguiente	*the following / next + day / year / month / week*
número + días / años / meses + después	*number + days / years / months later*
desde entonces	*since then*
desde ese / aquel momento / día / año	*since that moment/day*

REFERIDOS A UN TIEMPO ANTERIOR

antes (de)	*before, earlier*
número + días / años / semanas / meses + antes	*number + days / years / weeks / months earlier*
el/la + día / año / semana / mes + antes	*the day / year / week / month before*

REFERIDOS A LA INSTANTANEIDAD

entonces	*then*
de repente / de pronto	*suddenly*
en ese / aquel momento / instante	*at that moment / instant*

REFERIDOS A LA SIMULTANEIDAD

mientras	*while*
entre tanto	*meanwhile*
al (mismo) tiempo	*at the same time*

COMPARACIONES

Bolivia: la unión del presente y el pasado

Lee estos dos textos sobre el actual presidente de Bolivia y sobre las ruinas de Tiahuanaco. ¿Cómo se relaciona la información de estos dos textos? ¿Qué crees que significó para la población indígena la elección de Morales?

Evo Morales, presidente de Bolivia

Evo Morales se convirtió en 2006 en el primer indígena en ocupar la presidencia de Bolivia. Morales nació en 1959 en una familia indígena aymara. En 1983 emigró a las selvas tropicales del oriente del país, donde tuvo una importante participación en el movimiento cocalero. Esto le llevó a la escena política. En 2002 se presentó como candidato a la presidencia de Bolivia, y para sorpresa de muchos quedó en segundo lugar. Tres años más tarde ganó las elecciones. Días antes de ser nombrado presidente, Evo Morales fue proclamado máxima autoridad indígena de Bolivia en una ceremonia mística dirigida por sacerdotes de todas las etnias del país y celebrada en el santuario precolombino de Tiahuanaco, a 71 kilómetros al oeste de La Paz. La proclamación de Morales congregó a cientos de periodistas de todo el mundo, que asistieron atónitos a su toma de posesión. Los indios aymaras bolivianos aclamaron al 65° presidente de Bolivia en una ceremonia a la que asistieron decenas de miles de personas. Morales ganó las últimas elecciones en Bolivia en el año 2014.

Tiahuanaco

A 21 kilómetros del lago Titicaca, el mar interior más grande de la tierra, se encuentran los restos del que fue el primer gran conjunto ceremonial de las altas culturas andinas: Tiahuanaco. Tiahuanaco es un enigma más de cuantos componen la historia de las culturas de Los Andes, ya que existen múltiples teorías sobre su origen y desaparición. Arthur Posnansky, descubridor de las ruinas, consideró el emplazamiento como la cuna de la cultura americana, con una antigüedad superior a 14.000 años. Puede decirse que el florecimiento de esta cultura se sitúa entre los años 900 al 1200 de nuestra era.

17–22 El poder indígena en Bolivia

Comenten estas afirmaciones en relación con lo que han leído en 17–21.

1. El 55% de la población de Bolivia se declara indígena, pero los indígenas ganaron el derecho al voto en Bolivia hace solo 50 años.

2. La planta de coca es la mayor fuente de ingresos y uno de los principales motores de la economía boliviana.

3. Bolivia es uno de los países más pobres de América del Sur, pero tiene la segunda mayor reserva de gas.

4. La Constitución de Bolivia de 2009 contiene todo un capítulo sobre los derechos de las naciones y pueblos indígenas originarios campesinos.

Ahora reflexionen sobre la situación en su país. ¿Incluye la Constitución a este segmento de la población? ¿Está bien representada la población indígena en la política?

CULTURA

La población de ascendencia u origen boliviano en Estados Unidos es pequeña: unas 80.000 personas. Los bolivianos, sobre todo de la clase media, han dejado su país principalmente por razones políticas o económicas. El nivel educativo de los boliviano-americanos es alto y por ello forman un grupo cualificado que estudia en Estados Unidos u ocupa puestos en corporaciones o el gobierno. Su nivel de ingreso es más alto que el de otros grupos hispanos. Esta población se sitúa principalmente en el área de Washington, DC, Los Ángeles y Chicago. En Estados Unidos las tradiciones culturales bolivianas son muy populares. Por ejemplo, los grupos de baile bolivianos de Arlington, Virginia, participan en desfiles, festivales, escuelas y teatros por todo el país.

Entre los personajes bolivianos (de origen o ascendencia) más relevantes en Estados Unidos están Jaime Escalante, un maestro de matemáticas cuya vida se llevó al cine (*Stand and Deliver*, 1987) y el escritor de literatura infantil Ben Mikaelsen.

Go to **MySpanishLab** to review what
you have learned in this chapter.

Flashcards | Oral Practice | Practice Test / Study Plan | amplifire Dynamic Study Modules | Tutorials | Videos | Extra Practice

 ## VOCABULARIO

La literatura *(Literature)*

el argumento	*plot*
el/la autor/a	*author*
el cuento	*short story, tale*
el ensayo	*essay*
el/la escritor/a	*writer*
la narración	*narration*
el/la narrador/a	*narrator*
la novela	*novel*
de misterio	*mystery novel*
de aventuras	*adventure story*
de ficción	*fiction novel*
el/la novelista	*novelist*
el personaje	*character*
el/la protagonista	*main character*
el relato	*story, tale*

El relato de misterio *(Mystery story)*

la búsqueda	*search*
la coartada	*alibi*
la comisaría	*police station*
el/la cómplice	*accomplice*
la declaración	*statement*
la desaparición	*disappearance*
la detención	*arrest, detention*
las fuentes	*sources*
el/la guardaespaldas	*bodyguard*
la huella	*trace, print, handprint, footprint*
el/la implicado/a	*person involved*
el interrogatorio	*questioning*
la investigación	*investigation*
el mayordomo	*butler*
el/la millonario/a	*millionaire*
el misterio	*mystery*
la pista	*clue*
la prueba	*proof, evidence*
el secuestro	*kidnapping*
el/la sospechoso/a	*suspect*
el suceso	*incident*
el testigo	*witness*

Verbos *(Verbs)*

aclarar	*to clarify*
contar (ue)	*to tell (a story)*
demostrar (ue)	*to demonstrate*
disfrazarse (de)	*to disguise oneself as*
firmar	*to sign*
fugarse	*to escape*
hojear	*to skim/glance through*
interrogar	*to question*
investigar	*to investigate*
narrar	*to narrate*
relatar	*to tell (a story)*
resolver un caso	*to solve a case*
salir con	*to go out with*
secuestrar	*to kidnap*
sospechar (de)	*to suspect*
suponer	*to suppose*
vincular (a)	*to link*

Otras expresiones *(Other expressions)*

como era de esperar	*as expected*
echar una mano	*to help, to lend a hand*
en efectivo	*cash*
estar harto/a (de)	*to be tired of, fed up with*
ir directo al grano	*to get to the point*
por suerte	*luckily*

CONSULTORIO GRAMATICAL

1 Review: Uses of the Imperfect Tense

The imperfect is used:

■ *To describe the context in which the story takes place: time, date, weather, place, presence of people or things surrounding the incident we are relating, etc.*

Eran las doce de la noche cuando llegó la policía.
It was midnight when the police arrived.

Cuando Palomares entró en el hotel, en la recepción no **había** mucha gente.
When Palomares entered the hotel, there weren't many people in the lobby.

To talk about the condition and description of the people in the story.

Era un hombre alto, moreno; **tenía** unos 30 años.
He was a tall, dark man; he was about 30 years old.

Estaba muy cansado. Me **encontraba** mal.
I was very tired. I was feeling sick.

■ *To contrast a current state of affairs with a previous one.*

Antes **viajaba** mucho. (= Ahora no tanto.)
I used to travel a lot. (= Now, not so much.)

Mi vecino antes **estaba** muy gordo. (= Ahora está menos gordo.)
My neighbor used to be very fat. (= Now he is less fat.)

Antes solo **hablaba** inglés. (= Ahora hablo español y portugués.)
I used to speak only English. (= Now, I speak Spanish and Portuguese.)

■ *To describe past habits or customs.*

De pequeños **íbamos** todos los domingos de campamento.
When we were kids, we used to go camping every Sunday.

Antes no **salía** nunca de noche; no me **gustaba**.
Before, I never used to go out at night; I didn't like it.

Cuando vivía en la costa **iba** mucho a la playa.
When I lived on the coast, I used to go to the beach a lot.

■ *To evoke circumstances. The circumstances surrounding an event can be of several kinds:*

CAUSE–EFFECT
Rosa tuvo que trabajar para pagarse los estudios porque su familia **era** pobre.
Rosa had to work to pay for her own studies because her family was poor.

Su familia **era** pobre, así que Rosa tuvo que pagarse sus estudios.
Her family was poor, so Rosa had to pay for her own studies.

Juan se fue a casa porque le **dolía** la cabeza.
Juan went home because he had a headache.

Le **dolía** la cabeza; por eso Juan se fue a casa.
He had a headache; that's why Juan went home.

SPATIAL CONTEXT
Se levantó tarde; por la ventana **entraba** ya la luz del día.
S/he woke up late; the daylight was already entering through the window.

TEMPORAL CONTEXT
Salió a la calle. **Eran** las nueve de la noche.
S/he went out. It was nine o'clock in the evening.

The same set of circumstances can be expressed in different ways by varying the order of presentation or by changing the conjunctions.

Gustavo **se acostó** temprano. **Estaba** cansado.
Gustavo went to bed early. He was tired.

Estaba cansado y **se acostó** temprano.
He was tired and went to bed early.

Gustavo **se acostó** temprano porque **estaba** cansado.
Gustavo went to bed early because he was tired.

To talk about ideas or opinions that one had before. Sometimes the imperfect expresses surprise or establishes the reason for an excuse.

Yo **creía** que Ana **estaba** casada.
I thought Ana was married.

Yo creía que **eras** hondureño.
I thought you were Honduran.

Yo no **sabía** que la reunión **era** a las cuatro.
I didn't know the meeting was at 4 o'clock.

Perdona, es que **creía** que no **ibas** a venir.
Sorry, I thought you were not coming.

2 Preterit vs. Imperfect

A story is a series of events that we generally tell by using the preterit. With each incident that we relate, we move the story forward.

Se acostó temprano. **Tardó** mucho en dormirse. A las 7.15 **sonó** el despertador. No lo **oyó**. A las 7.45 lo **llamaron** por teléfono; esta vez sí que lo **oyó**. **Respondió. Se levantó** enseguida y...

He went to bed early. It took him some time to fall asleep. At 7.15 the alarm rang. He didn't hear it. At 7.45 he got a phone call; this time he heard it. He answered. He woke up right away and...

With each event we relate, we could also pause to explain what's going on around it. We do this by using the imperfect. These verbs do not move the story forward, but rather expand upon important details.

Aquel día **hacía** mucho calor y **estaba** muy cansado; por eso se acostó pronto. Pero tardó mucho en dormirse: **tenía** muchos problemas y no **podía** dejar de pensar en ellos. A las 7.15 sonó el despertador...

It was a very hot day and he was very tired; so he went to bed early. But it took him some time to fall asleep: he had a lot of problems and couldn't stop thinking about them. At 7.15 the alarm rang...

The preterit presents information as an event.

Ayer Ana **fue** a una zapatería y **se compró** un par de zapatos. Luego **volvió** a casa en taxi.
Yesterday, Ana went to a shoe store and bought a pair of shoes. Then she went back home by taxi.

The imperfect tense presents information as the background of some event or as an ongoing action at the time that something happened.

Ana **estaba** aburrida y no **tenía** nada que hacer. Por eso fue de compras y se compró un par de zapatos.
Ana was bored and didn't have anything to do. For that reason, she went shopping and bought a pair of shoes.

Ayer fui con Ana de compras. Mientras se **compraba** un par de zapatos, yo di una vuelta por el departamento de música.
Yesterday I went shopping with Ana. While she was buying a pair of shoes, I went to the music department.

Cuando **volvía** a casa en taxi, se dio cuenta de que había olvidado su bolso.
When she was going home in a taxi, she realized that she had forgotten her purse.

3 The Pluperfect

This tense is formed with the imperfect of *haber* + the past participle. As we already know, some past participles (also used to form the present perfect) can be irregular (see Lección 13).

		-AR TRABAJAR	-ER COMER	-IR SALIR
(yo)	había			
(tú)	habías			
(él, ella, usted)	había	trabaj**ado**	com**ido**	sal**ido**
(nosotros/as)	habíamos			
(vosotros/as)	habíais			
(ellos, ellas, ustedes)	habían			

The pluperfect tense refers to past events that took place before other past events or circumstances. It is used to present an event or circumstance as a premise of another event or circumstance.

PREVIOUS EVENTS = premise
Había dormido muy mal.
He had slept poorly.

Se despertó cansado... Una tormenta no lo **había dejado** dormir. ...se levantó y tomó una ducha.
He woke up tired... A storm had not let him sleep. ...he got out of bed and took a shower.

CIRCUMSTANCES AT THE TIME OF THE EVENT
No **se sentía** nada bien.   **Tenía** un fuerte dolor de cabeza.
She didn't feel well at all.   He had a strong headache.

> Estaba viendo la tele yo sola cuando oí ese ruido horrible.
>
> ¡Qué miedo!

4 *Estar* + Gerund (Preterit vs. Imperfect)

We use **estar + imperfect** when we want to refer to an action in progress in the past that serves as the frame of reference for the main information (which is in the preterit).

Estaba trabajando cuando escuché la noticia en la radio.
I was working when I heard the news on the radio.

- Yo, señor detective, **estaba durmiendo** cuando desapareció Cristina.   —I, mister detective, was sleeping when Cristina disappeared.
- ¿Y había alguien más en casa?   —Was there anyone else at home?
- Sí, mis hijos, que estaban estudiando.   —Yes, my children, who were studying.

This structure is also used with verbs other than **estar**, such as **ir** or **venir**, especially when referring to an activity carried out while moving.

Estábamos caminando cuando vimos a Carmen. **Venía hablando** con unas amigas.
We were walking when we saw Carmen. She was talking with some girlfriends.

In contrast, we use **estar + preterite** when we want to refer to the duration of an action that occurs within a specified period of time.

Estuve trabajando toda la tarde.
I was working all afternoon.

> ¿Qué hizo ayer entre las 9 y las 10 de la noche?
>
> Estuve cenando con mi novia en el restaurante Lola.

- ¿Qué hizo ayer entre las seis y las ocho de la tarde?   —What did you do yesterday between six and eight in the evening?
- **Estuve revisando** unos documentos.   —I was reviewing some documents.

5 *Pero* vs. *Sino*

Like **but** in English, **pero** introduces an element that contrasts or limits what was said earlier.

Estaba en casa **pero** no quise abrir la puerta.   Toqué la puerta **pero** nadie contestó.
I was home but I didn't want to open the door.   I knocked on the door but no one answered.

When we negate something, we can use **pero** or **sino** (both = but) with different purposes.
The phrase **No... pero** negates the erroneous information and then supplies other details.

No estuvo en mi casa, **pero** me llamó por teléfono.   Bolivia **no** tiene acceso al mar, **pero** lo tuvo en el pasado.
S/he wasn't in my house, **but** s/he called me on the phone.   Bolivia has no access to the sea, **but** it had it in the past.

No... sino is used to negate and correct erroneous information or suppositions. The two ideas linked are mutually exclusive.

No estuvo en mi casa **sino** en la de Ana.   La capital de Bolivia **no** es Bogotá **sino** La Paz.
S/he wasn't in my house **but** in Ana's.   Bolivia's capital isn't Bogotá **but** La Paz.

18 GENTE de NEGOCIOS

18–1 Economía de Panamá

¿Qué saben de Panamá y su economía? Lean este texto para saber más.

TAREA

Crear un negocio y un anuncio para promoverlo.

NUESTRA GENTE

Panamá
Hispanos/latinos en Estados Unidos

Explore Panamá with Club cultura!

CULTURA

Balboa es la capital de Panama y es acerca de agua.

Según datos del Banco Mundial, Panamá tiene el Producto Interior Bruto (PIB) per cápita más alto de la región centroamericana y su economía está en rápido crecimiento. Su moneda oficial es el Balboa, equivalente al dólar estadounidense que circula legalmente en todo su territorio. La política económica de Panamá se basa en el sector de servicios (bancos, comercio internacional, comunicaciones, turismo, empresa privada), que representa el 63% de su Producto Interior Bruto. Panamá tiene un sistema de libre mercado, con énfasis en las exportaciones, y el Canal de Panamá contribuye enormemente a su economía.

18–2 Empresas en Panamá

Observa estas imágenes con logotipos publicitarios de cinco empresas panameñas. ¿A qué área o áreas crees que se dedican?

Alimentación

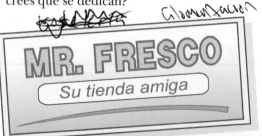

Turismo

la banca

ACERCAMIENTOS

arte graficas

turismo

la publicidad	la alimentación	la inmobiliaria	el ocio
la hostelería	la banca	los animales/las plantas	el diseño
las artes gráficas	la editorial	el turismo	la informática
las telecomunicaciones	la educación		

Ahora lee estas descripciones y comprueba si tus predicciones eran correctas.

1. La cadena de Supermercados Mr. Fresco cuenta con diez sucursales abiertas desde 2003. Mr. Fresco se ha convertido en la alternativa predilecta de sus vecinos, ya que solo en Mr. Fresco puede encontrar frutas y verduras frescas de buena calidad, panadería con pan fresco y la farmacia de todos, FarmaPrecio, con productos de muy bajo precio.

2. Aventura en Panamá es una empresa pionera en giras de aventuras en el Parque Nacional Chagres, el río Mamoni, Chiriqui (próximo a Costa Rica) y otros destinos. Ofrecemos *rafting*, escalada, campamento, excursiones y más.

3. El Banco Nacional de Panamá es la primera institución financiera del país con 53 sucursales. Ofrecemos servicios de préstamos personales, hipotecarios y comerciales. El Banco Nacional de Panamá es de todos los panameños y contribuye al crecimiento económico y progreso social del país.

4. Click Multimedia es una firma de diseño interactivo de sitios web y multimedia. La meta es innovar con soluciones simples y confiables. Tratamos de combinar lo visual con lo funcional. Nuestros principales servicios son diseño gráfico, imagen corporativa, diseño de sitios web, animación en Macromedia Flash, presentaciones multimedia y consultoría.

5. Panamart es una compañía dedicada a artes gráficas impresas en general. Nos especializamos en libros fotográficos de encargo en formato *coffee table*. Poseemos una gran colección de fotografías de Panamá, paisajes, arquitectura y personas, que puede adquirir para usos comerciales en nuestra página web. Centramos nuestros esfuerzos en proyectos que contribuyan a destacar la cultura, el arte y el folklore de Panamá.

 18–3 Un empresa

¿Y esta empresa? ¿A qué crees que se dedica?

A DOMICILIO
te pone las cosas fáciles

☎ 96 542 24 15

¿Te has encontrado alguna vez en una situación en la que necesitabas algo urgente?

¿Te gustaría tener en tu casa una cena lista con solo una llamada telefónica?

¿Y poder llamar por teléfono y tener lista en una hora esa camisa que quieres ponerte para una cita especial?

¿Alguna vez has querido enviar un ramo de flores y no tenías una floristería cerca?

¿Se terminó el café después de una cena maravillosa con tus mejores amigos?

¿Se te ha estropeado la computadora cuando querías enviar un mensaje urgente por Internet un domingo por la tarde?

¿Sabes cuántas cosas podemos hacer por ti?

VOCABULARIO EN CONTEXTO

18-4 La campaña publicitaria de A DOMICILIO

Lee este anuncio para saber cómo funciona la empresa de servicios de A DOMICILIO. Luego completa la encuesta.

Por favor, marca con una X aquellos servicios que creas que puedes necesitar. ¿Desearías añadir algún otro?

- ☐ PANADERÍA ✳ *Pan, pastelería, tortas...*
- ☒ SANDWICHES ✳ *De jamón dulce y queso, de pollo, de verduras...*

RESTAURANTES

- ☒ RESTAURANTE CHINO ✳ *Pollo al curri, rollitos de primavera...*
- ☐ RESTAURANTE ITALIANO ✳ *Pizzas, pastas, ensaladas...*

- ☐ RESTAURANTE MEXICANO ✳ *Tacos, nachos, enchiladas...*

- ☐ LIMPIEZA ✳ *Del cuarto, fiestas...*
- ☒ INFORMÁTICA ✳ *Computadoras, programas, juegos de video...*
- ☐ LIBRERÍA ✳ *Libros de texto, bolígrafos, lápices, tinta para impresora...*

VARIOS

- ☐ SERVICIO DE DESPERTADOR ✳ *A cualquier hora del día*
- ☒ FELICITACIÓN PERSONAL ✳*A domicilio, por teléfono...*
- ☐ MASAJISTA ✳ *Deportivo, estético, dolencias...*

¿Cómo funciona A DOMICILIO?

SERVICIO DE DÍA ✳
De 7 a 24h.
Tel.: 96 542 24 15

Si deseas cualquier cosa durante el día, llama al 96 542 24 15 para realizar tu pedido. Te atenderemos con la máxima rapidez y amabilidad.

SERVICIO PERMANENTE NOCTURNO ☾
De 24 a 7h.
Tel.: 96 542 24 15

Durante la noche también puedes disponer de servicios varios. Para ello tendrás que llamarnos por teléfono y te llevaremos inmediatamente lo que desees: medicamentos, cigarrillos, libros, fotocopias, comida, pilas, periódicos, flores

A DOMICILIO
Paseo de la Estación, 10

18–5 Servicios

Seleccionen los tres servicios de la empresa A DOMICILIO que más les interesan. Luego comprueben si son similares a los que eligieron los demás grupos en la clase.

18–6 Nuevos servicios

Escucha el anuncio de la radio. ¿Cuáles son los servicios que ofrece esta empresa competidora? ¿Cuál te interesa más?

1. _____
2. _____
3. _____

18–7 Más servicios

¿Pueden pensar en dos servicios más para estudiantes que podrían ofrecer estas empresas? Escriban un anuncio para uno de ellos similar a los que escucharon en 18–6. Luego léanlo en voz alta. La clase tiene que adivinar qué servicio es.

18–8 Una empresa con futuro en Panamá

Quieren abrir una empresa en Panamá, pero primero van a leer unos datos económicos del país. ¿Qué sector de su economía les parece más importante?

ACTIVIDADES ECONÓMICAS	% del PIB en 2013
Banca y actividades financieras	8,1%
Comercio	14,7%
Turismo	10%
Construcción	7,2%
Transporte y comunicaciones	24,1%
Actividades inmobiliarias y de alquiler	13,8%
Hoteles y restaurantes	2,8%
Agricultura	2,8%
Industrias de manufacturas	4,9%

A partir de la información de la tabla, piensen en cuatro tipos de empresa que ustedes podrían crear en Panamá, cada una relacionada con una de las actividades económicas. Usen palabras de esta lista.

mercado	compañía	consumidores	desarrollo	importación
exportación	comerciar	invertir	ofrecer	banco

EJEMPLO:

E1: Yo creo que una empresa para organizar viajes de aventura podría tener éxito.
E2: Y también una agencia de viajes. El turismo es un aspecto muy importante de su economía.

GRAMÁTICA EN CONTEXTO

 18–9 **¿Tendrán éxito?**

En el periódico encontraron estos anuncios de unas empresas. Ustedes quieren invertir dinero en una. ¿Creen que tendrán éxito? Den a cada una entre 0 (poco éxito) y 3 puntos (mucho éxito).

ESCUELA DE INGLÉS
"THAT'S RIGHT!"
Tel.: 94 643 56 98

Aprende inglés "right now, the right way"

La fiesta de Blas
★ ¿Organizando una fiesta?

Llámenos y preocúpese solo de elegir a sus invitados.

TAREA EXPRÉS
902 67 83 24

Todo tipo de tarea para estudiantes ocupados.

Servicio las **24** horas del día.

Servicio las **24** horas del día.

entonces

Ahora hablen sobre las posibilidades de cada empresa. ¿En cuáles? Usen estas previsiones de futuro y condiciones para el éxito.

CONDICIONES PARA EL ÉXITO
- un servicio rápido
- un catálogo muy amplio
- las últimas novedades
- precios no muy altos
- productos o servicios de calidad

PREVISIONES DE FUTURO
- tener muchos clientes
- ser un éxito
- recibir muchos pedidos
- ser un buen negocio
- dar mucho dinero

EJEMPLO:

E1: ¿Qué te parece la escuela de inglés? ¿Crees que **tendrá** éxito?
E2: Yo creo que sí, especialmente **si ofrece** horarios de tarde y noche, porque **habrá** más gente que quiera aprender inglés después del trabajo.

 18–10 **Para tener éxito...**

Escriban seis requisitos para tener éxito en un negocio. Usen diferentes formas impersonales.

EJEMPLO:

Uno necesita tener dinero para invertir.
Se necesita dinero para invertir.
Necesitas dinero para invertir.

 18–11 **Anuncios**

Elijan un anuncio de 18–9 y creen un pequeño texto. Fíjense en el ejemplo.

EJEMPLO:

A **cualquier hora que** nos **llame** ... Estaremos ... **todo** el tiempo que usted **necesite**. Llámenos **cuando quiera** y....

CONDICIONES CON SI

Expresar una condición posible y su resultado

Si + presente indicativo + futuro

- Este hotel, **si ofrece** buen servicio, **tendrá** muchos clientes.
- Y **si** los precios no **son** muy caros, **puede ser** muy popular.

¿Tú crees que esta idea puede ser interesante?

Si diseñamos una buena campaña, será un éxito.

CUALQUIER + NOMBRE

SINGULAR NOUN

cualquier	cliente	(= any client)
cualquier	empresa	(= any business)

Llámenos en **cualquier momento**, pídanos **cualquier cosa**.

CUALQUIERA (= pronombre)

- ¿Cuál prefieres? ¿Este o aquel?
- **Cualquiera** (= any, it doesn't matter)

TODO/A/OS/AS

CON ARTÍCULO

todo el dinero
toda la pizza
todos los pedidos
todas las botellas

Tenemos **todos los** servicios que usted desea, **toda la** información que necesita.

SIN ARTÍCULO *(requiere un pronombre de OD)*

- ¿Y el champagne?
- **Lo** bebí **todo**.

- ¿Y las botellas?
- **Las** repartí **todas**.

PRONOMBRES RELATIVOS + SUBJUNTIVO

lo que pidas (= whatever you order)
todo lo que pidas (= everything you order)
donde quieras (= wherever you want)
cuando quieras (= whenever you want)
como tú quieras (= however you want)

Le llevamos **todo lo que quiera** (neutro), **donde quiera, cuando quiera, como quiera**.

PRONOMBRES OI + OD: SE + LO/LA/LOS/LAS

le, les + lo/la/los/las = se

● ¿Y el pollo?
○ **Se lo** llevaré ahora mismo.
● Sí, por favor, no **se lo** lleves tarde.

Colocación

- Con infinitivos e imperativo afirmativo: después del verbo
  Es necesario llevár**selo** ahora.
  Lléva**selo** pronto, por favor.

- Con perífrasis que tienen infinitivos o gerundios: antes o después del verbo

Se lo debemos llevar pronto.	Debemos llevár**selo** pronto.
Ahora **se lo** están llevando.	Ahora están llevándo**selo**.
¿**Se lo** vas a llevar ahora?	¿Vas a llevár**selo** ahora?

IMPERSONAL

1) **se** + tercera persona singular / plural

Cuando **se compra** un producto de calidad, **se paga** un precio mayor.

Cuando **se compran** productos de calidad, **se pagan** precios mayores.

2) segunda persona singular

Cuando **compras** un producto de calidad, **pagas** un precio mayor.

3) **uno** + tercera persona singular

Cuando **uno compra** un producto de calidad, **paga** un precio mayor.

18–12 Esto no es lo que yo pedí

Un mensajero llevó unos pedidos a unos estudiantes pero cometió errores. Los estudiantes llaman para protestar. Escucha lo que dicen y escríbelo.

	N° 1	N° 2
les llevaron...	~~tortillas~~	
habían pedido...	pollos	

Ahora escucha otra vez y fíjate en estas estructuras que usan los interlocutores. Identifica a qué se refieren los pronombres.

DIÁLOGO 1

Estudiante: No. Yo quiero dos pollos. Y tráigan**melos** rápido, por favor, que ya son las once de la noche.
Empleado: No se preocupe. Ahora mismo **se los** envío.
Estudiante: ¿Y qué hago con las tortillas? ¿**Se las** doy al mensajero?
Empleado: Sí, sí, dé**selas** a él por favor.

DIÁLOGO 2

Estudiante: Pues, que yo **las** había pedido bien frías, y **me las** trajeron calientes.
Empleado: ¿**Se las** llevaron calientes?
Estudiante: Exacto. ¿No **me** puede traer unas cervezas frías?
Empleado: Sí claro, **las** tengo aquí mismito. **Se las** envío cuando quiera.
Estudiante: ¿Cuándo quiera? ¡**Las** quiero ahora mismo!
Empleado: Sí, por supuesto. Ahora mismito **se las** lleva el mensajero.

18–13 Ahora ustedes

Ustedes tienen que repartir los siguientes pedidos. Cada cosa debe ir al cliente correcto. Uno/a de ustedes dará órdenes a su compañero/a, y repetirá las órdenes para evitar errores. Su compañero/a debe tomar nota de las instrucciones y repetirlas en voz alta.

PRODUCTO	CLIENTE
Tortillas	Rosamari Huertas
Nachos	Nuria París
Vino	Gloria Vázquez
Cervezas	Rafael Ceballos
2 Pollos	Carmelo Márquez
Pizza	

EJEMPLO:

E1: Los nachos lléva**selos** a Nuria París. ¿OK? **Se los** llevas a Nuria París.
E2: OK... los nachos **se los** llevo a Nuria París... ¿Qué más?

INTERACCIONES

ESTRATEGIAS PARA LA COMUNICACIÓN ORAL

Resources for debating (I)

You already know what basic language resources you can use to express your opinion and to show agreement or disagreement with someone's opinion. In this lesson, and in the next two lessons, we will look at other resources that you are likely to need when debating a topic:

- Stating lack of understanding:
  - *Lo siento, pero no comprendo / entiendo.*
    (I'm sorry, but I don't understand.)

- Asking for clarification or reformulation:
  - *¿Qué quieres decir?*
    (What do you mean?)
  - *¿Puedes clarificar eso, por favor?*
    (Can you clarify that for me, please?)
  - *¿Puedes / podrías darme un ejemplo?*
    (Can / Could you give me an example?)

- Making sure you understood your interlocutor:
  - *¿Lo que quieres decir es que... ?*
    (You mean that...?)
  - *Entonces, para ti / usted... ?*
    (So, in your opinion / for you...?)
  - *No sé si te / le comprendí bien.*
    (I'm not sure I understood you.)

- Clarifying further or reformulating your point:
  - *Yo no digo que...* + subjunctive
    (I'm not saying that...)
  - *Lo que quiero decir es que...* + indicative
    (What I mean is...)
  - *Me explico:...*
    (Let me explain:...)

18–14 Inversiones

¿En cuáles de estas nuevas empresas invertirán dinero? ¿Por qué? Debatan todas las opciones y completen el cuadro. Pueden invertir en un máximo de dos empresas. No olviden usar los recursos para debatir.

EJEMPLO:

E1: La cadena de escuelas es una buena inversión porque muchos quieren aprender inglés.
E2: ¿Qué quieres decir?
E1: Lo que quiero decir es que...

	SÍ	NO	PORQUE...
MUNDILENGUA (cadena de escuelas de idiomas)	☐	☐	_____
SOLARIS (instalación de paneles de energía solar)	☐	☐	_____
VISCONTI (salas de cine)	☐	☐	_____
MR. LIMPIO (servicio de limpieza de cuartos de estudiantes)	☐	☐	_____

18–15 Un anuncio para la nueva empresa

Creen un anuncio publicitario para uno de los negocios en los que han decidido invertir. Luego compartan sus ideas con la clase.

18–16 Hombres y mujeres de negocios

Decidan a qué personas del grupo les recomiendan cada una de estas empresas, marcando sus respuestas en el cuadro. Luego compartan sus resultados con la clase.

EJEMPLO:

E1: El hotel para animales, ¿se lo damos a John?
E2: No. Mejor se lo damos a Justin, porque le encantan los animales.
E3: Sí, dénmelo a mí, por favor.

	SE LO RECOMENDAMOS A...	PORQUE...
Hotel para animales		
Tienda de tatuajes		
Tienda de discos		
Libros usados		
Cosméticos ecológicos		

18–17 Situaciones: *Los inversores*

A student has invented a _____ with the name of _____, and s/he wants to start a company. A rich businessman/woman is very interested in this product and wants to invest a substantial amount of money. They are having a meeting.

ESTUDIANTE A

You have invented a _____, and need someone to invest money in a new company. You are having an interview with a potential investor. Explain the type of business you would like to start, and the advantages of such a business. Try to convince the potential investor.

ESTUDIANTE B

You are a rich businessman/woman and are very interested in knowing everything you can about a new product called _____. You want to invest in this business but realize that you need more information. Ask the inventor of the new product all you need to know about it.

TAREA

Crear un negocio y un anuncio para promoverlo.

PREPARACIÓN

Lee estos anuncios de dos empresas innovadoras. ¿Cuál te parece más interesante? ¿Por qué?

Atención a las formas
Identifiquen las formas gramaticales estudiadas en esta lección que se utilizaron en estos anuncios. ¿Qué efecto tienen?

La zapatería virtu@l

Comodidad, rapidez y eficiencia. Compre sus zapatos por Internet. Nosotros se los enviaremos en menos de 48 horas. Usted se los prueba y tiene otras 48 horas para devolvérnoslos. En nuestra zapatería virtual encontrará todas las marcas, todos los estilos y los precios más bajos del mercado.

EL CHEF AMBULANTE

¿ESTÁ USTED HARTO de la comida rápida? ¿Ha decidido no comer más pizzas congeladas, arroces recalentados, comida con sabor a envase de papel o de plástico?
Nosotros tenemos la solución: no encargue la comida, encargue el cocinero. Vamos a su domicilio cuando usted quiera, nos dice qué quiere comer y se lo prepararemos para la hora que quiera. Si lo desea, también le haremos las compras en el mercado.

¿Qué piensan los consumidores?
Escriban dos ventajas y dos desventajas de este tipo de negocios frente a los negocios tradicionales. Tomen el punto de vista de los consumidores, de manera que el grupo tenga más ideas para su propia empresa.

	VENTAJAS	DESVENTAJAS
Zapatería virtual	1.	1.
	2.	2.
El chef ambulante	1.	1.
	2.	2.

Paso 1 Su grupo va a crear una empresa o negocio innovador orientado a la población estudiantil de su escuela o universidad. Primero, piensen en una necesidad de los estudiantes, sus principales clientes. ¿Qué necesitan regularmente? ¿Qué competencia existe en el área? Fíjense en el ejemplo.

NECESIDADES	NEGOCIOS YA EXISTENTES (Competencia)	NEGOCIOS NO EXISTENTES
Cortarse el pelo	1 Nombre: *Clips* Características: *Barato, rápido* 2. Nombre: _____ Características: _____	*Una peluquería que tenga en cada silla una pantalla de vídeo para ver video-clips, noticias, y para acceder a Internet.*
Comer	1. Nombre: _____ Características: _____ 2. Nombre: _____ Características: _____	

Ahora su grupo va a decidir qué empresa quiere crear. ¿Cómo la van a llamar?

Paso 2 Elaboren un anuncio

Van a dar a conocer la empresa que crearon por medio de un anuncio. Hay que tomar las siguientes decisiones.

> • Nombre y eslogan de la empresa;
> • Información que dará el anuncio:
>   - servicios que ofrecerá,
>   - innovaciones respecto a otras similares,
>   - posibles descuentos
> • Ideas para convencer a la audiencia.

Paso 3 Escriban el guión de su anuncio

Al escribir el anuncio, no olviden usar los recursos lingüísticos que vimos en la lección para convencer a la audiencia.

Paso 4 Presenten su anuncio a la clase

Después de que cada grupo presente su anuncio, la clase decidirá cuál es el mejor por votación.

Paso 5 Foco lingüístico.

NUESTRA GENTE

GENTE QUE LEE

ESTRATEGIAS PARA LEER

Reading an essay

An essay is written from a subjective point of view: the author presents an argument in a way that supports his or her opinion. Some of the questions you should ask yourself when reading an essay are:

1. What is the author's intention and point of view?
2. What is the author's thesis? Does s/he present it in a convincing way? How? Why not? Remember: a thesis is a claim about a topic, supported with reasons and facts.
3. What type of information does the author include?
4. What kind of tone does the author use?
5. How has the author organized the essay?

ANTES DE LEER

18–18 Comercio mundial

¿Sabes cuáles son las rutas marítimas más importantes para el comercio mundial? ¿Qué sabes sobre el Canal de Panamá?

18–19 Activando estrategias

Mira el título de la lectura y la foto. ¿Qué te dicen sobre el contenido del texto? ¿Anticipa el título qué tipo de texto vas a leer: narración, ensayo, exposición, etc.? ¿Cómo?

DESPUÉS DE LEER

18–20 Activando estrategias

1. Busca en el diccionario las palabras "juego" y "esclusas" (p. 1), "hacer frente" (p. 2), "bolsillos", "se resientan" (p. 4), "aparejados" y "alimentará" (p. 5). ¿Qué entrada buscaste para cada palabra?

2. Explica la formación de estas palabras: "intermodal" y "petrolero" (p. 3), "aparejados" y "prevé" (p. 5) y "espinoso" (p. 6). Ayuda: petróleo significa *oil*, y espina significa *thorn*.

3. Identifica a qué o quién se refieren los referentes "ellos" (p. 1), "darle" (p. 3) y "de los cuales" (p. 5).

18–21 ¿Comprendes?

1. Resume los argumentos que da el autor para apoyar su tesis.
2. ¿Cuáles son los principales competidores del Canal de Panamá?
3. ¿Cuál es la razón del incremento en el tráfico marítimo entre el Atlántico y el Pacífico?
4. ¿Cuánto dinero le costará a Panamá la ampliación del Canal? ¿De dónde vendrá este dinero?
5. ¿Cuál es el punto más conflictivo de este proyecto?

A LEER

LA AMPLIACIÓN DEL CANAL DE PANAMÁ ABRE SUS COMPUERTAS A UN NUEVO DESARROLLO ECONÓMICO

El Canal de Panamá es el principal motor económico del istmo centroamericano y un pilar del comercio internacional, <u>ya que</u> permite comunicar los océanos Atlántico y Pacífico, y con **ellos**, los intercambios entre Asia y Europa, pasando por América. Esta importancia explica la transcendencia del proyecto de ampliación, iniciado con un referéndum en 2006, respaldado por el 78% de votantes, y que terminará en 2016, cuando abra sus compuertas el nuevo **juego** de **esclusas** en medio de los actos conmemorativos del centenario del Canal.

Quizás el dato que mejor resuma la transcendencia actual y futura del Canal sea el citado por la profesora de la Universidad de Panamá Vielka Vásquez, cuando apunta que, actualmente, por esta infraestructura "transita el 4% del comercio mundial", y gracias a la ampliación, "estaremos en condiciones óptimas, a partir del 2015, de poder **hacer frente** a un aumento de más del 6% del comercio mundial por el istmo de Panamá".

La ampliación hace que Panamá esté en situación óptima de competir con sus dos principales rivales: el Canal de Suez y el sistema **intermodal** estadounidense (los buques llegan a puerto y atraviesan por tierra todo el país), en una época en que el tráfico marítimo entre el Atlántico y el Pacífico está aumentando debido al crecimiento del 7% anual que está teniendo el comercio asiático. China juega un papel fundamental, con su espectacular desarrollo económico y apetito energético, que el istmo centroamericano podrá aprovechar para **darle** servicio con el paso de **petroleros**.

Se estima que durante los 11 primeros años de vida de la ampliación del Canal, se recaudarán unos 30.000 millones de balboas (en torno a 30.588 millones de dólares). Esta cifra es seis veces superior a los 5.200 millones de dólares que ha destinado el gobierno

panameño a todo el proyecto de ampliación del Canal. <u>Además</u>, para que los **bolsillos** de la población no **se resientan**, se financiará la obra con la misma actividad del Canal, incrementando las tarifas que pagan los usuarios de esta infraestructura. La obra permitirá incrementar un 1,2% el PIB actual el país. Y lo más importante, atraerá inversión extranjera y el desarrollo industrial en torno al sector marítimo.

Solo durante el periodo de obras, se **prevé** un impacto en el empleo de 40.000 puestos de trabajo, **de los cuales** 7.000 estarán directamente relacionados con las labores de construcción. Cuando el tercer juego de esclusas ya esté operativo, el número de puestos de trabajo que llevará **aparejados** oscilará entre 150.000 y 250.000 empleos. El impacto económico de la ampliación del Canal beneficiará no solo a Panamá, sino a toda Latinoamérica, porque atraerá industria y **alimentará** los intercambios comerciales en la región.

El punto más **espinoso** de todo este proceso ha sido el impacto medioambiental que podía tener la nueva obra; <u>no obstante</u> numerosos estudios han confirmado su viabilidad. Todo proyecto de esa naturaleza va a generar impactos ambientales, porque al construir un tercer juego de esclusas se modifica el paisaje natural. Esa modificación significa que gran parte de la **tierra firme** será inundada, con el consecuente impacto de carácter medioambiental; <u>sin embargo</u> lo fundamental es que ese impacto, según todos los informes hechos por nacionales y extranjeros, será mínimo en comparación a los grandes beneficios que puede generar el Canal.

18–22 Activando estrategias

1. ¿Cuál es la tesis del autor? ¿Es convincente? ¿Por qué?

2. ¿Qué tipo de información incluye para apoyar su tesis?

3. ¿Qué argumento del autor te parece más convincente? ¿Por qué?

4. ¿Qué argumento del autor te parece menos convincente? ¿Por qué?

5. ¿Incluye el autor argumentos opuestos?

18–23 Expansión

¿Puedes pensar en argumentos en contra de este proyecto?

GENTE QUE ESCRIBE

ESTRATEGIAS PARA ESCRIBIR

Estrategias para escribir

The essay: Thesis and development

Writing an essay requires a topic and a thesis. To make your topic into a thesis statement, you need to make a claim about it. Your job is to show your readers that what you claim is true. Look carefully at your thesis and ask yourself: Why do I believe this statement is true? What have I seen or done or read or heard that has caused me to make this statement?

1. Think about a series of reasons that support your thesis and write them down in complete sentences. Each reason will in turn be the basis for the topic sentence of a future paragraph. You will need to support each of these reasons, as well as your general thesis.
2. Develop each reason into a solid, detailed paragraph. Think about the facts, examples, and details that support each of them, and that would help the reader understand your ideas and reasoning. List them under each topic sentence.
3. Finally, develop your paragraphs by filling them with your explanations, clarifications, examples, and/or facts and statistics.

MÁS ALLÁ DE LA FRASE

Writing an essay: Use of connectors and referent words

In any essay, it is crucial that you support your reasoning using facts, examples, clarifications, details, and statistics. You will need to make use of a variety of connectors and referent words. Remember: without organization your reader will not see your point, and your arguments will be weakened.

Identifica los cuatro conectores subrayados en la lectura. ¿Qué significan y qué función tienen?

18–24 Comercio justo

Escribe un pequeño ensayo para el periódico en español donde intentes demostrar los beneficios del comercio justo.

El ensayo debe

- explicar qué es el comercio justo;
- tener un tema y una tesis bien delimitados;
- incluir ejemplos, clarificaciones, explicaciones o datos que apoyen la idea; y
- tener conectores y una secuencia lógica dentro de cada parte y entre las partes.

 ¡ATENCIÓN!

Sigue los Pasos 1 a 8. Piensa en las personas que van a leer este artículo. Luego desarrolla un esquema y decide cómo quieres organizar y presentar la información. Utiliza lo que sabes sobre la escritura de ensayos.

COMPARACIONES

18–25 El Canal de Panamá

Lee estos datos sobre el Canal de Panamá, una empresa para el comercio internacional. Luego marca los tres datos que te parecen más interesantes y explica por qué.

1914	Inauguración del Canal el 15 de agosto
1977	Tratado Torrijos-Carter. El Canal pasa a manos del gobierno panameño en 1999.
Principales usuarios	Bahamas, Grecia, Noruega, Estados Unidos, Filipinas, Ecuador, Alemania, Japón
Rutas principales	- De la costa este de Estados Unidos al lejano oriente (Japón especialmente) - De la costa este de Estados Unidos a la costa oeste de Sudamérica - Desde Europa a la costa oeste de Estados Unidos y Canadá
Beneficios para Panamá	- Total de ingresos: 2.400 millones de dólares en 2014 - Generación de empleos - Suministro de agua potable a las ciudades de Panamá y Colón

18–26 Zonas libres o francas

Muchos países tienen áreas libres de impuestos con el fin de promover el desarrollo: son las zonas libres o zonas francas. Lee el texto y responde a las preguntas.

La zona libre de Colón

Colón es la segunda ciudad de Panamá y el principal puerto para el tráfico de casi toda la mercancía de importación y exportación de la nación. Situada en la zona atlántica del Canal de Panamá, es la mayor zona libre de comercio internacional en el hemisferio occidental. Esto se debe a tres razones: la existencia del Centro Financiero Internacional (con más de 120 bancos de todo el mundo), la libre circulación del dólar estadounidense (a la par con el *balboa*, la moneda nacional), beneficios de impuestos. Más de 1.600 compañías operan en este puerto, la zona franca más grande del mundo después de Hong Kong y la más importante del mundo occidental. Las empresas lo utilizan para importar, almacenar, ensamblar, reempacar y reexportar sus productos. Otros elementos que apoyan el transporte son: seis aeropuertos, cinco puertos marítimos con todas las facilidades modernas, una carretera interamericana (desde Alaska), otra que se extiende del Atlántico al Pacífico, el Ferrocarril Transístmico, y el Canal de Panamá. La zona libre ofrece un moderno sistema de comunicaciones y un servicio turístico para sus usuarios, además de un tratamiento tributario especial: "sin impuestos" es la frase clave.

Ciudad de Colón

1. ¿Conoces otras zonas libres o puertos francos en el mundo? ¿Has estado en alguna de ellas?
2. ¿Has comprado alguna vez productos en un aeropuerto internacional libre de impuestos? ¿Dónde estabas y qué compraste? ¿Hay algún lugar en tu país donde no se paguen impuestos?
3. ¿Qué ciudades en tu país crees que tienen más medios para los intercambios comerciales: aeropuertos, puertos, carreteras, etc.? ¿Conoces alguna ciudad hispanohablante famosa por su comercio? ¿Cuáles son sus productos más conocidos?

CULTURA

Panamá tiene una población de 3,3 millones de habitantes. La población panameña en Estados Unidos —por nacimiento o ascendencia— se estima en unas 130.000 personas, aunque hacia 1970 los panameños constituían uno de los grupos centroamericanos más grandes en Estados Unidos. La ciudad de Nueva York, Florida y California son las tres zonas con más población panameña. Su presencia es evidente en el sector de los servicios, en múltiples sectores del gobierno, en la educación y en la empresa privada. Los lazos culturales entre Panamá y Estados Unidos son muy importantes, y muchos panameños vienen a Estados Unidos para estudiar o formarse tras la universidad. Entre los panameños más conocidos internacionalmente está el músico y actor Rubén Blades, autor e intérprete de la famosa canción "Pedro Navaja."

Go to **MySpanishLab** to review what
you have learned in this chapter.

| Flashcards | Oral Practice | Practice Test / Study Plan | amplifire Dynamic Study Modules | Tutorials | Videos | Extra Practice |

VOCABULARIO

Las empresas y negocios
(Companies and businesses)

la alimentación	food
el almacén	warehouse, storage room, store
las artes gráficas	graphic arts
la asesoría	consulting service
la cadena	chain
el/la cerrajero/a	locksmith
la compañía	company
el diseño	design
la editorial	publishing company
el/la electricista	electrician
la empresa	company, business
la entrega	delivery
la floristería	florist's
el mercadeo	marketing
el mercado	market
el negocio	business
el pedido	order
la publicidad	advertising
la reclamación	claim, complaint
el reparto	delivery, distribution
el seguro	insurance
el servicio	service
el servicio a domicilio	home delivery
el taller	workshop, car repair
la tintorería	dry cleaner
el/la trabajador/a	worker

La economía y el comercio
(Economy and commerce)

la agricultura	agriculture
la banca	banking
el banco	bank
el comercio	trade
el consumidor	consumer
la demanda	demand
el desarrollo	development
el descuento	discount
la exportación	exports
la ganadería	livestock
la importación	imports
los impuestos	taxes
la industria	industry
la inversión	investment
el inversor, inversionista	investor
la mercancía	goods, merchandise
la minería	mining industry
la moneda	currency

la oferta	supply
el peaje	toll
el préstamo	loan
el Producto Interior Bruto (PIB)	gross domestic product

Adjetivos (Adjectives)

marítimo/a	sea
comercial	business-related
anticuado/a	antiquated, out-of-date
deshonesto/a	dishonest
inmobiliario/a	real estate-related
justo/a	fair
gubernamental	government-related
novedoso/a	novel, new, innovative
financiero/a	financial
empresarial	business-related

Verbos (Verbs)

comerciar	to trade, to do business
convencer	to convince
desarrollar	to develop
devolver (ue)	to return
disculparse	to apologize
diseñar	to design
encargar	to order
estropear	to damage, to break
financiar	to fund
fundar	to found
inventar	to invent, to make up
invertir (ie)	to invest
mejorar	to improve, to make better
presionar	to pressure, to put pressure
promover (ue)	to promote
reclamar	to claim
surgir	to emerge

Otras palabras y expresiones
(Other words and expressions)

a punto	ready
a punto de	on the verge of
en crecimiento	growing
prestar un servicio	to provide a service
realizar un pedido	to order
solicitar un servicio	to request a service
tomar una decisión	to make a decision

CONSULTORIO GRAMATICAL

1 *SI* Clauses with Indicative

The most common particle to express a condition is si *(= if). When we are referring to a condition that we consider possible, either in the present or in the future, the verb of the conditional clause is always in the present indicative, never in the future. The verb of the main clause (the one that expresses the result of the condition) can be in the present or in the future indicative.*

- **Si** este hotel **ofrece** buen servicio, **tendrá** muchos clientes.   —*If this hotel offers good service, it will have a lot of customers.*
- Y **si** los precios no **son** muy altos, **puede ser** muy popular.   —*And if prices are not too high, it might be very popular.*

2 *Cualquier* + Noun

When accompanying a noun, it doesn't change: it is always masculine and singular.

	SINGULAR NOUN	
cualquier	cliente	(= any client, it does not matter who)
cualquier	empresa	(= any business)

Llámenos a **cualquier hora**, pídanos **cualquier cosa**, y se la llevaremos a **cualquier sitio**.
Call us at any time, ask us anything, and we will take it anywhere for you.

When replacing a noun (i.e. as a pronoun) the form changes to **cualquiera**.

- ¿Cuál prefieres? ¿Este o aquel?   —*Which one do you prefer? This one or that one?*
- **Cualquiera**.   —*Any (it doesn't matter).*
- ¿Cuál prefieres? ¿La grande o la pequeña?   —*Which one do you prefer? The big one or the small one?*
- **Cualquiera**.   —*Any.*

3 Relative Pronouns (*Donde / Cuando / Como / Todo Lo Que...*) + Subjunctive

As we studied in Lección 16, a relative clause has the same function as an adjective. When the relative clause describes people whom we know personally, or specific things that we know exist, we use the indicative mode. We use the subjunctive mode to talk about the characteristics of unknown, unspecified, or hypothetical people or things.

Es una empresa **que tiene mucho éxito.** = exitosa
It's a company with a lot of success. = successful

Quiero fundar una empresa **que tenga éxito.** = exitosa
I want to found a company that will be successful.

Other relative pronouns to introduce relative clauses are **donde, como, cuando, lo que,** *and* **todo lo que.** *They are usually followed by the subjunctive because they refer to places, manners, times, quantities, or things that are unknown, unspecified, or hypothetical.*

FUTURE	+ SUBJUNCTIVE
Te llevaremos	**lo que** pidas (= whatever you order)
Te llevaremos	**todo lo que** pidas (= everything you order)
Te llevaremos tu pedido	**donde** quieras (= wherever you want)
Lo haremos	**como** tú quieras (= however you want)

They are followed by the indicative when we refer to specific things that we know exist:

Haremos por usted **todo lo que** necesite. (= everything you need)
Por favor, dígame **todo lo que** tengo que saber. (= everything I need to know)

! **¡ATENCIÓN!**

Todo/a/os/as is usually accompanied by the corresponding article. When accompanying a noun, the article agrees with the noun.

	NOUN
todo el	dinero
toda la	pizza
todos los	pedidos
todas las	botellas

When replacing a noun that acts as a direct object, we often use the corresponding direct object pronoun: **lo, la, los, las.**

● ¿Y el arroz?   — And the rice?
○ Me **lo** he comido **todo.**   — I ate it all.

● ¿Y los libros?   — And the books?
○ **Los** he traído **todos.**   — I brought them all.

4 Direct and Indirect Object Pronouns: *Se + Lo/La/Los/Las*

When we use two object pronouns (direct and indirect) in a sentence, the order in which they are positioned is as follows: the indirect object is placed before the direct object pronoun. When the indirect object pronouns **le** and **les** are combined with the direct object pronouns **lo, la, los, las,** a change is required: **le** and **les** turn into **se.**

● ¿Y el pollo?   — And the chicken?
○ **Se lo** llevaré ahora mismo.   — I will take it to her/him right away.
● Sí, por favor, no **se lo** lleves tarde. — Yes, please, don't take it to her/him late.

PRONOUN PLACEMENT

	BEFORE THE VERB	AFTER THE VERB
WITH INFINITIVES AND AFFIRMATIVE COMMANDS		Es necesario llevár**selo** ahora.
		(It is necessary to take it to her/him now.)
		Lléva**selo** pronto, por favor.
		(Take it to her/him soon, please.)
WITH PERIPHRASES	**Se lo** debemos llevar pronto.	Debemos llevár**selo** pronto.
	(We should take it to her/him soon.)	
WITH INFINITIVES AND GERUNDS	Ahora **se lo** están llevando.	Ahora están llevándo**selo**.
	(Now they are taking it to her/him.)	
	¿**Se lo** vas a llevar ahora?	¿Vas a llevár**selo** ahora?
	(Are you taking it to her/him now?)	

5 Review of Impersonal Expressions

We can express impersonality in Spanish in three different ways:

1. *With the construction* **se** + *third-person singular / plural.*

   Cuando **se compra** un producto de calidad, **se paga** un precio mayor.
   When a quality product is bought, a higher price is paid.

   Cuando **se compran** productos de calidad, **se pagan** precios mayores.
   When quality products are bought, higher prices are paid.

2. *With the second-person singular. When using this construction, the speaker is also included or implicated in the action. It is appropriate for spoken language.*

   Es una tienda en la que **puedes** elegir entre muchos modelos y **te** sale muy barato.
   Además, si el modelo no **te** gusta más, lo **puedes** cambiar.

   It is a store where you can choose among many models, and it is very cheap.
   Also, if you don't like the model anymore, you can exchange it.

3. *With* **uno/a** + *third-person singular. This structure is most frequent in spoken language.*

   Cuando uno quiere productos de calidad, tiene que pagarlos.
   When one wants quality products, one has to pay for them.

This construction is commonly used to express impersonality with a reflexive verb in both spoken and written language, since using the impersonal **se** *and the reflexive* **se** *at the same time is not possible.*

   Cuando **uno se acuesta** muy tarde, el día siguiente se siente muy mal.
   When one goes to bed too late, the following day one feels very bad.

19 GENTE que OPINA

☑ **TAREA**

Debatir sobre un problema mundial y decidir las cinco áreas de actuación más importantes para solucionarlo.

NUESTRA GENTE

Guatemala
Hispanos/latinos en Estados Unidos

▶ Explore **Guatemala** with *Club cultura!*

Mercado indígena

Ciudad maya de Tikal

Niños en la escuela, Chimaltenango

Ciudad de Guatemala

Lago Atitlán y volcán San Pedro, Guatemala

ACERCAMIENTOS

 19–1 Temas de debate

Observa las fotos de Guatemala. Relaciona cada una de ellas con algunos de estos temas de debate.

- Los movimientos indígenas
- La conservación del medio ambiente
- La educación
- Los movimientos ecologistas
- El comercio justo

- La erradicación de la pobreza
- La globalización
- La esperanza de vida
- La contaminación de lagos, ríos y mares
- Otros: _____

19–2 La vida dentro de 90 años

¿Cómo será la vida a finales del siglo XXI? Lee la información sobre cuatro ámbitos diferentes y piensa en las cosas que pasarán en el futuro. Piensa tú en otro ámbito. Después, elige cinco temas y escribe una frase para cada uno.

EJEMPLO:

Yo creo que muy pronto podremos comunicarnos con otras civilizaciones.

LA CONSERVACIÓN DEL MEDIO AMBIENTE
- La contaminación de los mares
- La deforestación del planeta
- El agujero de la capa de ozono
- El cambio climático

LOS ADELANTOS CIENTÍFICOS Y TECNOLÓGICOS
- La manipulación genética
- La informática
- La asistencia sanitaria
- Los efectos de la medicina en la esperanza de vida

LAS RELACIONES INTERNACIONALES
- Las guerras y conflictos locales
- Los movimientos migratorios
- El crecimiento de la población mundial
- El comercio mundial

LOS PAÍSES EN VÍAS DE DESARROLLO
- El hambre y la pobreza
- La educación de los niños
- La desigualdad entre países ricos y países pobres

Otro:
1. _____
2. _____
3. _____
4. _____
5. _____

 Ahora seleccionen las tres áreas en las que creen que habrá mayores cambios y decidan qué consecuencias tendrán todos estos cambios.

EJEMPLO:

E1: Yo creo que habrá grandes avances en la esperanza de vida.
E2: Yo también. Creo que la gente vivirá mucho más: como 90 o 100 años de promedio.
E3: Sí, y por eso aumentará la población mundial.

Finalmente, compartan sus ideas con la clase.

VOCABULARIO EN CONTEXTO

 19–3 El cambio climático

Lee este artículo en el periódico de hoy sobre el cambio climático.

¿QUÉ es el cambio climático?

El cambio climático es una alteración significativa de los patrones del clima. Sus causas pueden ser naturales –erupciones volcánicas, circulación oceánica– o humanas, por ejemplo la emisión de CO_2 y otros gases que atrapan calor, o la alteración del uso de grandes extensiones de suelos. En el pasado los cambios en el clima ocurrieron lentamente, durante millones de años; sin embargo el cambio climático actual –causado por el hombre– está ocurriendo muy rápido. Uno de los fenómenos que está causando este cambio climático es el calentamiento global.

Los peligros del calentamiento global

El calentamiento global –aumento de la temperatura de la atmósfera terrestre– está ocurriendo desde finales del siglo XIX. La temperatura global promedio aumentó 0.74°C durante el siglo XX y el aumento en los últimos 50 años fue mucho más acelerado. La subida de las temperaturas provoca el derretimiento de las capas de hielo, glaciares y nieves, y un aumento de los niveles del mar. Esto a su vez causa bruscos fenómenos meteorológicos.

Existe una certeza del 100% en la comunidad científica de que la causa del calentamiento es el aumento de los gases de efecto invernadero que resultan de las actividades humanas como la quema de combustibles fósiles (carbón, gasolina, gas natural y petróleo) y la deforestación. El dióxido de carbono es el contribuidor principal al cambio climático actual y su concentración ha aumentado enormemente desde la era preindustrial hasta la actualidad.

 Con un/a compañero/a haz una lista de todas las palabras que aparecen en el artículo relacionadas con estas áreas.

GEOGRAFÍA	MEDIO AMBIENTE

19–4 ¿Y tú?

¿Cómo contribuyes tú al problema del calentamiento global? Piensa en tres actividades.

Ahora comparte la lista con tu compañero/a. ¿En qué coinciden? Compartan la información con la clase.

19–5 Desaparecerán

El cambio climático afectará al mundo de muchas maneras. Lee este texto para saber qué cosas desaparecerán por efecto del cambio climático.

¿Tienen los días contados?

Alimentos

Para el año 2050 la temperatura aumentará 3°C lo que hará que el cultivo de cacao sea imposible, provocando la desaparición del chocolate. Lo mismo ocurrirá con las manzanas y con muchas clases de vinos.

Islas

Con el incremento del nivel de agua en el mar, gran parte de Cuba y su hermosa capital, La Habana, desaparecerán de los mapas ya que están tan solo a un par de metros sobre el nivel del mar. Las estructuras coloniales de la bella ciudad quedarán sumergidas en el fondo del Caribe. Del mismo modo, las famosas cabezas de la Isla de Pascua (Chile) quedarán en el fondo del mar.

Glaciares

Los glaciares de Ecuador desaparecerán en 70 años al ritmo actual de deshielo por el calentamiento global, lo que alterará el volumen de agua para consumo humano. Una situación similar se observa en Perú, Bolivia y Colombia, que comparten con Ecuador los glaciares "tropicales" de América.

Animales

Cada año es más grande el porcentaje de reducción del hielo en el Ártico, hábitat de los osos polares. Si continúan derritiéndose las capas de hielo, los osos polares desaparecerán en 75 años. Algunos científicos predicen que para 2020 en el Ártico ya no existirá la mayor parte de las capas de hielo.

Ahora completa estas frases:

- Muchas islas desaparecerán porque _____.
- El chocolate desaparecerá porque _____.
- Habrá una reducción del agua potable en Ecuador, Perú y Bolivia porque _____.
- Los osos polares desaparecerán porque _____.

19–6 ¿Sí o no?

Piensen en otros alimentos, animales, lugares, o aspectos que serán afectados por el cambio climático. Usen estas expresiones para decir algo sobre cada uno de ellos.

-desaparecerá/n   -continuará/n existiendo
-dejará/n de existir   -está/n desapareciendo

EJEMPLO:

E1: A mí me parece que muchas especies de animales desaparecerán.
E2: Sí, yo también lo creo. Ya están desapareciendo ahora.

GRAMÁTICA EN CONTEXTO

 19-7 En el año 2050

Escucha los comentarios de estas personas. ¿Estás de acuerdo, tienes dudas o estás en desacuerdo? Escríbelo.

1. _____   6. _____

2. _____   7. _____

3. _____   8. _____

4. _____   9. _____

5. _____

Ahora comenta tus opiniones con dos compañeros/as. Reaccionen expresando su opinión personal.

EJEMPLO:

E1: A mí me parece que todavía **habrá** enfermedades graves como el SIDA.
E2: No, **no estoy de acuerdo**. No creo que **haya** SIDA en el 2050.
E3: Pues yo **no estoy muy seguro**. Yo **pienso que** todavía **existirá** el problema del SIDA.

19-8 Consecuencias de algunos cambios

Ahora expliquen las consecuencias de los cambios que habrá en el año 2050.

EJEMPLO:

E1: **Cuando** las máquinas **hagan** nuestro trabajo, **tendremos** más tiempo libre.
E2: Sí, y **cuando tengamos** más tiempo libre, **podremos** disfrutar más de la vida.

19-9 ¿Seguiremos haciendo lo mismo?

¿Cuáles de estas cosas crees que seguirás haciendo en 2050? ¿Cuáles ya no harás? Señálalo.

1. hablar por teléfono celular
2. reciclar
3. ver películas en una sala de cine
4. comprar música
5. conducir un coche a gasolina
6. estudiar idiomas
7. comer carne
8. tomar medicinas

EJEMPLO:

E1: Yo creo que **seguiré usando** el correo electrónico, pero ya no lo usaré en la computadora.
E2: Pues yo no como carne ahora, y **seguiré sin** comerla.

EXPRESIÓN DE OPINIONES

(Yo) creo que...
(Yo) pienso que...
(Yo) opino que...   + INDICATIVO
En mi opinión,...   ...el futuro **será** mejor
Estoy seguro/a de que...
Tengo la impresión de que...

(Yo) no creo / pienso / opino que...
          + SUBJUNTIVO
          ...el futuro **sea** mejor.

Pienso que la crisis terminará pronto.

¿Sí? Yo creo que no.

EXPRESIÓN DE DUDA O PROBABILIDAD

Estoy seguro de que...
Seguro que...   + INDICATIVO
Seguramente...   ...el futuro **será** mejor.

(No) es probable que...
(No) es posible que...
Quizá / Tal vez...   + SUBJUNTIVO
Dudo que...   ...el futuro **sea** mejor.
No estoy seguro/a de que...

¿Es posible que tengamos una reunión el martes?

CUANDO

CON IDEA DE PRESENTE HABITUAL
Cuando + indicativo

Cuando salgo de clase, siempre **paso** por el supermercado para comprar frutas.

CON IDEA DE FUTURO
Cuando + subjuntivo

Cuando llegue el año 2045 habrá bases habitadas en la Luna.
Cuando salga de clase, pasaré por el supermercado para comprar frutas.

Cuando tenga cuatro años, iré al colegio con mi hermano.

CONTINUIDAD E INTERRUPCIÓN

Seguir, continuar	+ gerundio
Seguir sin	+ infinitivo
Dejar de	+ infinitivo
Ya no	+ presente

¿Sigues yendo de vacaciones a Saturno?

No, dejé de ir el año pasado.

Yo sigo sin tener vacaciones

19–10 Radiografía de Guatemala

Lean estos datos sobre Guatemala. Después completen el texto con sus opiniones.

Población	15.806.517 habitantes
Lenguas	Español y 21 lenguas indígenas mayas
Demografía	El 45% de la población total desciende de naciones indígenas mayas, el 45% son mestizos y el 10% criollos (descendientes de europeos)
Religión	Católicos (55%), protestantes (40%), religiones indígenas (5%)
Expectativa de vida	68,2 años (hombres); 75,2 años (mujeres)
Desarrollo	Más del 50% de la población vive bajo la línea de la pobreza
Analfabetismo	16,6% de la población
Unidad monetaria	Quetzal
Economía y exportaciones	Rural: café, azúcar, banana, carne, petróleo
Gobierno	Democracia parlamentaria con un presidente cada cuatro años
Historia reciente	1970 – Programa del gobierno militar para erradicar a activistas de izquierda. Unos 50.000 muertos. 1976 – Terremoto: 27.000 muertos y más de un millón de personas sin techo. 1960–1996 – Guerra civil. Más de 200.000 muertos, más de 600 masacres en poblados mayas. 2012 – Otto Pérez Molina es elegido presidente.

Creemos que Guatemala _____, y **en nuestra opinión,** _____. Además, **pensamos que** _____.
Nosotros creemos que **es muy probable que** _____.
Tenemos la impresión de que _____ porque
_____.

19–11 ¿Es posible?

Hagan una lista de cinco cosas que creen que ocurrirán en Guatemala en el futuro. Usen los datos de las dos columnas.

EJEMPLO:

E1: En unos pocos años **creo que habrá** elecciones otra vez.
E2: Sí, y **elegirán** a otro presidente.

El año que viene	es probable / posible que
En tres o cuatro años	dudo que
Pronto	seguro que
Dentro de _____ años	creo que
Cuando tenga _____ años	no creo que
	tal vez

Ahora intercambien sus listas. Hagan preguntas sobre las consecuencias de estas cosas.

EJEMPLO:

E1: ¿Qué ocurrirá **cuando haya** un nuevo presidente?
E2: **Tal vez pueda** mejorar el acceso a la educación para más gente.

INTERACCIONES

ESTRATEGIAS PARA LA COMUNICACIÓN ORAL

Resources for debating (II)

When debating an issue, you may have to show partial agreement or disagreement with the opinions expressed by your interlocutor. These expressions will be helpful:

■ Disagreeing in part

• *Sí pero...*	Yes, but...
• *No sé, pero yo creo que...*	I don't know, but I think that...
• *Tal vez / A lo mejor, pero...*	Maybe that's so, but...
• *Puede ser que / Quizá tengas razón, pero...*	You may be right, but...
• *Quizá / A lo mejor sí, pero...*	It may be so, but...

■ Expressing possibility, doubt, or skepticism.

• *(Sí), probablemente.*	(Yes), probably.
• *(Sí), es probable.*	(Yes), it is possible.
• *(Sí), puede ser.*	(Yes), maybe.
• *Quizá.*	Maybe.
• *(Yo) no estoy (muy) seguro/a de eso.*	I am not (so) sure of that.
• *No sé...*	I don't know...
• *No lo creo.*	I don't think so.
• *Lo dudo (mucho).*	I (really) doubt it.
• *¿Tú crees? / ¿Usted cree?*	Do you think so?

 19–12 En desacuerdo

Uno/a de ustedes debe expresar las opiniones que aparecen en la lista y su compañero/a tiene que responder mostrando desacuerdo parcial, duda o escepticismo. Traten de usar diferentes fórmulas. En total deben mantener cinco conversaciones.

OPINIONES

1. El dinero es mucho más importante que la salud o el amor.

2. Aprender lenguas no es muy necesario: lo más importante es saber inglés.

3. La pobreza es un problema que no tiene solución.

4. Los científicos exageran mucho sobre los efectos del cambio climático.

5. En el futuro habrá menos gente en el mundo.

 19–13 ¿Qué pasará?

Formen grupos de tres personas. Primero, intercambien opiniones sobre el futuro de estos problemas (si dejarán de existir, seguirán existiendo o ya no existirán).

1. La desigualdad entre hombres y mujeres

2. El calentamiento global

3. El cáncer y otras enfermedades incurables

4. Las epidemias y el hambre

5. La deforestación

EJEMPLO:

E1: Yo creo que las desigualdades dejarán de existir.

E2: No, no estoy de acuerdo en absoluto. Creo que continuarán existiendo.

E3: Quizá, pero no serán tan grandes, ¿no creen?

Ahora un representante del grupo expondrá sus conclusiones a la clase.

19–14 Mini debates

En grupos de seis, para cada uno de estos temas polémicos, decidan cuál es su posición.

1. La legalización de la marihuana

2. El suicidio asistido o eutanasia

3. La educación bilingüe obligatoria

EJEMPLO:

E1: En mi opinión, la eutanasia debe ser prohibida.

E2: No, no estoy seguro de que deba ser prohibida porque en algunos casos es necesaria.

Ahora decidan qué tema quieren debatir. Luego se dividirán en dos grupos de tres personas cada uno (a favor y en contra). Escriban los tres argumentos principales para defender su posición.

GRUPO A: ¿A favor o en contra?
Argumento 1: _____
Argumento 2: _____
Argumento 3: _____

GRUPO B: ¿A favor o en contra?
Argumento 1: _____
Argumento 2: _____
Argumento 3: _____

Debatan durante unos minutos.

19–15 Situaciones: *Los candidatos*

Two students are candidates for the presidency of the student council. Each has a list of proposals. Candidates are participating in a public debate in order to defend their proposals. Another student will moderate the debate.

ESTUDIANTE A

You are a candidate for the presidency of the student council. Before starting the debate, prepare a list of five proposals. During the debate, present your proposals, one by one, as opinions. You will listen to your opponent's proposals, but you will not agree with any of them.

ESTUDIANTE B

You are a candidate for the presidency of the student council. Before starting the debate, prepare a list of five proposals. During the debate, present your proposals, one by one, as opinions. You will listen to your opponent's proposals, but you will not agree with any of them.

ESTUDIANTE C

You are the moderator of the debate. Make sure candidates have the same time and opportunity to present their proposals. Do not allow any of them to monolopize the debate. You may ask them to clarify further what they say, and you should open the floor to questions from the audience when you consider it appropriate.

TAREA

Debatir sobre un problema mundial y decidir las cinco áreas de actuación más importantes para solucionarlo.

PREPARACIÓN

El programa de televisión *A Debate* tiene un tema muy interesante: "Preparamos hoy el mundo de mañana". En el programa los invitados debatirán el futuro del planeta Tierra. Los siete invitados son un grupo de personas que representan a diversos sectores sociales y organizaciones públicas.

CIENTÍFICOS / INVESTIGADORES
ECOLOGISTAS
EDUCADORES

MIEMBROS DE ONGs
POLÍTICOS
EMPRESARIOS

JÓVENES
FEMINISTAS
ECONOMISTAS

¿Qué sector social crees que representa cada personaje? ¿Por qué?

Al principio del programa, el presentador lee algunos titulares (*headlines*) de los periódicos a sus invitados. Relaciona cada noticia con uno o más temas de la lista.

MUCHAS DE LAS VÍCTIMAS DEL CAMBIO CLIMÁTICO NO CONTRIBUYEN CASI NADA A LAS EMISIONES DE GASES DE EFECTO INVERNADERO

EN 40 PAÍSES RICOS HAY HOY 76,5 MILONES DE NIÑOS QUE VIVEN BAJO EL UMBRAL DE LA POBREZA

UNICEF CALCULA QUE 61 MILLONES DE NIÑOS EN EL MUNDO NO RECIBEN EDUCACIÓN ESCOLAR

La selva del Amazonas, un ecosistema extendido por nueve países que le da el 20% del agua dulce al planeta y gran parte del oxígeno, estará casi perdida en 40 años, según la Red Amazónica de Información Socioambiental (RAIS).

Según OXFAM, la brecha entre los más ricos y los más pobres no deja de crecer. Y cada día son más los que viven con menos.

TEMAS/ÁREAS PARA EL DEBATE
-La desigualdad
-La educación universal
-La convervación del medio ambiente
-Los derechos humanos

El presentador va a hacer cinco preguntas a sus invitados. Elige un personaje del debate. Imagina cómo respondería a estas preguntas.

Escribe un párrafo para el personaje.

EJEMPLO:

Para Alba Páramo, que es ecologista, lo más importante es la conservación del medio ambiente. Los dos problemas más grandes son la destrucción de la capa de ozono y la deforestación. Por ejemplo, la selva amazónica está en peligro porque las industrias continúan talando árboles. Ella cree que estos problemas dejarán de existir cuando haya más educación medioambiental, sobre todo en las escuelas, y cuando los gobiernos tengan leyes más estrictas para proteger el medio ambiente. Piensa que si las leyes no protegen el medio ambiente, nadie podrá protegerlo.

PREGUNTAS DEL PRESENTADOR

1. ¿Cuál es el tema o área más importante?
2. Díganme dos problemas que tiene el mundo en relación con este tema.
3. Denme un ejemplo específico.
4. ¿Cuándo y cómo se solucionará este problema?
5. Denme razones y argumentos para defender su opinión.

Paso 1 Preparando nuestro debate
Elijan el tema de la lista anterior que les parezca más importante.

1. Hagan una lista de tres problemas que tiene el mundo actual relacionados con el tema.
2. Den un ejemplo específico de estos problemas.
3. ¿Cuándo y cómo se solucionarán estos problemas? Den posibles soluciones.
4. Preparen razones y argumentos para defender su opinión.

Paso 2 El debate
Su grupo va a debatir con otro grupo de la clase que ha elegido un tema diferente. Cada grupo debe defender su tema y exponer los problemas que con él se relacionan. Además, cada grupo debe explicar claramente por qué considera que su tema es el más importante.

Paso 3 El plan de actuación
Tras el debate, la clase debe llegar a un consenso sobre cuál es el problema más importante y decidir un programa que incluya seis puntos de actuación.

Paso 4 Foco lingüístico.

NUESTRA GENTE

GENTE QUE LEE

ESTRATEGIAS PARA LEER

Reading an argumentative essay

In argumentative writing, the author tries to persuade readers to agree with the facts or opinions as s/he sees them. In order to read and evaluate the effectiveness of a persuasive text, you can use these questions:

1. What is the writer's claim? Is it stated directly and clearly? Is it well-focused? If it is not stated explicitly, can the reader recognize it?
2. What reasons or background information is provided to support the claim? Are they organized in order of importance?
3. Are there any fallacies in the argument?
4. Are the arguments supported by reason, ethics, or emotion?
5. How does the text conclude? Does it summarize the claim, or elaborate on its implications?

ANTES DE LEER

 ### 19–16 **Problemas mundiales**

1. Miren esta lista de temas y piensen en dos problemas específicos para cada uno.

EJEMPLO:

La discriminación: de las mujeres en el trabajo, o de los indígenas en muchas partes del mundo.

la discriminación   la globalización   el racismo   la esclavitud   el comercio

2. Piensen en las poblaciones indígenas de América Latina o de su país. ¿Cuáles de los problemas anteriores tienen relación directa con ellos?

DESPUÉS DE LEER

19–17 **¿Comprendes?**

1. ¿Cómo describe el mundo de hoy Rigoberta Menchú? ¿Qué características tiene?

2. ¿Qué opina Menchú sobre el problema del cambio climático?

3. ¿Qué tres reivindicaciones tienen los pueblos indígenas?

4. ¿Qué problemas deberían dejar de existir en el siglo XXI?

5. ¿Quién puede solucionar, según Rigoberta, estos problemas?

19–18 **Activando estrategias**

1. ¿Qué significan las palabras "añejos" (p. 1), "equitativo" (p. 4), "incumplida" y "sojuzgaron" (p. 5)? Usa diversas estrategias.

2. Busca en el diccionario "tomar en cuenta" (p. 1), "desafía", "interpelemos" y "vorágine" (p. 5). ¿Qué clase de palabras son? ¿Qué entradas vas a buscar?

3. ¿Qué significa la expresión "desarrollo sostenible" (p. 4)? ¿Cómo lo sabes?

4. Identifica a qué se refiere el referente "los cuales" (p. 5).

5. ¿Qué significa y qué función tiene el conector "no obstante" (p. 3)?

A LEER

REFLEXIÓN SOBRE EL RACISMO Y LA DISCRIMINACIÓN

Por Rigoberta Menchú Tum, activista indígena guatemalteca, Premio Nobel de la Paz y Embajadora de Buena Voluntad de la UNESCO

Estamos iniciando un nuevo siglo en el que problemas tan **añejos** como la discriminación, la xenofobia y la intolerancia siguen existiendo. Podemos preguntarnos si este mundo globalizado es el que queremos para nuestros hijos: la mundialización de las finanzas y de la especulación [...] del narcotráfico, de la pobreza y la marginación, del exterminio de la naturaleza y de la destrucción de la esperanza en el planeta. ¿Debemos permitir la imposición de un pensamiento único que lleva a que solo una minoría privilegiada —el 20% de la población del mundo— consuma el 80% de lo que produce nuestra Madre Tierra [...]? Todavía estamos a tiempo de reflexionar, de **tomar en cuenta** otras opciones.

Durante miles de años, los pueblos originarios hemos sabido convivir con la naturaleza, respetando sus ciclos de vida y de regeneración. Desafortunadamente, cuando tienen que tomarse en cuenta nuestras sugerencias, proposiciones y advertencias sobre los daños irreversibles que está ocasionando el actual modelo de

desarrollo, se nos ignora y se nos restringe la participación, reproduciendo el mismo sistema excluyente y discriminatorio que domina el resto de los espacios internacionales de decisión.

El cambio climático que está padeciendo el planeta nos empuja a unir esfuerzos para encontrar solución a lo que seguramente, a muy corto plazo, se convertirá en una situación de emergencia global. **No obstante**, en espacios como el Protocolo de Kyoto y la Convención marco de las Naciones Unidas sobre el cambio climático, las voces de los pueblos indígenas fueron totalmente marginadas.

Una de las mejores ilustraciones de ese histórico fenómeno de marginación [...] se manifiesta en los procesos para la participación en la reciente Conferencia mundial contra el racismo, la xenofobia y la intolerancia, que se llevó a cabo en la ciudad de Durban, Sudáfrica. Me refiero a la falta de inclusión en el documento original [...] de un capítulo específico para tratar nuestra realidad. De este modo, no se recoge la esencia de las reivindicaciones que nuestros pueblos han reiterado [...] y que pueden resumirse en el respeto a nuestra existencia como pueblos, el reconocimiento de nuestra contribución histórica al desarrollo de la humanidad y nuestro derecho a un **desarrollo sostenible**, digno y **equitativo**, con pleno acceso y control de nuestros territorios y recursos.

En el mundo de hoy, nuestra presencia **desafía** la **incumplida** promesa del sistema de Naciones Unidas de poner fin a los regímenes neocoloniales que **sojuzgaron** a nuestros pueblos y crearon instituciones de esclavitud y servidumbre. **Interpelemos** a los gobernantes de nuestros países, a los dirigentes de las naciones más poderosas y a los altos funcionarios de los organismos mundiales que dictan las leyes globales, para exigir un alto en el camino para la reflexión y detener esta **vorágine** que nos arrastra. Es tiempo de sumar esfuerzos y sabidurías para revertir fenómenos tan terribles como la destrucción ecológica, el aumento de la pobreza y el hambre, la intolerancia, el racismo y la exclusión, **los cuales** deberían dejar de existir en este milenio.

19–19 Activando estrategias

Evalúa el estilo argumentativo o persuasivo del texto.

1. Identifica la tesis. ¿Dónde está?

2. ¿Qué razones da la autora para apoyar la tesis?

3. ¿Hay ejemplos para apoyar la tesis?

4. Da algún ejemplo de los recursos retóricos que la autora emplea.

5. ¿Se apoyan los argumentos en razonamientos, ética o emociones? Da ejemplos.

19–20 Expansión

Son todos estos problemas exclusivos de las comunidades indígenas?

salvor
satron
vayamos
Era
decidía

 GENTE QUE ESCRIBE

ESTRATEGIAS PARA ESCRIBIR

Writing argumentative texts (I)

The goal of an argumentative text is to convince your readers that your central claim is correct. This claim is like a thesis statement, and it is not objective, but subject to debate. Because of this, it is very important to foresee and overcome objections. Consider these questions:

1. What could the opposing arguments be?
2. How can I refute these arguments?
3. Who are my readers, and how opposed could they be to my arguments?

Write each point and develop it into a paragraph. You will need arguments that support your claim and others that refute it. Try to convince your readers by using reason, ethics, or emotion, and combine them into a single convincing argument.

- Introduction: explain why the issue is important.
- Statement of the claim: explain your claim and give background information.
- Proposition: state your central proposition (thesis) and perhaps announce important sub points that will be presented.
- Refutation: examine opposed arguments.
- Confirmation: develop and support your own claim. You can use examples, facts, and statistics to back up your claims.

MÁS ALLÁ DE LA FRASE

Connectors for argumentative texts

- To add more arguments: *además, también* (also, moreover); *incluso* (even)
  *El gobierno se ha equivocado con esa decisión. **Incluso** el presidente lo ha reconocido.*
- To underscore an argument: *en cualquier caso, de cualquier forma, de todas maneras, de todos modos* (in any event/case)
  *No es una buena solución pero, **en cualquier caso**, es la única que podemos aplicar ahora.*
- To introduce opposed arguments: *no obstante* (nevertheless), *sin embargo* (however)
  *Es un país muy rico; **no obstante**, gran parte de la población vive en la miseria.*
- To refer to an already-mentioned topic: *en cuanto a* (as for), *con respecto a* (with respect to)
  ***En cuanto a** los problemas ambientales, la deforestación es sin duda uno de los más graves.*
- To conclude: *en conclusión* (in conclusion), *en suma* (to sum up), *para terminar* (to end)

19-21 Un artículo argumentativo

Elige un tema sobre el que tengas una opinión que quieras defender. Luego escribe un artículo para la sección de opinión del periódico en español. Antes de empezar a escribir, prepara una lista de los aspectos que vas a tratar y los argumentos que vas a ofrecer para cada punto. Aquí tienes algunas ideas que te ayudarán a escribir tu texto.

- puntos a favor
- puntos en contra
- clarificaciones
- ejemplos
- conclusiones
- razones
- contradicciones
- otros

COMPARACIONES

19–22 Derechos indígenas en Guatemala

Lean este texto sobre los indígenas de Guatemala.

Guatemala es el país hispanohablante con mayor presencia indígena, superando el 45% de la población total del país. Estas poblaciones hablan más de 20 lenguas indígenas. Sin embargo, históricamente la organización del estado guatemalteco no ha reflejado la naturaleza multiétnica de la sociedad. Actualmente esta situación está cambiando como resultado de varios factores: la respuesta de las organizaciones mayas a las violaciones de sus derechos a comienzos de la década de 1980, la apertura democrática iniciada posteriormente en el país, y los espacios de participación y debate abiertos tras el Acuerdo de Paz de 1996. El Acuerdo sobre Identidad y Derechos de los Pueblos Indígenas de 1995, rubricado por el gobierno de Guatemala, abrió las puertas a un debate público sobre el tema indígena. Este acuerdo constituye un avance en la lucha de los pueblos indígenas y el punto de partida de un proceso de reivindicación de sus derechos.

Festival
San Pedro de la Laguna,
Matías González Chavajay

¿Cuál de estos derechos les parece más fundamental? Ordénenlos de más a menos importante.

☐ derecho a la no discriminación étnica

☐ derecho al reconocimiento de su pasado histórico

☐ derecho al reconocimiento de sus identidades lingüísticas y culturales

☐ derecho a sus propias leyes

☐ derecho a la protección de su medio ambiente

☐ derecho a sus tierras y recursos naturales

19–23 El gran reto de Guatemala

Lee este párrafo de un texto sobre el futuro de Guatemala. Lee la frase en negrita. ¿Estás de acuerdo? ¿Por qué?

En Guatemala, la brecha entre ricos y pobres es más que evidente. Más del 50% de la población vive por debajo de la línea de pobreza. Entre tanto, el 10% de la población más rica recibe el 40,3% del total de ingresos del país. Una de las soluciones para cerrar esta brecha es fomentar la reinversión en el área social: **el que invierte en educación y salud, invierte en el futuro de su país.**

1. ¿Conoces algunos ejemplos de países hispanohablantes con un buen sistema educativo? ¿Y con un buen sistema de salud?

2. ¿Qué factores crees que son más importantes para determinar el progreso y futuro de tu país?

CULTURA

La llegada de guatemaltecos a Estados Unidos no fue significativa hasta finales de los años setenta, cuando las circunstancias políticas y económicas llevaron a miles, tanto profesionales como indígenas y campesinos, a emigrar a Estados Unidos. Se estima que entre 1980 y 2012 más de 300.000 guatemaltecos han llegado a Estados Unidos. En 2010 en total había aproximadamente 1.200.000 guatemaltecos de origen o ascendencia. El mayor grupo se halla en Los Ángeles, seguido de Houston, Chicago, Nueva York, Washington, DC, y el sur de Florida. Los guatemaltecos contribuyen de múltiples maneras a la vida artística, académica, científica y cultural del país.

Un ejemplo de ello es Luis Von Ahn, profesor de la universidad Carnegie Mellon, un genio pionero del campo de la computación humana y una de las personas más influyentes en el campo de la tecnología en Estados Unidos. Actualmente Von Ahn trabaja en un proyecto mundial de digitalización de más de 100 millones de libros.

Luis Von Ahn

Go to **MySpanishLab** to review what you have learned in this chapter.

Flashcards | Oral Practice | Practice Test / Study Plan | amplifire Dynamic Study Modules | Tutorials | Videos | Extra Practice

VOCABULARIO

Los grupos sociales
(Social groups)

la clase social	*social class*
el/la indígena	*native*
el/la marginado/a	*marginalized person*
el/la mestizo/a	*person of mixed race*
la organización no gubernamental (ONG)	*non-governmental organization (NGO)*
los pobres	*poor*
el/la refugiado/a	*refugee*
los ricos	*rich*

La ciencia y el medio ambiente
(Science and environment)

el adelanto científico	*scientific advance*
los bienes de consumo	*consumer goods*
el calentamiento global	*global warming*
el cambio climático	*climate change*
la capa de ozono	*ozone layer*
la conservación	*conservation*
el consumo	*consumption*
la contaminación	*pollution*
el efecto invernadero	*greenhouse effect*
la esperanza de vida	*life expectancy*
la marea negra	*oil spill, large oil slick*
el medio ambiente	*environment*
los recursos naturales	*natural resources*
la sequía	*drought*
el subsuelo	*underground*
la tala de árboles	*tree-felling*
la tierra	*earth*
los viajes espaciales	*space travels*

El desarrollo
Development

la brecha	*gap*
el comercio justo	*fair trade*
el crecimiento	*growth*
el desempleo	*unemployment*
la desigualdad	*inequality*
la enfermedad	*sickness*
la esclavitud	*slavery*
la guerra	*war*
el hambre	*hunger*
la igualdad	*equality*
la justicia social	*social justice*
la libertad	*freedom*

el país en vías de desarrollo	*developing country*
la paz mundial	*world peace*
las personas sin hogar, sin techo	*homeless*
la pobreza	*poverty*
la riqueza	*wealth, richness*

Adjetivos *(Adjectives)*

desafortunado/a	*unfortunate, less fortunate*
desarrollado/a	*developed*
desconfiado/a	*distrustful, suspicious (of)*
digno/a	*honorable, decent*
escaso/a	*rare*
escéptico/a	*skeptical*
ético/a	*ethical*
libre	*free*
medioambiental	*environmental*
privilegiado/a	*privileged*
valioso/a	*valuable*

Verbos *(Verbs)*

agotarse	*to run out, to be used up*
agravar	*to make worse, to aggravate*
ahorrar	*to save*
alimentar	*to feed*
amenazar	*to threaten*
atreverse	*to dare*
autorizar	*to authorize*
botar	*to throw away*
contradecir (irreg.)	*to contradict*
descartar	*to discard*
diagnosticar	*to diagnose*
disfrutar	*to enjoy*
empezar (ie)	*to start*
iniciar	*to start*
mentir (ie)	*to lie*
opinar	*to express an opinion*
pasar	*to happen*
posponer (irreg.)	*to postpone*
prever	*to foresee*
solucionar	*to solve*

Otras palabras y expresiones
(Other words and expressions)

por desgracia	*unfortunately*
profundamente	*deeply*
sacar conclusiones	*to draw conclusions*

CONSULTORIO GRAMATICAL

1 Use of Subjunctive to State Opinions

*The subjunctive mode is used in subordinate noun clauses. A noun clause is a subordinate clause that depends on a main clause and that has the same function as a **noun; therefore, it could be replaced by a pronoun**. It is always introduced by **que**.*

Yo creo que **el cambio climático es un asunto muy importante** (= *I think climate change is a very important matter*).

main clause	noun (subordinate) clause

Yo creo **ESTO**.

pronoun

*When the verb of the main clause expresses **opinion**, the noun clause will have a verb in indicative.*

(Yo) creo *(I think/believe)*
(Yo) pienso *(I think)* } que + *INDICATIVE*
(Yo) considero *(I consider)*
(A mí) me parece *(It seems to me)*   el cambio climático **es** un asunto muy importante.

Creo que   la pobreza **es** el principal problema del mundo.
            hay mucha deforestación en la selva amazónica.

I think   poverty is the main problem in the world.
            there is too much deforestation in the Amazon forest.

However, if the main clause is negative, the subjunctive mode is used in the noun clause.

(Yo) **no** creo
(Yo) **no** pienso
(Yo) **no** considero } que + *SUBJUNCTIVE*
(A mí) **no** me parece   el cambio climático **sea** un asunto muy importante.
No tengo la impresión de

No creo que   la pobreza **sea** el principal problema del mundo.
            haya mucha deforestación en la selva amazónica.

2 Use of Subjunctive to State Probability or Doubt

When we are certain of something, the verb of the noun clause will be in the indicative mode.

                    INDICATIVE
Estoy seguro/a de que   la guerra **terminará** pronto.
I am sure that   the war will end soon.

Seguro que
Seguramente } se **solucionará** el problema del medio ambiente.
Surely   the problem of the environment will be solved.

However, if we want to express a certain degree of uncertainty, the subjunctive mode will be used in the noun clause.

Es posible que *(It's possible that)*
Es probable que *(It's probable that)*
No estoy seguro de que *(I'm not sure that)* } *SUBJUNCTIVE*
Dudo que *(I doubt that)*   la guerra **termine** pronto.
No creo que *(I don't think that)*   se **solucione** el problema del medio ambiente.

Yo estoy seguro de que funcionará.

¿Usted cree? Yo dudo que se ponga en marcha.

Es posible que funcione, pero... ¿para qué sirve?

Some expressions of probability are followed by the subjunctive mode as independent clauses (not noun clauses).

Posiblemente (Possibly)
Probablemente (Probably) ⎫ la guerra **termine** pronto.
Quizá (Maybe) ⎬ se **solucione** el problema del medio ambiente.
Tal vez (Maybe) ⎭

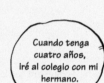

However, the common expression **a lo mejor** (maybe) always takes the indicative mode.

A lo mejor   se **soluciona** el problema del medio ambiente.
            la guerra **termina** pronto.

3 *Cuando* + Subjunctive: Talking about the Future

To talk about a future event that is, in turn, related to another future action or state, we can use the construction **cuando** + subjunctive.

Cuando tengamos más tiempo, iremos a Argentina de vacaciones.
When we have more time, we will go to Argentina on vacation.

Cuando llegue el año 2045, habrá bases habitadas en la Luna.
When the year 2045 arrives, there will be inhabited bases on the Moon.

However, when we are referring to a past or present event, we use the indicative.

Cuando tengo tiempo, leo libros de ciencia ficción.
Cuando tenía cinco años, leía muchos cuentos.

When I have time, I read science-fiction books.
When I was five years old, I used to read many stories.

Other conjunctions to express time are:

En cuanto (as soon as)
Tan pronto como (as soon as)
Siempre que (as long as)
Mientras (while, as long as)
Hasta que (until, for as long as)

En cuanto ⎫
Tan pronto como ⎪
Siempre que ⎬ **pueda**, voy a colaborar con una organización no gubernamental.
Mientras ⎪
Hasta que ⎭

4 Expressing Continuity or Interruption

These verbal constructions are used to express actions that either continue, or stop occurring.

Seguir + GERUND — Juan **sigue** viviendo en Guatemala. *(= continues to live in Guatemala)*

Seguir sin + INFINITIVE — José **sigue sin** encontrarse bien. *(= continues NOT to feel well)*

Dejar de + INFINITIVE — Gracia **dejó de** trabajar. *(= stopped / quit working)*

Ya no + PRESENT INDICATIVE — Gracia **ya no** trabaja. *(= no longer works)*

Seguir + gerund denotes an ongoing action: *Juan still lives in Guatemala.*

Seguir sin + infinitive refers to something that still hasn't happened: *José still doesn't feel well.*

Dejar de + infinitive expresses an action that has been discontinued: *Gracia quit working.*

Ya no + present indicative likewise indicates an activity that no longer takes place: *Gracia doesn't work anymore.*

Verb Charts

REGULAR VERBS: SIMPLE TENSES

Infinitive Present Participle Past Participle	Indicative					Subjunctive		Imperative
	Present	Imperfect	Preterit	Future	Conditional	Present	Imperfect	Commands
hablar hablando hablado	hablo hablas habla hablamos habláis hablan	hablaba hablabas hablaba hablábamos hablabais hablaban	hablé hablaste habló hablamos hablasteis hablaron	hablaré hablarás hablará hablaremos hablaréis hablarán	hablaría hablarías hablaría hablaríamos hablaríais hablarían	hable hables hable hablemos habléis hablen	hablara hablaras hablara habláramos hablarais hablaran	habla (tú), no hables hable (usted) hablemos hablad (vosotros), no habléis hablen (Uds.)
comer comiendo comido	como comes come comemos coméis comen	comía comías comía comíamos comíais comían	comí comiste comió comimos comisteis comieron	comeré comerás comerá comeremos comeréis comerán	comería comerías comería comeríamos comeríais comerían	coma comas coma comamos comáis coman	comiera comieras comiera comiéramos comierais comieran	come (tú), no comas coma (usted) comamos comed (vosotros), no comáis coman (Uds.)
vivir viviendo vivido	vivo vives vive vivimos vivís viven	vivía vivías vivía vivíamos vivíais vivían	viví viviste vivió vivimos vivisteis vivieron	viviré vivirás vivirá viviremos viviréis vivirán	viviría vivirías viviría viviríamos viviríais vivirían	viva vivas viva vivamos viváis vivan	viviera vivieras viviera viviéramos vivierais vivieran	vive (tú), no vivas viva (usted) vivamos vivid (vosotros), no viváis vivan (Uds.)

REGULAR VERBS: PERFECT TENSES

Indicative										Subjunctive			
Present Perfect		Past Perfect		Preterite Perfect		Future Perfect		Conditional Perfect		Present Perfect		Past Perfect	
he	hablado	había	hablado	hube	hablado	habré	hablado	habría	hablado	haya	hablado	hubiera	hablado
has	comido	habías	comido	hubiste	comido	habrás	comido	habrías	comido	hayas	comido	hubieras	comido
ha	vivido	había	vivido	hubo	vivido	habrá	vivido	habría	vivido	haya	vivido	hubiera	vivido
hemos		habíamos		hubimos		habremos		habríamos		hayamos		hubiéramos	
habéis		habíais		hubisteis		habréis		habríais		hayáis		hubierais	
han		habían		hubieron		habrán		habrían		hayan		hubieran	

IRREGULAR VERBS

Infinitive / Present Participle / Past Participle	Indicative					Subjunctive		Imperative
	Present	Imperfect	Preterit	Future	Conditional	Present	Imperfect	Commands
andar andando andado	ando andas anda andamos andáis andan	andaba andabas andaba andábamos andabais andaban	anduve anduviste anduvo anduvimos anduvisteis anduvieron	andaré andarás andará andaremos andaréis andarán	andaría andarías andaría andaríamos andaríais andarían	ande andes ande andemos andéis anden	anduviera anduvieras anduviera anduviéramos anduvierais anduvieran	anda (tú), no andes ande (usted) andemos andad (vosotros), no andéis anden (Uds.)
caer cayendo caído	caigo caes cae caemos caéis caen	caía caías caía caíamos caíais caían	caí caíste cayó caímos caísteis cayeron	caeré caerás caerá caeremos caeréis caerán	caería caerías caería caeríamos caeríais caerían	caiga caigas caiga caigamos caigáis caigan	cayera cayeras cayera cayéramos cayerais cayeran	cae (tú), no caigas caiga (usted) caigamos caed (vosotros), no caigáis caigan (Uds.)
dar dando dado	doy das da damos dais dan	daba dabas daba dábamos dabais daban	di diste dio dimos disteis dieron	daré darás dará daremos daréis darán	daría darías daría daríamos daríais darían	dé des dé demos deis den	diera dieras diera diéramos dierais dieran	da (tú), no des dé (usted) demos dad (vosotros), no deis den (Uds.)

IRREGULAR VERBS (CONTINUED)

Infinitive / Present Participle / Past Participle	Indicative – Present	Indicative – Imperfect	Indicative – Preterit	Indicative – Future	Indicative – Conditional	Subjunctive – Present	Subjunctive – Imperfect	Imperative – Commands
decir / diciendo / dicho	digo / dices / dice / decimos / decís / dicen	decía / decías / decía / decíamos / decíais / decían	dije / dijiste / dijo / dijimos / dijisteis / dijeron	diré / dirás / dirá / diremos / diréis / dirán	diría / dirías / diría / diríamos / diríais / dirían	diga / digas / diga / digamos / digáis / digan	dijera / dijeras / dijera / dijéramos / dijerais / dijeran	di (tú), no digas / diga (usted) / digamos / decid (vosotros), no digáis / digan (Uds.)
estar / estando / estado	estoy / estás / está / estamos / estáis / están	estaba / estabas / estaba / estábamos / estabais / estaban	estuve / estuviste / estuvo / estuvimos / estuvisteis / estuvieron	estaré / estarás / estará / estaremos / estaréis / estarán	estaría / estarías / estaría / estaríamos / estaríais / estarían	esté / estés / esté / estemos / estéis / estén	estuviera / estuvieras / estuviera / estuviéramos / estuvierais / estuvieran	está (tú), no estés / esté (usted) / estemos / estad (vosotros), no estéis / estén (Uds.)
haber / habiendo / habido	he / has / ha / hemos / habéis / han	había / habías / había / habíamos / habíais / habían	hube / hubiste / hubo / hubimos / hubisteis / hubieron	habré / habrás / habrá / habremos / habréis / habrán	habría / habrías / habría / habríamos / habríais / habrían	haya / hayas / haya / hayamos / hayáis / hayan	hubiera / hubieras / hubiera / hubiéramos / hubierais / hubieran	
hacer / haciendo / hecho	hago / haces / hace / hacemos / hacéis / hacen	hacía / hacías / hacía / hacíamos / hacíais / hacían	hice / hiciste / hizo / hicimos / hicisteis / hicieron	haré / harás / hará / haremos / haréis / harán	haría / harías / haría / haríamos / haríais / harían	haga / hagas / haga / hagamos / hagáis / hagan	hiciera / hicieras / hiciera / hiciéramos / hicierais / hicieran	haz (tú), no hagas / haga (usted) / hagamos / haced (vosotros), no hagáis / hagan (Uds.)
ir / yendo / ido	voy / vas / va / vamos / vais / van	iba / ibas / iba / íbamos / ibais / iban	fui / fuiste / fue / fuimos / fuisteis / fueron	iré / irás / irá / iremos / iréis / irán	iría / irías / iría / iríamos / iríais / irían	vaya / vayas / vaya / vayamos / vayáis / vayan	fuera / fueras / fuera / fuéramos / fuerais / fueran	ve (tú), no vayas / vaya (usted) / vamos, no vayamos / id (vosotros), no vayáis / vayan (Uds.)

IRREGULAR VERBS (CONTINUED)

Infinitive Present Participle Past Participle	Indicative					Subjunctive		Imperative
	Present	Imperfect	Preterit	Future	Conditional	Present	Imperfect	Commands
oír oyendo oído	oigo oyes oye oímos oís oyen	oía oías oía oíamos oíais oían	oí oíste oyó oímos oísteis oyeron	oiré oirás oirá oiremos oiréis oirán	oiría oirías oiría oiríamos oiríais oirían	oiga oigas oiga oigamos oigáis oigan	oyera oyeras oyera oyéramos oyerais oyeran	oye (tú), no oigas oiga (usted) oigamos oíd (vosotros), no oigáis oigan (Uds.)
poder pudiendo podido	puedo puedes puede podemos podéis pueden	podía podías podía podíamos podíais podían	pude pudiste pudo pudimos pudisteis pudieron	podré podrás podrá podremos podréis podrán	podría podrías podría podríamos podríais podrían	pueda puedas pueda podamos podáis puedan	pudiera pudieras pudiera pudiéramos pudierais pudieran	
poner poniendo puesto	pongo pones pone ponemos ponéis ponen	ponía ponías ponía poníamos poníais ponían	puse pusiste puso pusimos pusisteis pusieron	pondré pondrás pondrá pondremos pondréis pondrán	pondría pondrías pondría pondríamos pondríais pondrían	ponga pongas ponga pongamos pongáis pongan	pusiera pusieras pusiera pusiéramos pusierais pusieran	pon (tú), no pongas ponga (usted) pongamos poned (vosotros), no pongáis pongan (Uds.)
querer queriendo querido	quiero quieres quiere queremos queréis quieren	quería querías quería queríamos queríais querían	quise quisiste quiso quisimos quisisteis quisieron	querré querrás querrá querremos querréis querrán	querría querrías querría querríamos querríais querrían	quiera quieras quiera queramos queráis quieran	quisiera quisieras quisiera quisiéramos quisierais quisieran	quiere (tú), no quieras quiera (usted) queramos quered (vosotros), no queráis quieran (Uds.)
saber sabiendo sabido	sé sabes sabe sabemos sabéis saben	sabía sabías sabía sabíamos sabíais sabían	supe supiste supo supimos supisteis supieron	sabré sabrás sabrá sabremos sabréis sabrán	sabría sabrías sabría sabríamos sabríais sabrían	sepa sepas sepa sepamos sepáis sepan	supiera supieras supiera supiéramos supierais supieran	sabe (tú), no sepas sepa (usted) sepamos sabed (vosotros), no sepáis sepan (Uds.)
salir saliendo salido	salgo sales sale salimos salís salen	salía salías salía salíamos salíais salían	salí saliste salió salimos salisteis salieron	saldré saldrás saldrá saldremos saldréis saldrán	saldría saldrías saldría saldríamos saldríais saldrían	salga salgas salga salgamos salgáis salgan	saliera salieras saliera saliéramos salierais salieran	sal (tú), no salgas salga (usted) salgamos salid (vosotros), no salgáis salgan (Uds.)

IRREGULAR VERBS (CONTINUED)

Infinitive / Present Participle / Past Participle	Indicative					Subjunctive		Imperative
	Present	Imperfect	Preterit	Future	Conditional	Present	Imperfect	Commands
ser / siendo / sido	soy	era	fui	seré	sería	sea	fuera	sé (tú),
	eres	eras	fuiste	serás	serías	seas	fueras	no seas
	es	era	fue	será	sería	sea	fuera	sea (usted)
	somos	éramos	fuimos	seremos	seríamos	seamos	fuéramos	seamos
	sois	erais	fuisteis	seréis	seríais	seáis	fuerais	sed (vosotros),
	son	eran	fueron	serán	serían	sean	fueran	no seáis, sean (Uds.)
tener / teniendo / tenido	tengo	tenía	tuve	tendré	tendría	tenga	tuviera	ten (tú),
	tienes	tenías	tuviste	tendrás	tendrías	tengas	tuvieras	no tengas
	tiene	tenía	tuvo	tendrá	tendría	tenga	tuviera	tenga (usted)
	tenemos	teníamos	tuvimos	tendremos	tendríamos	tengamos	tuviéramos	tengamos
	tenéis	teníais	tuvisteis	tendréis	tendríais	tengáis	tuvierais	tened (vosotros),
	tienen	tenían	tuvieron	tendrán	tendrían	tengan	tuvieran	no tengáis, tengan (Uds.)
traer / trayendo / traído	traigo	traía	traje	traeré	traería	traiga	trajera	trae (tú),
	traes	traías	trajiste	traerás	traerías	traigas	trajeras	no traigas
	trae	traía	trajo	traerá	traería	traiga	trajera	traiga (usted)
	traemos	traíamos	trajimos	traeremos	traeríamos	traigamos	trajéramos	traigamos
	traéis	traíais	trajisteis	traeréis	traeríais	traigáis	trajerais	traed (vosotros),
	traen	traían	trajeron	traerán	traerían	traigan	trajeran	no traigáis, traigan (Uds.)
venir / viniendo / venido	vengo	venía	vine	vendré	vendría	venga	viniera	ven (tú),
	vienes	venías	viniste	vendrás	vendrías	vengas	vinieras	no vengas
	viene	venía	vino	vendrá	vendría	venga	viniera	venga (usted)
	venimos	veníamos	vinimos	vendremos	vendríamos	vengamos	viniéramos	vengamos
	venís	veníais	vinisteis	vendréis	vendríais	vengáis	vinierais	venid (vosotros),
	vienen	venían	vinieron	vendrán	vendrían	vengan	vinieran	no vengáis, vengan (Uds.)
ver / viendo / visto	veo	veía	vi	veré	vería	vea	viera	ve (tú),
	ves	veías	viste	verás	verías	veas	vieras	no veas
	ve	veía	vio	verá	vería	vea	viera	vea (usted)
	vemos	veíamos	vimos	veremos	veríamos	veamos	viéramos	veamos
	veis	veíais	visteis	veréis	veríais	veáis	vierais	ved (vosotros),
	ven	veían	vieron	verán	verían	vean	vieran	no veáis, vean (Uds.)

STEM-CHANGING AND ORTHOGRAPHIC-CHANGING VERBS

Infinitive / Present Participle / Past Participle	Indicative					Subjunctive		Imperative
	Present	Imperfect	Preterit	Future	Conditional	Present	Imperfect	Commands
almorzar (z, c) almorzando almorzado	almuerzo almuerzas almuerza almorzamos almorzáis almuerzan	almorzaba almorzabas almorzaba almorzábamos almorzabais almorzaban	almorcé almorzaste almorzó almorzamos almorzasteis almorzaron	almorzaré almorzarás almorzará almorzaremos almorzaréis almorzarán	almorzaría almorzarías almorzaría almorzaríamos almorzaríais almorzarían	almuerce almuerces almuerce almorcemos almorcéis almuercen	almorzara almorzaras almorzara almorzáramos almorzarais almorzaran	almuerza (tú) no almuerces almuerce (usted) almorcemos almorzad (vosotros) no almorcéis almuercen (Uds.)
buscar (c, qu) buscando buscado	busco buscas busca buscamos buscáis buscan	buscaba buscabas buscaba buscábamos buscabais buscaban	busqué buscaste buscó buscamos buscasteis buscaron	buscaré buscarás buscará buscaremos buscaréis buscarán	buscaría buscarías buscaría buscaríamos buscaríais buscarían	busque busques busque busquemos busquéis busquen	buscara buscaras buscara buscáramos buscarais buscaran	busca (tú) no busques busque (usted) busquemos buscad (vosotros) no busquéis busquen (Uds.)
corregir (g, j) corrigiendo corregido	corrijo corriges corrige corregimos corregís corrigen	corregía corregías corregía corregíamos corregíais corregían	corregí corregiste corrigió corregimos corregisteis corrigieron	corregiré corregirás corregirá corregiremos corregiréis corregirán	corregiría corregirías corregiría corregiríamos corregiríais corregirían	corrija corrijas corrija corrijamos corrijáis corrijan	corrigiera corrigieras corrigiera corrigiéramos corrigierais corrigieran	corrige (tú) no corrijas corrija (usted) corrijamos corregid (vosotros) no corrijáis corrijan (Uds.)
dormir (ue, u) durmiendo dormido	duermo duermes duerme dormimos dormís duermen	dormía dormías dormía dormíamos dormíais dormían	dormí dormiste durmió dormimos dormisteis durmieron	dormiré dormirás dormirá dormiremos dormiréis dormirán	dormiría dormirías dormiría dormiríamos dormiríais dormirían	duerma duermas duerma durmamos durmáis duerman	durmiera durmieras durmiera durmiéramos durmierais durmieran	duerme (tú), no duermas duerma (usted) durmamos dormid (vosotros), no durmáis duerman (Uds.)

STEM-CHANGING AND ORTHOGRAPHIC-CHANGING VERBS (CONTINUED)

Infinitive Present Participle Past Participle	Indicative					Subjunctive		Imperative
	Present	Imperfect	Preterit	Future	Conditional	Present	Imperfect	Commands
incluir (y) incluyendo incluido	incluyo incluyes incluye incluimos incluís incluyen	incluía incluías incluía incluíamos incluíais incluían	incluí incluiste incluyó incluimos incluisteis incluyeron	incluiré incluirás incluirá incluiremos incluiréis incluirán	incluiría incluirías incluiría incluiríamos incluiríais incluirían	incluya incluyas incluya incluyamos incluyáis incluyan	incluyera incluyeras incluyera incluyéramos incluyerais incluyeran	incluye (tú), no incluyas incluya (usted) incluyamos incluid (vosotros), no incluyáis incluyan (Uds.)
llegar (g, gu) llegando llegado	llego llegas llega llegamos llegáis llegan	llegaba llegabas llegaba llegábamos llegabais llegaban	llegué llegaste llegó llegamos llegasteis llegaron	llegaré llegarás llegará llegaremos llegaréis llegarán	llegaría llegarías llegaría llegaríamos llegaríais llegarían	llegue llegues llegue lleguemos lleguéis lleguen	llegara llegaras llegara llegáramos llegarais llegaran	llega (tú) no llegues llegue (usted) lleguemos llegad (vosotros) no lleguéis lleguen (Uds.)
pedir (i, i) pidiendo pedido	pido pides pide pedimos pedís piden	pedía pedías pedía pedíamos pedíais pedían	pedí pediste pidió pedimos pedisteis pidieron	pediré pedirás pedirá pediremos pediréis pedirán	pediría pedirías pediría pediríamos pediríais pedirían	pida pidas pida pidamos pidáis pidan	pidiera pidieras pidiera pidiéramos pidierais pidieran	pide (tú), no pidas pida (usted) pidamos pedid (vosotros), no pidáis pidan (Uds.)
pensar (ie) pensando pensado	pienso piensas piensa pensamos pensáis piensan	pensaba pensabas pensaba pensábamos pensabais pensaban	pensé pensaste pensó pensamos pensasteis pensaron	pensaré pensarás pensará pensaremos pensaréis pensarán	pensaría pensarías pensaría pensaríamos pensaríais pensarían	piense pienses piense pensemos penséis piensen	pensara pensaras pensara pensáramos pensarais pensaran	piensa (tú), no pienses piense (usted) pensemos pensad (vosotros), no penséis piensen (Uds.)
producir (zc) produciendo producido	produzco produces produce producimos producís producen	producía producías producía producíamos producíais producían	produje produjiste produjo produjimos produjisteis produjeron	produciré producirás producirá produciremos produciréis producirán	produciría producirías produciría produciríamos produciríais producirían	produzca produzcas produzca produzcamos produzcáis produzcan	produjera produjeras produjera produjéramos produjerais produjeran	produce (tú), no produzcas produzca (usted) produzcamos producid (vosotros), no produzcáis produzcan (Uds.)

STEM-CHANGING AND ORTHOGRAPHIC-CHANGING VERBS (CONTINUED)

Infinitive Present Participle Past Participle	Indicative						Subjunctive		Imperative
	Present	Imperfect	Preterit	Future	Conditional		Present	Imperfect	Commands
reír (i, i) riendo reído	río ríes ríe reímos reís ríen	reía reías reía reíamos reíais reían	reí reíste rio reímos reísteis rieron	reiré reirás reirá reiremos reiréis reirán	reiría reirías reiría reiríamos reiríais reirían		ría rías ría riamos riáis rían	riera rieras riera riéramos rierais rieran	ríe (tú), no rías ría (usted) riamos reíd (vosotros), no riáis rían (Uds.)
seguir (i, i) (ga) siguiendo seguido	sigo sigues sigue seguimos seguís siguen	seguía seguías seguía seguíamos seguíais seguían	seguí seguiste siguió seguimos seguisteis siguieron	seguiré seguirás seguirá seguiremos seguiréis seguirán	seguiría seguirías seguiría seguiríamos seguiríais seguirían		siga sigas siga sigamos sigáis sigan	siguiera siguieras siguiera siguiéramos siguierais siguieran	sigue (tú), no sigas siga (usted) sigamos seguid (vosotros), no sigáis sigan (Uds.)
sentir (ie, i) sintiendo sentido	siento sientes siente sentimos sentís sienten	sentía sentías sentía sentíamos sentíais sentían	sentí sentiste sintió sentimos sentisteis sintieron	sentiré sentirás sentirá sentiremos sentiréis sentirán	sentiría sentirías sentiría sentiríamos sentiríais sentirían		sienta sientas sienta sintamos sintáis sientan	sintiera sintieras sintiera sintiéramos sintierais sintieran	siente (tú), no sientas sienta (usted) sintamos sentid (vosotros), no sintáis sientan (Uds.)
volver (ue) volviendo vuelto	vuelvo vuelves vuelve volvemos volvéis vuelven	volvía volvías volvía volvíamos volvíais volvían	volví volviste volvió volvimos volvisteis volvieron	volveré volverás volverá volveremos volveréis volverán	volvería volverías volvería volveríamos volveríais volverían		vuelva vuelvas vuelva volvamos volváis vuelvan	volviera volvieras volviera volviéramos volvierais volvieran	vuelve (tú), no vuelvas vuelva (usted) volvamos volved (vosotros), no volváis vuelvan (Uds.)

SPANISH TO ENGLISH VOCABULARY

A

abajo *below* (5)
abandonar *to abandon* (11)
abarcar *to include* (11)
abeja *bee* (12)
abierto/a *open-minded* (20)
abobado/a *amazed; spellbound* (17)
abogado/a *lawyer* (2)
abolición *abolition* (10)
abordar *to tackle, to approach* (11)
abrazar *to embrace* (20)
abrebotellas *bottle opener* (8)
abrelatas *can opener* (8)
abrigo *coat* (4)
abril *April* (3)
abrir *to open* (7)
absurdo *absurd* (14)
abuelo/a *grandfather/grandmother* (2)
abuelos *grandparents* (2)
abundancia *abundance* (17)
aburrido/a *boring* (1) (7)
aburrirse *to get bored* (9)
abusar *to abuse* (20)
abuso *abuse* (20)
acá *here* (12)
acabar de *to have just* (7)
acampar *to go camping* (7)
a causa de que *due to* (20)
acceder *to access* (3)
accidente *accident* (10)
acción *action* (11)
aceite *oil* (8)
acelga *Swiss chard* (8)
acercamiento *approach* (3)
aclamar *to acclaim; applaud* (17)
aclarar *to clarify* (17)
acogedor/a *welcoming; friendly; warm* (9)
acomodarse *to make onself comfortable* (17)
acompañante *companion* (7)
aconsejable *advisable* (20)
acontecimiento *event* (10)
a continuación *next* (8)
acordarse (ue) de *to remember* (13)
acostarse (ue) *to go to bed* (5)
acostumbrarse *to become accustomed* (17)
actividad *activity* (5)
actor *actor* (2)
actriz *actress* (2)
actuación *acting; performance* (15)
actualmente *currently* (2)
actuar *to perform; act* (14)
acuario *aquarium* (15)
acudir (a) *to attend; turn up* (15)
acuerdo *agreement* (10)
acumulación *accumulation* (20)
acumular *to accumulate* (16)
adecuado/a *appropriate* (4)

adelanto científico *scientific advance* (19)
adelgazamiento *thinning* (16)
adelgazar *to lose weight* (5)
ademán *gesture* (17)
además *besides; moreover* (4)
a diario *daily activity* (8)
adicción *addiction* (5)
adicto/a *addicted* (12)
a diferencia de *in contrast to* (7)
adivinar *to guess* (1)
adjetivo *adjective* (1)
admirar *to admire* (14)
adolescente *adolescent* (20)
adquirir (ie) *to acquire* (4)
advertencia *warning* (12)
advertir (ie) (de) *to notice; warn* (12)
aeropuerto *airport* (1)
a favor *in favor of* (19)
afectar *to affect* (11)
afición *interest* (2)
aficionado/a *fan* (5)
afirmar *affirm* (8)
afluencia *affluence* (20)
afortunado/a *fortunate* (14)
afuera *outside* (16)
agarrar *to get hold of; to take* (11)
agenda electrónica *electronic agenda* (16)
ágil *agile; flexible* (5)
agobiar *to oppress; to put down* (20)
agosto *August* (3)
agotarse *to run out; to be used up* (19)
agradable *agreeable* (5); *pleasant; nice* (2)
agradecer (zc) *to thank* (15)
agravar *to make worse* (19)
agrícola *agricultural* (9)
agricultura *agriculture* (18)
agropecuario/a *agricultural; farming* (18)
agua *water* (1)
aguacate *avocado* (8)
agua mineral *mineral water* (4)
aguantar a *to put up with* (20)
aguardiente *firewater; hard liquor* (5)
agudo/a *acute* (12)
agujero *hole* (19)
ahora *now* (11)
ahorrar *to save* (4)
ahorro *savings* (16)
aire *air* (9)
aire acondicionado *air conditioning* (3)
aislado/a *isolated* (3)
ajeno/a *distant; alien* (7)
ajo *garlic* (8)
ajustar *to adjust to* (15)
alabar *to praise* (20)
a la derecha *to the right* (6)
a la izquierda *to the left* (6)
alameda *tree-lined avenue* (10)
albañil *builder* (6)

albergar *to house* (9)
albergue *lodging* (3)
alcalde/sa *mayor* (9)
alcaldía *city hall* (3)
alcance *reach; scope* (16)
alcanzar *to be enough; reach* (7)
al contrario *on the contrary* (14)
alegre *happy* (2)
alegría *happiness* (14)
alemán *German* (13)
Alemania *Germany* (18)
alergia *allergy* (12)
alérgico/a *allergic* (12)
alfabetización *literacy* (16)
al final *finally* (8)
algo *something* (11)
algodón *cotton* (16)
alguien *someone* (17)
alguno/a *some* (10)
alianza *alliance* (11)
alimentación *food* (18)
alimentar *to feed* (5)
alimentarse *to feed (oneself)* (11)
alimento *food* (8)
alistar *to get ready* (17)
allá *there* (4)
allí *there* (2)
alma *soul* (1)
almacén *warehouse; storage room; store* (18)
almacenar *to warehouse; to store* (18)
al menos *at least* (5)
almíbar *syrup* (8)
almirante *admiral* (10)
al mismo tiempo *at the same time* (15)
aló *hello* (6)
alojamiento *lodging* (3)
alojarse (en) *to lodge* (3)
a lo mejor *maybe* (15)
alquilar *to rent* (3)
alquiler *rent* (6)
alrededor *around; about* (10)
alrededores *outskirts; surroundings* (9)
altibajos *ups and downs* (14)
alto/a *high* (1)
altura *height* (12)
amabilidad *friendliness* (18)
amable *nice; kind* (2)
amanecer (zc) *to dawn* (15)
amante *lover* (12)
amar *to love; to like a lot* (20)
amargura *bitterness* (14)
amarillo/a *yellow* (4)
ambicioso/a *ambitious* (11)
ambiental *environmental* (9)
ambiente *atmosphere* (8)
ambos *both* (13)
ambulante *traveling* (18)
ambulatorio *outpatient department* (9)

a mediados de *about the middle of* (11)
amenazar *to threaten* (19)
a menudo *often* (5)
amigo/a *friend* (2)
amistad *friendship* (10)
amor *love* (10)
ampliación *extension* (18)
amplio/a *ample* (6)
amueblado/a *furnished* (6)
amueblar *to furnish* (6)
anaranjado/a *orange* (4)
anécdota *anecdote* (11)
anexión *annexation* (10)
anfiteatro *amphitheater* (7)
anguloso/a *angular* (11)
angustia *anguish* (20)
angustiar *to distress* (14)
anillo *ring* (8)
animación *animation; liveliness* (15)
animado/a *lively* (15)
animar *to encourage* (12)
anímico/a *of the mind* (5)
aniquilar *to annihilate* (16)
anís *anise* (8)
anoche *last night* (10)
anochecer *sunset; nightfall* (15)
anotar *to note* (5)
ansiedad *anxiety* (5)
anteayer *day before yesterday* (7)
antena parabólica *satellite dish* (7)
anteojos *eyeglasses* (4)
antepasado *ancestor* (11)
anteponer *to place before; to prefer* (14)
antes (de) *before* (3)
antes de ayer *day before yesterday* (7)
antibalas *bulletproof* (14)
anticipar *to anticipate* (18)
anticuado/a *antiquated; out-of-date* (18);
    old-fashioned (20)
antigüedad *antique* (4)
antiguo/a *old* (3)
antipático/a *unpleasant; unfriendly* (2)
antirobo *anti-theft* (14)
antropólogo/a *anthropologist* (10)
anunciar *to announce* (10)
anuncio *ad* (3)
añadir *to add* (8)
añejo/a *old* (19)
año *year* (12)
apagar *to turn off* (16)
aparato *device* (16)
aparcamiento *parking lot* (9)
aparejar *to prepare; to equip* (18)
apariencia *appearance* (14)
apartamento *apartment* (3)
apellido *last name* (1)
aperitivo *appetizer* (8)
apertura *opening* (8)
apetecer *to feel like doing* (15)
a pie *by foot* (11)
apio *celery* (8)

aplicación *application* (16)
aplicar *to apply* (9)
apoderarse (de) *to take possession of* (11)
aporte *contribution* (9)
apoyar *to support* (11)
apoyo *support* (11)
apreciación *appreciation* (13)
apreciar *to notice; to appreciate* (7)
aprender *to learn* (1)
aprendiz/a *learner* (13)
aprendizaje *learning* (13)
a principios de *at the beginning of* (20)
aprobar *to approve* (14)
apropiado/a *adequate* (13)
a propósito *by the way* (17)
aprovechar *to benefit from* (13)
aprovecharse de *to take advantage of* (13)
aproximadamente *approximately* (2)
apuntar *to point; to write down* (18)
a punto *ready* (18)
a punto de *on the verge of* (18)
apurado/a *in a hurry* (5)
árabe *arabic* (13)
árbol *tree* (2)
archipiélago *archipelago* (11)
archivo *file* (16)
arder *to burn* (17)
argentino/a *Argentinian* (2)
argumento *plot* (15)
aritmética *arithmetic* (9)
arma *arm; weapon* (1)
armada *navy* (11)
armario *closet* (6)
arqueológico/a *archaeological* (8)
arquitecto *architect* (2)
arquitectura *architecture* (2)
arrancar *to start; to pull out* (17)
arrastrar *to sweep along* (19)
arreglar *to repair; to fix* (16)
arrepentirse (ie) *to regret* (15)
arrojar *to throw* (17)
arroyo *stream* (20)
arroz *rice* (8)
arte *art* (2)
artesanía *craft; artisan work* (4)
artes gráficas *graphic arts* (18)
artista *artist* (2)
asado *roast* (8)
asado/a *roasted* (8)
asamblea *assembly* (10)
asar *to roast* (8)
ascendencia *descent; extraction; ancestry* (2)
ascender *to ascend; to climb; to promote* (9)
ascenso *ascent* (5)
ascensor *elevator* (6)
asegurar *to assure* (12)
asentamiento *settlement* (6)
asequible *affordable* (12)
asesinar *to murder* (10)
asesinato *assassination; killing* (10)
asesor/a *advisor; consultant* (10)

asesoría *consulting service* (18)
asiento *seat* (14)
asilo *asylum* (17)
asimismo *likewise* (14)
así pues *therefore* (15)
así que *so* (3)
asistencia *assistance; care* (19)
asistente *assistant* (6)
asistir *to attend; to be present at* (2)
asma *asthma* (12)
asociar *to associate* (20)
asunto *affair* (19)
asunto de interés mundial *world affair* (19)
asustado/a *scared* (20)
asustar *to frighten* (17)
atacar *to attack* (11)
ataque *attack* (10)
ataque al corazón *heart attack* (12)
atentamente *attentively* (13)
aterrizar *to land* (7)
a tiempo completo *full-time* (6)
a tiempo parcial *part-time* (6)
atmósfera *atmosphere* (16)
átomo *atom* (20)
atracción *attraction* (8)
atractivo/a *attractive* (9)
atraer(se) *to attract* (4)
atravesar *to cross* (12)
a tráves de *across; through* (5)
atreverse *to dare* (19)
atropellar *to run down; to knock down;
    to assault* (20)
aula *classroom* (13)
aumentar *to increase* (10)
aumento *increase* (18)
aunque *although* (18)
ausencia *absence* (7)
austero/a *austere* (2)
autobús *bus* (3)
autóctono/a *indigenous; native* (11)
autoevaluación *self-assessment* (13)
automatizar *to automate* (16)
automóvil *car* (6)
autopista *highway* (6)
autor/a *author* (11)
autoridad *authority* (17)
autoritario/a *authoritarian* (14)
autorizar *to authorize* (19)
avalancha *avalanche* (8)
avance *advance* (14)
avanzar *to move forward; to make progress* (17)
avaricia *greed* (14)
avaro/a *miserly; avaricious* (14)
ave *bird* (6)
avellana *hazelnut* (8)
aventurero/a *adventurous* (11)
avergonzado/a *ashamed* (17)
averiarse *to break down* (16)
averiguar *to find out* (2)
aviario *aviary* (15)
avión *plane* (3)

avisar *to warn; to inform* (16)
avispa *wasp* (12)
ayer *yesterday* (7)
ayudar *to help* (6)
ayunas *before breakfast* (12)
ayuntamiento *city hall* (7)
azafato/a *flight attendant* (17)
azúcar *sugar* (5)
azucarar *to sweeten* (8)
azul *blue* (4)

B

bailar *to dance* (2)
baile *dance* (1)
bajar *to download* (16); *to go down; get out* (13)
bajo/a *low; below* (6)
ballena *whale* (17)
balneario *spa* (12)
baloncesto *basketball* (3)
banca *banking* (18)
banco *bank* (3)
banda sonora *soundtrack* (15)
bandeja *tray* (8)
bandera *flag* (11)
banquero/a *banker* (19)
baño *bathroom; toilet* (6)
barato/a *cheap* (4)
barco *boat; ship* (3)
barra *bar* (12)
barrera *barrier* (14)
barriga *stomach* (12)
barrio *neighborhood* (9)
barroco/a *Baroque* (14)
bastante *enough* (5); *quite a lot* (8)
basura *garbage* (9); *junk food* (5)
batalla *battle* (11)
batería *battery* (16)
batir *to beat* (8)
bautizar *to baptize* (11)
beber *to drink* (5)
bebida *drink* (5)
beca *scholarship* (11)
béisbol *baseball* (5)
belleza *beauty* (3)
bello/a *beautiful* (3)
beneficiar *to benefit* (18)
beneficioso/a *beneficial* (12)
berenjena *eggplant* (8)
besar *to kiss* (14)
biblioteca *library* (2)
bicicleta *bicycle* (3)
bien *well; good* (11)
bienes de consumo *consumer goods* (19)
bienestar *well-being* (2)
bien/mal situado/a *well/badly located* (9)
bigote *mustache* (8)
bilingüe *bilingual* (6)
biodiversidad *biodiversity* (12)
biografía *biography* (10)
biólogo/a *biologist* (16)

biométrico/a *biometric* (19)
bistec *steak* (8)
blanco/a *white* (4)
blando/a *soft* (8)
blanquecino/a *whitish* (17)
blusa *blouse* (4)
boca *mouth* (5)
boca abajo *face down* (7)
bodega *wine store* (4)
boleto *ticket* (3)
boleto de ida *one-way ticket* (7)
boleto de ida y vuelta *round-trip ticket* (7)
bolígrafo *pen* (12)
boliviano/a *Bolivian* (2)
bolsa *stock market* (20)
bolsillo *pocket* (10)
bolso *purse* (4)
bombero/a *fireman/woman* (6)
bombilla *lightbulb* (4)
bombo *drum* (4)
bombón *candy* (18)
bondad *goodness* (14)
bonito/a *beautiful; pretty* (1)
boquiabierto/a *astonished; speechless* (14)
bordado *embroidery* (20)
borrado *removal* (12)
borrar *to delete; to erase* (14)
bosque *forest* (3)
bota *boot* (4)
botar *to throw away* (19)
botella *bottle* (8)
botón *button* (16)
boxeo *boxing* (19)
brazo *arm* (5)
brecha *gap* (19)
breve *brief* (2)
brillar *to shine* (5)
británico/a *British* (10)
bronce *bronze* (5)
bronquitis *bronchitis* (12)
bruja *witch* (15)
bucear *to dive* (7)
buceo *diving* (3)
bueno *hello* (6)
bueno/a *good* (2); *tasty* (5)
buey *ox* (15)
bullicio *noise* (20)
buñuelo *fritter* (8)
buque *ship; boat* (18)
burla *joke* (5)
burocracia *bureaucracy* (10)
bus *bus* (3)
buscar *to look for; to search* (1)
buscar en el texto *to scan* (7)
búsqueda *search* (17)

C

caballo *horse* (4)
cabaña *cabin* (3)
caber *to fit; to hold* (13)

cabeza *head* (5)
cabo *end* (5)
cacique *chief* (11)
cada *each* (1)
cadena *chain* (3); *TV network* (15)
cadera *hip* (5)
caducidad *lapse* (12)
caer *to fall* (10)
caer bien/mal *to like/dislike someone* (20)
caer(se) *to fall down* (11)
café *coffee* (8)
cafetalero/a *coffee grower* (8)
cafetería *coffee shop* (9)
cafeto *coffee tree* (8)
caja *box* (8)
cajero/a *bank clerk; cashier* (4)
cajero automático *automated teller machine* (19)
calabaza *pumpkin* (4)
calcetín *sock* (4)
calendario *calendar* (14)
calentamiento global *global warming* (19)
calentar (ie) *to heat* (8)
calidad *quality* (4)
cálido/a *warm* (9)
caliente *warm; hot* (8)
calificación *rating; qualification; grade* (9)
callado/a *quiet; silent* (5)
callarse *to keep/remain quiet* (13)
calle *street* (3)
calmar *to calm* (5)
calor *heat* (9)
caluroso/a *hot (weather)* (9)
cama *bed* (6)
cámara de fotos *camera* (7)
cámara de video *video camera* (7)
cámara digital *digital camera* (16)
camarero/a *waiter/waitress* (2)
camarón *shrimp* (8)
cambiar *to change* (2)
cambio *change* (4)
cambio climático *climate change* (19)
camello *camel* (4)
caminar *to walk* (5)
caminata *hike* (7)
camino *road; journey* (20)
camión *truck* (11)
camisa *shirt* (4)
camiseta *t-shirt* (4)
campamento *camp* (3)
campaña *campaign* (12)
campeonato *championship* (5)
campo *countryside* (3); *field* (7)
Canadá *Canada* (18)
canal *TV channel* (15)
cancelación *cancellation* (7)
cancelar una reservación *to cancel* (7)
cáncer *cancer* (12)
cancha *court* (9)
canción *song* (14)
candidato/a *candidate* (6)
canela *cinnamon* (8)

cansado/a *tired* (5)
cansancio *tiredness* (12)
cansarse *to get tired* (12)
cantante *singer* (1)
cantidad *quantity* (2)
cañon *cannon* (11)
cañonazo *cannonshot* (11)
caos *chaos* (9)
capacidad *ability* (6)
capa de ozono *ozone layer* (14)
capaz *capable* (16)
capitán *captain* (5)
cara *face* (5)
cara a cara *face to face* (7)
carácter *character* (14)
característica *characteristic* (5)
caracterizar *to characterize* (15)
cargar *to charge* (16)
cargo *position; job* (6)
caribeño/a *Caribbean* (8)
cariñoso/a *tender a* (5)
carne *meat* (5)
caro/a *expensive* (4)
carrera *career* (10)
carretera *road; highway* (3)
carro *car* (4)
carta *letter* (4)
cartel *poster* (4)
cartelera *movie guide* (15)
cartera *wallet* (4)
cartero/a *postal carrier* (6)
cartón *cardboard* (16)
casa *house* (6)
casado/a *married* (2)
casarse *to get married* (10)
casarse con alguien *to marry someone* (10)
cascada *waterfall* (3)
casco *helmet* (5)
casco antiguo *historic district* (9)
casero/a *domestic; homemade* (8)
casi *almost* (1)
casona *big house* (9)
castellano *Spanish* (13)
castillo *castle* (11)
catalán *Catalan* (15)
catarata *waterfall* (3)
catástrofe *catastrophe* (6)
catastrófico/a *catastrophic* (5)
católico/a *Catholic* (19)
catorce *fourteen* (1)
caucho *rubber* (15)
caudaloso *large (river)* (3)
caudillo *leader; chief; strong man* (10)
causa *cause* (5)
causar *to cause* (6)
cautivar *captivate* (12)
cayo *key* (3)
caza *hunting* (19)
cazuela *to casserole; pot* (8)
cebolla *onion* (8)
cecina *beef jerky; dried beef* (8)

ceder la palabra *to give the floor* (13)
celebrar *to celebrate* (11)
celebrarse *to take place; occur* (15)
célebre *famous* (11)
celos *jealousy* (20)
celoso/a *jealous* (20)
cena *dinner* (2)
cenar *to dine* (6)
cenicero *ashtray* (8)
ceniza *ash* (20)
centenar *hundred* (8)
céntrico/a *central* (6)
centro *city center; downtown* (3)
centro comercial *shopping mall* (4)
ceramista *ceramicist* (2)
cerca de *near* (7)
cercano/a *nearby* (6)
cerdo *pork* (8)
cerebro *brain* (12)
cero *zero* (17)
cerrado/a *closed* (7); *narrow-minded* (20)
cerradura *lock* (16)
cerrajería *locksmith's shop* (18)
cerrajero/a *locksmith* (18)
cerrar *to close* (1)
cerro *mountain* (11)
certificado *certificate* (7)
certificado de nacimiento *birth certificate* (7)
cerveza *beer* (4)
cestería *basket making* (4)
champaña *champagne* (19)
champiñón *mushroom* (8)
chapado/a *plated* (6)
chaqueta *jacket* (4)
charlar *to chat* (14)
chequeo médico *medical checkup* (5)
chicle *gum* (12)
chileno/a *Chilean* (2)
chino/a *Chinese* (13)
chistoso/a *funny* (11)
chocar *to clash* (20)
chofer *chauffer* (17)
cicatriz *scar* (12)
ciclo *cycle* (19)
cien *one hundred* (2)
ciencia *science* (14)
ciencia ficción *science fiction* (15)
científico/a *scientist* (2)
cientos *hundreds* (4)
cierre *zipper* (16)
ciertamente *certainly* (14)
cierto/a *certain* (5); *true* (13)
cifra *figure* (18); *sign* (12)
cigarrera *cigar/cigarette case; cigar/cigarette maker or vendor* (4)
cigarrillo *cigarette* (12)
cigarro *cigar* (8)
cima *summit* (3)
cinco *five* (1)
cincuenta *fifty* (2)
cine *cinema; movies; movie theater* (1)

cineasta *film enthusiast; film critic* (16)
cintura *waist* (5)
cinturón *belt* (4)
circulación sanguínea *circulation of blood* (5)
circundante *surrounding* (3)
circunstancia *circumstance* (11)
cirugía *surgery* (12)
cirujano/a *surgeon* (12)
cita *appointment; date* (15)
citar *to cite* (18)
ciudad *city* (1)
ciudadanía *citizenship* (10)
ciudad universitaria *college campus* (9)
claro *of course; sure* (7)
claro que no *of course not* (7)
clase *class* (10)
clase social *social class* (19)
clásico/a *classic* (4)
clasificar *to classify* (11)
clave *key* (5)
clima *climate; weather* (6)
climático/a *climatic* (19)
coartada *alibi* (17)
cobarde *cowardly* (11)
cobardía *cowardliness* (14)
cobre *copper* (16)
coca *coca plant* (17)
cocalero *coca grower* (17)
coche *car* (4)
cocido *stew* (8)
cocina *cooking* (8); *kitchen* (6)
cocinar *to cook* (2)
cocinero/a *chef; cook* (2)
coco *coconut* (8)
cóctel *cocktail* (8)
codiciar *to covet* (19)
cocido/a *cooked* (12)
código *code* (1)
código genético (ADN) *genetic code (DNA)* (16)
codo *elbow* (5)
coherencia *coherence* (14)
colaborar *to collaborate* (10)
colar (ue) *to strain* (8)
colección *collection* (7)
coleccionar *to collect* (2)
colección de arte *art collection* (15)
colega *colleague* (11)
colesterol *cholesterol* (12)
colgar (ue) *to hang* (16)
colibrí *hummingbird* (3)
coliflor *cauliflower* (8)
colina *hill* (11)
collar *necklace* (4)
colocar *to place* (4)
colombiano/a *Colombian* (2)
colonia *colony* (11)
colonización *colonization; settlement* (10)
colonizador/a *colonist* (11)
colono *settler* (11)
colorido/a *colorful* (9)

columna *column* (5)
coma *comma* (13)
comandante *commander* (11)
comedor *dining room* (3)
comentar *to comment* (6)
comenzar (ie) *to begin; start* (5)
comer *to eat* (2)
comercial *business-related* (18)
comercializar *to commercialize* (16)
comerciante *merchant* (20)
comerciar *to trade; to do business* (18)
comercio *commerce; trade* (18)
comercio justo *fair trade* (19)
cometer errores *to make mistakes* (13)
comida *food* (1)
comilla *quotation mark* (13)
comisaría *police station* (17)
comodidad *comfort* (9); *convenience* (17)
cómodo/a *comfortable* (3)
como era de esperar *as expected* (17)
cómo no *of course* (3)
como por ejemplo *for example; such as* (16)
compañero/a de clase *classmate* (1)
compañía *company; firm* (6)
comparación *comparison* (9)
compartir *to share* (1)
competir *to compete* (18)
complejo/a *complex* (7)
complemento *object* (8)
complicado/a *complicated* (5)
cómplice *accomplice* (17)
componer *to compose; to fix* (5)
compositor *composer* (15)
comprar *to buy* (4)
compraventa *buying and selling* (10)
comprender *to understand* (7)
comprensivo/a *understanding* (20)
comprobar *to check; confirm* (18)
comprometerse *to get engaged* (10)
compromiso *commitment* (5)
compuerta *floodgate; sluice* (18)
computación *computing* (4)
computador/a *computer* (16)
computadora de bolsillo *palmtop computer* (16)
computadora portátil *laptop* (4)
comsumidor *consumer* (18)
comunicar *to inform; contact* (11)
comunidad *community* (6)
concebir *to conceive* (17)
concertar una cita *to make an appointment* (15)
conciencia *awareness* (6)
concierto *concert* (15)
concluir *to conclude* (6)
concurso *contest* (15)
condenar *to condemn* (10)
conducir *to lead; to drive* (7)
conductor *leader; driver* (10)
conectarse *to get along with* (20)
conexión *connection* (4)

confiable *dependable* (18)
confianza *confidence* (20)
confiar *to trust* (14)
congelado/a *frozen* (18)
congelarse *to freeze* (20)
congresista *member of Congress* (11)
conmemorar *to commemorate* (20)
conmemorativo/a *commemorative* (18)
conmigo *with me* (9)
conmovedor/a *moving* (15)
conocer (zc) *to know; to be familiar with* (1)
conocido/a *known* (10)
conocimiento *knowledge* (13)
conquista *conquest* (10)
conquistador *conqueror* (10)
consciente *conscious* (5)
consecuencia *consequence* (19)
conseguir (i) *to achieve* (10); *to obtain* (5)
consejero/a *counselor* (5)
consejo *advice* (5)
conservación *conservation* (8)
conservador/a *conservative* (10)
conservante *preservative* (12)
conservar *to conserve* (2)
considerar *to consider* (8)
constatar *to verify* (17)
constituir *to make up* (2)
construir (irreg.) *to build* (6)
consulta *(doctor's) office* (12)
consultorio *office* (18)
consumidor/a *consumer* (8)
consumo *consumption* (5)
contaminación *pollution* (9)
contaminar *to pollute* (9)
contar (ue) *to tell (a story)* (3)
contar (ue) con *to count on* (6)
contenedor *container* (18)
contenido *contents* (6)
contigo *with you* (9)
continuar *to continue* (11)
contra *against* (5)
contradecir (irreg.) *to contradict* (19)
contradicción *contradiction* (19)
contratar *to hire* (6)
contrato *contract* (6)
contribuir *to contribute* (2)
convaleciente *convalescent* (20)
convencer *to convince* (6)
conveniente *convenient* (5)
conversación *conversation* (2)
conversar *to converse* (8)
convertir *to convert* (15)
convertirse en *to become* (10)
convincente *convincing* (11)
convivir con *to live with* (19)
copa *drink* (15); *wine glass* (8)
copia *copy* (6)
copo *snowflake* (17)
corazón *heart* (3)
corbata *tie* (4)
cordero *lamb* (8)

cordillera *mountain range; the Andes* (3)
coreano *Korean* (13)
corregir *to correct* (10)
corregirse *to correct oneself* (13)
correr *to run* (2)
corridas de toros *running of the bulls* (19)
cortapuro *cigar cutter* (8)
cortar *to cut* (8)
cortarse el pelo *to cut one's hair* (18)
cortesía *courtesy* (6)
corto/a *short* (7)
cortometraje *short film* (15)
cosa *thing* (1)
cosecha *harvest* (6)
coser *to sew* (13)
cosméticos *cosmetics* (18)
costa *coast* (10)
costado *side* (9)
costar (ue) *to cost* (4); *to find hard to* (13)
costarricense *Costa Rican* (2)
costilla *rib* (8)
costoso/a *costly* (4)
costumbre *custom* (10); *habit* (5)
cotidianidad *daily activity* (2)
cotidiano/a *everyday* (11)
cotizar *to quote* (5)
crear *to create* (6)
creatividad *creativity* (14)
crecer (zc) *to grow* (1); *to grow up* (10)
crecimiento *growth* (9)
creer *to believe* (6)
crema *cream* (12)
criatura *creature* (20)
crisol *melting pot* (4)
crispar *to tense with pain* (20)
cristal *glass* (16)
crítica *review* (2)
criticar *to critique* (9)
cronológico/a *chronological* (10)
crucero *cruise* (3)
crudo/a *raw* (8)
cruzar *to cross* (12)
cuaderno *notebook* (17)
cuadra *block* (9)
cuadrado/a *square* (16)
cuadro *painting* (5); *table* (11)
cuál *which* (4)
cualquier *any* (1)
cuándo *when* (4)
cuánto(s) *how many; how much* (2)
cuarenta *forty* (2)
cuarto *bedroom; room* (6); *fourth* (6); *quarter* (7)
cuatro *four* (1)
cuatrocientos/as *four hundred* (4)
cubano/a *Cuban* (2)
cubrir *to cover* (5)
cuchara *spoon* (10)
cucharada *tablespoon* (12)
cuchillo *knife* (4)
cuello *neck* (5)

cuenta *check; bill* (8)
cuento *short story; tale* (7)
cuento de hada *fairy tale* (17)
cuero *leather* (4)
cuerpo *body* (5)
cuestionario *questionnaire* (6)
cueva *cave* (11)
cuidado *care* (12)
cuidar *to care for* (12)
cuidarse *to take care of oneself* (12)
culinario/a *culinary* (17)
cultivar *to grow* (8)
cultivo *growing* (5)
cultura *culture* (1)
cumbre *summit* (11)
cumpleaños *birthday* (4)
cuna *crib; birthplace* (7)
cuota *membership fees* (19)
cupo *course* (20)
cupón *coupon* (4)
cúpula *dome* (4)
currículo *résumé; CV* (6)
curso *course* (1)

D

dado/a/os/as *given* (20)
dado que *given that* (20)
danza *dance (classic or traditional)* (2)
danzar *to dance* (17)
daño *damage; harm* (12)
dar *to give* (1)
dar lástima *to feel sorry for someone/
  something* (20)
dar miedo *to scare; to frighten* (13)
dar risa *to make laugh* (14)
darse cuenta de *to realize* (10)
dar una excusa *to make an excuse* (15)
dar una vuelta *to go for a walk* (17)
dar un paseo *to take a walk* (5)
dar vergüenza *to embarrass* (13)
datar *to date* (11)
datar de *to date back to* (11)
dátil *date (fruit)* (8)
dato *date; piece of information* (10)
de acuerdo *okay* (13)
debajo de *under* (3)
debatir *to debate* (19)
deberse *to be owing to* (6)
debido a *due to* (3); *owing to* (6)
década *decade* (5)
decanato *dean* (9)
decena *ten* (17)
decepcionado/a *disappointed* (20)
decidir *to decide* (6)
décima *tenth* (2)
decir (irreg.) *to say* (1)
declaración *statement* (17)
declarar *to declare* (10)
de cualquier forma *in any case / event* (19)
de día *during the day* (7)

dedicarse *to dedicate oneself* (2)
de dónde *from where* (4)
defecto *fault; defect* (14)
defensor/a *defender* (11)
definitivamente *definitively* (14)
deforestación *deforestation* (19)
deformar *to deform* (5)
de golpe *suddenly* (15)
degustación *tasting* (8)
degustar *to taste* (8)
deificar *to deify* (10)
dejar *to leave* (6); *to permit* (8)
dejar de *to stop doing something* (12)
de la madrugada *in the early
  morning* (7)
de la mañana *in the morning* (7)
de la noche *in the evening* (7)
delantal *apron* (17)
delante de *in front of* (17)
de la tarde *in the afternoon* (7)
deletrear *to spell* (1)
delfín *dolphin* (7)
delfinario *dolphinarium* (15)
delgado/a *slender; thin* (2)
delicioso/a *delicious* (8)
delincuencia *crime* (9)
demanda *demand* (18)
demasiado/a *too much; too many* (5)
demencia *dementia* (20)
de modo similar *similarly* (14)
demostrar (ue) *to demonstrate* (8)
de ninguna manera *no way* (3)
de niño/a *as a child* (14)
de noche *at night* (7)
dentista *dentist* (7)
dentro de *inside* (8)
de nuevo *again* (17)
denunciar *to denounce* (10)
de parte de *on the part of* (6)
depender *to depend* (13)
dependiente/a *store clerk* (8)
deporte *sport* (1)
deportes acuáticos *water sports* (3)
deportista *sportsman/sportswoman* (2)
deportivo/a *sporty; casual* (3)
depresión *depression* (5)
deprimido/a *depressed* (5)
deprimir *to depress* (14)
deprimirse *to become depressed* (11)
de pronto *suddenly* (17)
derecha *right* (6)
derecho *law* (10)
derechos civiles *civil rights* (10)
de repente *suddenly* (11)
derivar *to derive* (11)
derramar *to spill* (20)
derrotar *to destroy* (10)
desacuerdo *disagreement* (3)
desafiar *challenge* (19)
desafortunadamente *unfortunately* (19)

desafortunado/a *unfortunate; less
  fortunate* (19)
desanimarse *to get discouraged* (13)
desaparecer *to disappear* (10)
desaparición *disappearance* (17)
desaprobación *disapproval* (13)
desaprobar *to disapprove* (14)
desarrollado/a *developed* (19)
desarrollar *to develop* (10) (18)
desarrollar(se) *to develop* (13)
desarrollo *development* (17)
desastre *disaster* (11)
desayunar *to have breakfast* (5)
desayuno *breakfast* (5)
descansar *to rest* (3)
descanso *rest* (5)
descarga *discharge; shock* (16)
descartar *to discard* (19)
descender *to descend* (14)
descendiente *descendent* (11)
descenso de rápidos *rafting* (12)
descifrar *to decode* (16)
descomposición *decomposition* (16)
desconcertante *disconcerting; upsetting* (20)
desconectar *disconnect* (16)
desconfiado/a *distrustful; suspicious (of)* (19)
desconocido/a *stranger* (13); *unknown* (10)
desconocimiento *ignorance* (12)
descontento/a *discontent* (20)
describir *to describe* (7)
descubrimiento *discovery* (9)
descubrir *to discover* (7)
descuento *discount* (4)
desde *until* (5)
desde cuándo *since when* (4)
desde luego *of course* (7)
desde luego que no *of course not* (7)
desear *to desire* (11)
desechar *to discard; to reject* (16)
desecho *waste* (20)
desembarcar *to disembark* (11)
desempeño *fulfillment; performance* (12)
desempleado/a *unemployed* (19)
desempleo *unemployment* (9) (19)
desenchufar *to unplug* (16)
desenfrenado/a *unbridled* (19)
deseo *wish* (9)
desfile *parade* (17)
deshacer *to unpack* (7)
deshonesto/a *dishonest* (18)
desierta *desert* (14)
desigualdad *inequality* (19)
desintegrar *to disintegrate* (10)
desmayarse *to faint* (12)
desnivel *unevenness* (3)
desodorante *deodorant* (4)
desolar *to ruin* (11)
desorden *mess* (14)
desordenado/a *disorderly; untidy* (14)
desorganizado/a *disorganized* (20)
despacho *office* (6)

despacio *slow* (1)
despedir (i) *to fire* (6)
despedirse (i) de *to say goodbye to* (7)
despegar *to take off* (7)
despertador *alarm clock* (17)
despertarse (ie) *to wake up* (5)
despierto/a *awake* (17)
despistado/a *absent-minded* (14)
desplazamiento *displacement* (10)
desprestigiarse *to lose* (7)
después (de) *next; after; afterwards* (8)
destacar *to stand out; emphasize* (5)
destinar *to assign* (9)
destino *destination* (3); *destiny* (10)
destituir *to dismiss; remove* (10)
destreza *skill* (6)
destrucción *destruction* (19)
destruir *to destroy* (6)
desvencijado/a *rickety; falling apart* (20)
desventaja *disadvantage* (18)
detallado/a *detailed* (4)
detección *detection* (16)
detención *arrest; detention* (17)
detener *to stop; to detain* (11)
detener(se) *to halt* (11)
deteriorar *deteriorate* (12)
determinar *to determine* (20)
de todas maneras *in any case / event* (19)
de todos modos *in any case / event* (19)
detrás de *behind* (12)
devastador/a *devastating* (20)
devastar *to devastate* (11)
de verdad *really* (11)
de vez en cuando *once in a while* (5)
devolver (ue) *to return* (6)
diagnosticar *to diagnose* (19)
dialogante *open; open-minded* (20)
diarrea *diarrhea* (12)
dibujante *draftsman* (2)
dibujar *to draw* (2)
dibujo *drawing* (2)
diciembre *December* (3)
dictador *dictator* (11)
dictadura *dictatorship* (10)
diecinueve *nineteen* (1)
dieciocho *eighteen* (1)
dieciséis *sixteen* (1)
diecisiete *seventeen* (1)
diente *tooth* (18)
dieta *diet* (8)
diez *ten* (1)
difícil *difficult* (1)
dificultad *difficulty* (8)
difundir *to spread* (8)
diga *hello* (6)
digitalización *digitalization* (19)
digitalizado/a *digitalized* (16)
digitalizar *to digitize* (16)
digno/a *honorable; decent* (6)
diligencia *diligence* (11)
dimitir *to resign* (10)

dinámico/a *dynamic* (6)
dinastía *dynasty* (11)
dinero *money* (3)
dirección *address* (7)
dirigir *to direct* (10)
disco compacto *compact disc* (16)
discriminación *discrimination* (19)
disculparse *to apologize* (18)
disculpe *excuse me* (8)
discurso *speech* (10)
discutible *debatable* (14)
discutir *argue* (5)
diseñador/a *designer* (7)
diseñar *to design* (6) (14)
disfrazarse (de) *to disguise oneself (as)* (17)
disfrutar *to enjoy* (3)
disminución *reduction* (10)
dispensar *to excuse; to pardon; to grant* (20)
disponer de algo *to have something* (9)
disponible *available* (6)
dispositivo *device; mechanism* (16)
dispuesto *disposed; available; ready* (6)
distribución *distribution* (2)
distribuir *to distribute* (10)
distrito *district* (15)
diurno/a *daily* (9)
diversión *enjoyment* (8); *fun* (1)
divertido/a *fun* (1); *funny* (14)
divertirse (ie) *to enjoy oneself* (3);
    to have fun (15)
divorciado/a *divorced* (2)
divorciarse *to divorce* (10)
doblar *to bend* (5)
doce *twelve* (1)
docena *dozen* (8)
dócil *docile* (20)
documental *documentary* (15)
dólar *dollar* (16)
doler (ue) *to hurt* (11)
dolor *pain* (12)
dolor de barriga *stomachache* (12)
dolor de cabeza *headache* (12)
dolor de espalda *backache* (12)
dolor de estómago *stomachache* (12)
dolor de muelas *toothache* (12)
dolor de oídos *earache* (12)
domicilio *domicile; legal residence* (18)
dominar *to dominate* (11)
domingo *Sunday* (5)
dominicano/a *Dominican* (2)
dominio *mastery* (6)
donación *donation* (6)
dónde *where* (4)
dormir (ue) *to sleep* (2)
dormirse (ue) *to fall asleep* (5)
dormitorio *bedroom* (6)
dos *two* (1)
doscientos/as *two hundred* (4)
droga *drug* (12)
drogadicciones *drug addictions* (12)
ducharse *to shower* (5)

dudar *to doubt* (11)
dueño/a *owner* (8)
dulce *sweet; candy* (5)
dulzura *sweetness* (14)
duplicación *duplication* (16)
duración *duration* (7)
duradero/a *long-lasting* (16)
durante *during* (7)
durar *to last* (7)
dureza *hardness; harshness* (8)
duro/a *hard* (8)
DVD (reproductor de) *DVD player* (16)

E

echar una mano *to help; to lend a hand* (17)
echar un vistazo a *to take a quick look* (15)
ecología *ecology* (9)
ecologista *ecologist* (19)
economía *economy* (18)
económico/a *inexpensive* (16)
ecosistema *ecosystem* (12)
ecuatoriano/a *Ecuadorian* (2)
edad *age* (2)
edificación *edification* (3)
edificio *building* (3)
editar *to publish* (16)
editorial *publishing company* (18)
educado/a *well-mannered; well-educated* (14)
efectivamente *really; exactly* (13)
efectivo/a *effective* (5)
efecto *effect* (6)
eficiencia *efficiency* (18)
egipcio/a *Egyptian* (14)
egoísmo *egoism* (14)
egoísta *selfish* (2)
ejercer *to exert* (20)
ejercicio *exercise* (5)
ejército *military* (10)
elaborar *to elaborate* (8)
elección *choice* (9)
elecciones *elections* (10)
electricidad *electricity* (16)
electricista *electrician* (18)
eléctrico/a *electric* (16)
electrodomésticos *electronic appliances* (4)
elegante *elegant* (4)
elegir (i) *to choose* (1); *to elect* (3)
elevar *to elevate* (16)
eliminar *to eliminate* (8)
eludir *to elude* (20)
embajador/a *ambassador* (14)
embarazada *pregnant* (12)
embarcar *to embark; to board* (11)
embestido/a *ravage; havoc* (20)
embotellamiento *traffic jam* (9)
emigración *emigration* (14)
emigrante *emigrant* (7)
emigrar *to emigrate* (12)
emocionante *exciting; thrilling* (15)
emocionar *to excite; to touch* (14)

emotivo/a *emotional* (20)
empacar *to pack up* (18)
empezar (ie) *to begin; to start* (6)
emplazamiento *site; location* (17)
empleado/a *employee* (6)
emplear *to employ* (5)
empleo *job; employment* (6)
emplumado/a *fledged* (11)
empobrecer *impoverish* (20)
emprender *to undertake* (20)
empresa *business; company; firm* (6)
empresarial *business-related* (18)
empresario *manager; promoter* (15)
empujar *to push* (19)
en absoluto *absolutely not* (14)
enamorado/a *lover* (9)
enamoramiento *infatuation* (20)
enamorarse de *to fall in love with* (10)
encabezar *to head; to lead* (3)
encallar *to run aground* (20)
encantador/a *charming* (15)
encantar *to love; to like a lot* (3); *to please* (13)
encanto *charm* (9)
encargar *to order* (18)
encendedor *lighter* (8)
encender *to turn on* (16)
encerrar *to lock down; to lock up* (11)
enchufar *to plug in* (16)
enchufe *plug* (16)
encima *on top* (8)
en/como consecuencia *in/as a consequence* (20)
en conclusión *in conclusion* (6)
en contra *against* (19)
encontrar (ue) *to find out* (3)
encontrarse (ue) *to find oneself* (12)
en crecimiento *growing* (18)
en cualquier caso *in any case / event* (19)
en cuanto a *as for* (16); *with respect to* (13)
encuentro *meeting; conference* (15)
encuesta *survey* (3)
en efectivo *cash* (17)
en el extranjero *abroad* (1)
enemigo/a *enemy* (11)
enemistad *enmity* (20)
energía *energy* (16)
energía solar *solar energy* (16)
enero *January* (3)
enfadado/a *angry* (20)
énfasis *emphasis* (12)
enfermarse *to get sick* (12)
enfermedad *illness; sickness* (12)
enfermo/a *sick; ill* (4)
enfoque *focus* (14)
enfrentar *to confront* (5)
enfrente (de) *in front of* (17)
enfriar *to cool down* (8)
enfriarse *to get cold* (8)
enfundado/a *to sheathe; to wear* (17)
enfurecer *to infuriate* (20)
engordar *to gain weight* (5)

engreído/a *conceited; vain* (14)
enlace *link* (16)
enlatado *canned* (12)
enojado/a *angry; annoyed* (20)
enojarse *to get angry* (20)
enorme *huge; enormous* (15)
en otras palabras *in other words* (5)
en primer lugar *in the first place* (6)
en punto *on the dot; sharp* (7)
en resumen *in short* (6)
enriquecer *to enrich* (13)
enrolar *to enroll* (10)
ensalada *salad* (4)
ensamblar *to join; to assemble* (18)
ensayo *essay* (13)
enseguida *at once; right away* (17)
en segundo lugar *in the second place* (6)
enseñanza *teaching* (13)
en serio *seriously* (11)
ensueño *daydream; fantasy* (15)
en suma *to sum up* (19)
entender *to understand* (1)
entenderse con *to get along with* (20)
enterarse *to find out* (17)
en tercer lugar *in the third place* (6)
entonces *so* (20); *then* (11)
entorno *setting; environment; climate* (3)
en torno a *around* (20)
entrada *entry* (6); *ticket* (15)
entrar *to enter* (19)
entre *among* (3)
entrega *delivery* (18)
entregar *to hand over; to give; to deliver* (10)
entrenador/a *trainer* (17)
entrenamiento *training* (5)
entrenar *to train* (5)
entre tanto *meanwhile* (17)
entretenido/a *entertaining* (15)
entretenimiento *entertainment* (9)
entrevistar *to interview* (1)
en último lugar *last* (15)
envasar *to pack* (12)
envase *container* (8)
envenenamiento *poison* (12)
en vez de *instead of* (3)
enviar *to send* (4)
envidia *envy* (14)
envidioso/a *envious; jealous* (14)
en vista de *in the face of* (7)
en voz alta *out loud* (18)
epidemia *epidemic* (10)
época *epoch; era* (10)
equilibrio *balance* (5)
equinoccio *equinox* (20)
equipaje *luggage* (7)
equipo *team* (3)
equitativo/a *fair; just* (6)
equivocarse *to be wrong* (14)
erguido/a *erect* (5)
erradicación *eradication* (19)
error *mistake* (13)

escala *scale* (10)
escalada *climbing* (18)
escalera *staircase* (5)
escanear *to scan* (12)
escáner *scanner* (16)
escapar *to escape* (10)
escaso/a *rare* (19)
escena *scene* (17)
escénico/a *scenic* (15)
escepticismo *skepticism* (19)
escéptico/a *skeptical* (19)
esclavitud *slavery* (10)
esclavo *slave* (10)
esclusa *lock* (18)
esconder *to hide* (18)
escondido/a *hidden* (11)
escozor *stinging; burning sensation* (12)
escribir *to write* (1)
escrito/a *written* (13)
escritor/a *writer* (2)
escritorio *desk* (6)
escrúpulo *scruples* (11)
escuchar *to listen* (1)
escuela *school* (7)
escultor/a *sculptor* (5)
escultura *sculpture* (2)
es decir *in other words* (1)
esencia *essence* (19)
esencialmente *essentially* (13)
esfera *face (of a clock)* (7)
esfuerzo *effort* (12)
eslogan *slogan* (12)
es más *furthermore* (15)
espacial *spatial* (10)
espaguetis *spaghetti* (8)
espalda *back* (5)
español *Spanish* (11)
Española *Hispaniola* (10)
español/a *Spaniard/Spanish* (2)
especial *special* (7)
especializarse (en) *to specialize (in)* (14)
especialmente *especially* (18)
especie *species* (6)
especificar *to specify* (20)
específico/a *specific* (11)
espectáculo *show* (15)
espectáculos *shows* (9)
especulación *speculation* (19)
espejo *mirror* (6)
esperanza *hope; expectancy* (12)
esperanza de vida *life expectancy* (19)
esperar *to wait; to hope* (4)
espina *thorn* (18)
espinaca *spinach* (8)
espinoso *thorny; difficult; dangerous* (18)
esplendoroso/a *splendorous; magnificent* (14)
espontáneamente *spontaneously* (13)
esposo/a *husband/wife* (2)
esquema *outline* (13); *scheme* (11)
esquiar *to ski* (5)
esquimal *Eskimo* (17)

esquina *corner* (16)
estabilidad *stability* (5)
estable *stable* (12)
establecer *to establish* (6)
estación *season* (3); *station* (16)
estacionamiento *parking; parking lot* (6)
estacionar *to park* (17)
estadía *stay* (7)
estadio *stadium* (9)
estadista *statesman* (11)
estadístico/a *statistical* (12)
estado *state* (1)
estado civil *marital status* (2)
Estados Unidos *United States* (10)
estadounidense *U.S. citizen/from the U.S.* (2)
estallar *to break out* (10)
estampilla *stamp* (14)
estándar *standard* (14)
estante/estantería *shelf* (6)
estar *to be* (1)
estar a dieta *to be on a diet* (5)
estar a punto de *to be at the point of* (7)
estar de acuerdo *to agree* (3)
estar de buen/mal humor *to be in a good/bad mood* (20)
estar de rebajas *to be on sale* (4)
estar en contra *to be against* (14)
estar enfadado/disgustado (con) *to be mad (at)* (20)
estar en forma *to be fit; to be in shape* (5)
estar harto/a (de) *to be tired of; to fed up with* (17) (20)
estar resfriado/a *to have a cold* (12)
estar sentado *to be seated* (5)
estatal *state* (12)
este *east* (3)
estelar *stellar* (15)
estéreo *stereo* (6)
estereotípico/a *stereotypical* (14)
estereotipo *stereotype* (14)
estética *aesthetic* (15)
estilo *style* (2)
estimar *to estimate* (6)
estirar *to stretch; to extend* (5)
estrategia *strategy* (13)
estratégico/a *strategic* (11)
estrecho/a *narrow* (9)
estrella *star* (5)
estrés *stress* (5)
estresado/a *stress* (20)
estricto/a *strict* (7)
estropear *to damage; to break* (18)
estropearse *to get damaged; to break down* (16)
estructura *structure* (10)
estudiante *student* (2)
estudiantil *student* (18)
estudiar *to study* (1)
estudio *studio* (6)
estupidez *stupidity* (14)
etapa *stage* (6)

eterna *eternal* (12)
ético/a *ethical* (19)
etiqueta *label* (1)
etnia *ethnic group; race* (10)
étnico/a *ethnic* (11)
europeo/a *European* (2)
euskera *Basque* (15)
eutanasia *euthanasia* (19)
evaluar *to evaluate* (8)
evitar *to avoid* (12)
exactamente *exactly* (14)
exagerado/a *exaggerated* (5)
examinar *to examine* (4)
excelente *excellent* (8)
excesivamente *excessively* (12)
exceso *excess* (5)
excluyente *exclusive* (19)
excursión *field trip* (3)
excusarse *to excuse oneself* (15)
exhalar *to exhale* (5)
existir *to exist* (8)
éxito *success* (2)
exitoso/a *successful* (14)
exótico/a *exotic* (3)
expedición *expedition* (10)
expediente *expedient; means* (6)
experiencia *experience* (6)
experto *expert* (20)
explicación *explanation* (13)
explicar *to explain* (5)
exploración del espacio *space exploration* (19)
explorador/a *explorer* (10)
exponer *to expose* (5)
exportación *exportation* (18); *exports* (18)
exportar *to export* (7)
exposición *exhibition* (15); *exposition* (5)
expresar *to express* (18)
expresividad *expressivity* (15)
expulsar *to throw out; to expel* (11)
extenderse *to extend; stretch* (14)
exterminio *extermination* (10)
extraer *to extract* (11)
extranjero/a *foreigner* (2)
extraño/a *strange; odd* (10)
extraterrestre *extraterrestrial* (11)
extrovertido/a *extrovert* (14); *outgoing* (2)

F

fabricación *making; production* (8)
fabricar *to make* (8)
fabuloso/a *fabulous* (3)
facción *faction* (2)
fácil *easy* (1)
facilidad *ease* (17)
facilitar *to facilitate* (9)
facturar la(s) maleta(s) *to check luggage* (7)
facultad *school* (10)
falda *skirt* (4)
fallecer *to die* (10)
faltar *to lack* (9)

fama *fame* (6)
familiar *relative* (2)
farmacia *pharmacy* (3)
farmacología *pharmacology* (14)
fase *phase* (7)
fastidiar *to bother* (13)
fatalidad *fatality* (20)
febrero *February* (3)
fecha *date* (7)
felicidad *happiness* (14)
feliz *happy* (10)
fenómeno *phenomenon* (3)
feria *fair* (15)
ferrocarril *railroad* (18)
ferviente *fervent* (11)
festejar *to celebrate* (20)
festival *contest* (1)
fibra *fiber* (4)
ficha *card* (2)
fidelidad *fidelity; loyalty* (14)
fiebre *fever* (10)
fiel *faithful; loyal* (14)
fiesta *festivity; party* (1)
fijar *to fix* (13)
fijarse en *to notice* (7)
Filipinas *Philippines* (18)
filmar *to film* (16)
filosofía *philosophy* (14)
filósofo *philosopher* (19)
filtro *filter* (12)
finalmente *finally* (2)
financiar *to fund* (18)
financiero/a *financial* (18)
finanzas *finances* (19)
fin de semana *weekend* (4)
fingir *to pretend; imagine* (14)
finlandés *Finnish* (13)
fino/a *fine* (2)
firma *signature* (10)
firmar *to sign* (10)
firmeza *firmness* (5)
físico/a *physical* (5)
flauta *flute* (4)
flexión *push-up* (5)
flexionar *to bend* (5)
flor *flower* (18)
florecer *to flourish* (9)
florería *flower shop* (4)
floristería *florist's shop* (18)
flotar *to float* (5)
fluidez *fluency* (10)
flujo *flow* (20)
folleto *prospect; brochure* (7)
fomentar *to promote* (19)
fondo *back* (17); *fund* (6)
forastero/a *outsider* (13)
formación *training; education* (6)
forma de ser *the way someone is* (20)
formar parte (de) *to be part of* (11)
formato *format* (18)
fórmula *formula* (19)

formular *formulate* (14)
formulario *form* (17)
forrado/a *lined; bound* (4)
fortalecimiento *strengthening* (5)
fortaleza *fortress* (11)
fósforo *match* (16)
fotocopiadora *copy machine; photocopier* (16)
fotografía *picture* (1)
fotógrafo/a *photographer* (2)
frágil *fragile* (20)
francés *French* (13)
Francia *France* (12)
franela *flannel* (17)
frase *sentence* (4)
frase temática *topic sentence* (4)
frecuentemente *frequently* (12)
freír (i) *to fry* (8)
frenar *to brake* (12)
freno *brake* (16)
frente *forehead* (5)
fresa *strawberry* (8)
fresco/a *fresh* (4)
frijoles *beans* (8)
frío *cold* (9)
frito/a *fried* (8)
frontera *border* (13)
frustrarse *to get frustrated* (13)
fruta *fruit* (5)
frutero *fruit seller; fruit dish* (8)
fuego *fire* (8)
fuente *source* (8) (17)
fuera de *outside of* (6)
fuerte *strong* (5)
fuerza *strength* (20)
fugarse *to escape* (17)
fumador/a *smoker* (12)
fumar *to smoke* (5)
funcionar *to function; to work* (5)
funcionario/a *government official* (11)
fundado/a *founded* (7)
fundar *to found* (10)
fundirse *to blow* (16)
fútbol *soccer* (2)

G

gafas *glasses* (16)
galés/galesa *Welsh* (13)
gallego *Galician* (15)
gamba *shrimp* (8)
ganadería *livestock* (18)
ganador *winner* (4)
ganar *to earn* (6); *to win* (2)
garaje *garage* (17)
garantizar *to guarantee* (12)
gasolinera *gas station* (9)
gastar *to spend* (3)
gato *cat* (4)
gaviota *seagull* (12)
generación *generation* (10)
generar *to generate* (12)

género *genre* (14)
generosidad *generosity* (14)
generoso/a *generous* (14)
genial *extraordinary; great* (15)
genio *genius* (19)
gente *people* (1)
geografía *geography* (1)
gerente *manager* (6)
germen *germ* (5)
gestación *gestation* (20)
gestión *management* (10)
gesto *gesture* (13)
gigante *giant* (17)
gigantesco/a *gigantic* (7)
gimnasio *gym* (3)
girar *to turn* (16)
giro *turn* (20)
giro postal *money order* (7)
globalización *globalization* (19)
globo *globe* (20)
gobernador *governor* (10)
gobernar *to govern* (11)
gobierno *government* (11)
golfista *golf player* (5)
golpear *to hit* (17)
golpe de estado *coup d'état* (10)
gordo/a *fat* (5)
gorjear *to trill* (11)
gorra *cap* (3)
gorro *hat* (4)
grabado *etching* (11)
grabar *to record* (16)
gracias *thanks; thank you* (1)
gracioso/a *funny* (11)
grado *degree* (12)
gráfico *graphic* (12)
gramo *gram* (8)
Gran Bretaña *Great Britain* (10)
grande *big* (1)
granja *farm; country house* (18)
grano *bean* (17)
grasa *fat* (5)
gratis *free* (7)
gratuito *free* (12)
grave *severe; serious* (9)
gravedad *gravity* (11)
Grecia *Greece* (18)
griego *Greek* (13)
grifo *gas station (Perú)* (9)
gripe *flu* (5)
gris *gray* (4)
gritar *to shout* (20)
grito *yell* (20)
Groenlandia *Greenland* (10)
gruñón/a *grumpy* (3)
grupo *group* (1)
grupo sanguíneo *blood type* (12)
guantes *gloves* (4)
guapo/a *good-looking; handsome/pretty* (2)
guardacostas *coast guard* (14)
guardaespaldas *bodyguard* (17)

guardar *to keep* (16)
guardería *daycare; preschool* (9)
guardia de seguridad *security guard* (6)
guatemalteco/a *Guatemalan* (2)
gubernamental *government-related* (18)
guerra *war* (5)
guía *guide* (3)
guiar *to guide; to direct* (4)
guion *script* (15)
guionista *scriptwriter* (20)
guisantes *peas* (8)
guiso *stew* (8)
gustar *to like; to be pleasing to* (3)

H

haber *to have (in compound tenses)* (1)
habichuelas *green beans* (8)
habilidad *skill; cleverness* (17)
habitación *room* (3)
habitante *inhabitant* (1)
habitar *to inhabit; to dwell* (11)
hábito *habitación* (8)
hablador/a *talkative* (14)
hablante *speaker* (2)
hablar *to speak* (1)
hace calor *it is hot* (9)
hace frío *it is cold* (9)
hacer (irreg.) *to make; to do* (2)
hacer caso a *to pay attention to* (20)
hacer cola/fila *to wait in line* (7)
hacer de *to play the role of* (8)
hacer deporte *to play; to practice sports* (5)
hacer ejercicio *to exercise* (5)
hacer esquemas *to prepare outlines* (13)
hacer la(s) maleta(s) *to pack* (7)
hacer muecas *to make a face* (7)
hacer preguntas *to ask questions* (13)
hacerse (irreg.) *to become* (20)
hacerse daño *to hurt oneself* (12)
hacerse un lío *to get all mixed up* (13)
hacer una reservación *to make a reservation* (7)
hacer un regalo *to give a gift* (4)
hacer yoga *to do yoga* (5)
hace sol *it is sunny* (9)
hace viento *it is windy* (9)
hacia *toward* (7)
hacienda *estate; farm* (10)
hallar *to find* (20)
hambre *hunger* (12)
hamburguesa *hamburger* (20)
harina *flour* (8)
harto/a (de) *fed up (with)* (18)
hasta *until* (10)
hasta cuándo *until when* (4)
Hawai *Hawaii* (10)
hay *there is; there are* (1)
hebreo *Hebrew* (13)
hecho *fact* (10)
hectárea *hectare* (3)

heladería *ice cream shop* (4)
helado *ice cream* (4)
hemisferio *hemisphere* (18)
heredero/a *heir/heiress* (8)
herencia *heritage* (3)
hermano/a *brother/sister* (2)
hermosura *beauty* (14)
héroe *hero* (10)
heroína *heroine* (11)
herramienta *tool* (16)
hervir (ie) *to boil* (8)
híbrido/a *hybrid* (16)
hidratante *hydrating* (12)
hierbabuena *mint* (8)
higiénico *hygienic* (18)
hijo/a *son/daughter* (2)
hilar *to spin* (20)
hilo *thread* (16)
hincapié *emphasis; stress* (5)
hipocresía *hypocrisy* (14)
hipócrita *hypocritical* (14)
hipotecario/a *mortgage* (18)
hipótesis *hypothesis* (10)
hispano/a *Hispanic* (2)
hispanohablante *Spanish speaker* (14)
historia *history* (1)
hogar *home* (6)
hoja *leaf* (6)
hojear *to skim/glance through* (17)
hola *hello* (1)
holandés/a *Dutch* (10)
hondureño/a *Honduran* (2)
honestidad *honesty* (14)
honesto/a *honest; decent* (11)
hora *hour* (5)
horario *schedule* (5)
hormigón *concrete* (6)
hostelería *hotel management;*
  hotel business (18)
hotel *hotel* (3)
hoy en día *these days* (19)
huelga *strike* (20)
huella *trace; print* (2)
huevo *egg* (8)
huida *flight* (11)
huir *to escape; to run away* (11)
húmedo/a *humid* (3)
humo *smoke* (9)
huracán *hurricane* (6)

I

ida y vuelta *round trip* (3)
idealista *idealist* (20)
identificar *to identify* (6)
idioma *language* (1)
ídolo *idol* (15)
iglesia *church* (3)
ignorar *to be ignorant; to not know* (19)
igual *same; equal* (8)
igual... de *as . . . as* (9)

igualdad *equality* (19)
igual de *equally* (7)
ilegal *illegal* (20)
ilícito/a *illegal* (12)
ilustración *illustration* (20)
ilustrar *to illustrate* (16)
ilustre *illustrious* (11)
imagen *image* (3)
imaginar *to imagine* (19)
imbuido/a *imbued* (20)
imitar *to imitate* (13)
impaciencia *impatience* (14)
imperio *empire* (9)
impermeable *raincoat* (3)
implicado/a *person involved* (17)
importación *imports* (18)
importado/a *imported* (16)
importar *to matter* (12)
imposición *imposition* (19)
impresión *impression* (19)
impresionante *impressive* (15);
  outstanding (3)
impreso/a *printed* (18)
impresora *printer* (16)
imprevisto/a *unforeseen* (11)
imprimir *to impress* (17)
impuestos *taxes* (18)
inalámbrico/a *wireless* (16)
inauguración *inauguration* (18)
incapaz *incapable* (20)
incendio *fire* (16)
incierto/a *uncertain* (8)
inclinar *to lean* (5)
incluir *to include* (4)
incluso *even; including* (19)
incógnito/a *unknown* (11)
incómodo/a *uncomfortable* (3)
inconfundible *unmistakeable* (5)
inconsciente *unconscious* (12)
incorporar *to incorporate; to unite* (8)
increíble *incredible* (3)
incrementar *to increase* (18)
incumplir *to break* (19)
independencia *independence* (10)
independiente *independent* (11)
independizar *to become independent* (10)
indicar *to indicate* (9)
índice *index* (12)
indígena *indigenous person; native* (2)
indigestión *indigestion* (12)
indignar *to anger* (14)
indudablemente *certainly* (13)
industria *industry* (18)
inequívoco/a *unmistakeable* (14)
inesperado/a *unexpected* (20)
infancia *childhood* (10)
infección *infection* (12)
infidelidad *infidelity* (14)
infierno *hell* (17)
inflamación *swelling; inflammation* (12)
influyente *influential* (4)

información *information* (5)
informal *casual* (4)
informática *computer science; computers* (6)
informe *report* (1)
infraestructura *infrastructure* (18)
infranqueable *insurmountable;*
  unbridgeable (17)
ingeniería *engineering* (12)
ingeniería genética *genetic engineering* (19)
ingeniero/a *engineer* (20)
ingenio *ingenuity; inventiveness* (20)
inglés/inglesa *English* (11)
ingresos *income* (6)
inhalar *to inhale* (5)
iniciar *to start* (10)
injerto *graft* (12)
injusto *injustice* (17)
inmediatamente *immediately* (11)
inmersión *immersion* (13)
inmigración *immigration* (11)
inmigrante *immigrant* (4)
inmobiliario/a *real estate-related* (18)
innovador *innovator* (2)
innovador/a *innovative* (15)
innovar *to innovate* (18)
inolvidable *unforgettable* (3)
inscribirse *to enroll* (13); *to register* (7)
inscrito/a *registered* (7)
inseguridad *insecurity* (9)
inseguro/a *insecure* (14)
insolación *sunstroke* (12)
insomnio *sleeplessness; insomnia* (12)
insoportable *unbearable; intolerable* (20)
inspirar *to inspire* (6)
instalaciones *facilities* (3) (5)
instalar *to install* (9)
instalarse *to settle down* (9)
instantaneidad *instantaneity* (17)
instante *instant* (10)
instaurar *to establish* (10)
instrumento *instrument* (2)
inteligencia *intelligence* (14)
inteligente *intelligent* (2)
intemporal *timeless* (2)
intensidad *intensity* (17)
intentar *to try; intend* (14)
intercambio *exchange* (2)
interés *hobby* (1); *interest* (11)
interesante *interesting* (1)
interesar *to interest* (3)
internar *to intern* (20)
interpelar *to question* (19)
interpretación *performance* (14)
interrogar *to question* (17)
interrogatorio *questioning* (17)
interrumpir *to interrupt* (10)
intoxicación *food poisoning* (12)
introvertido/a *introverted; shy* (14)
inundar *to inundate* (18)
invadir *to invade* (10)
inventar *to invent; to make up* (10)

invernadero *greenhouse; glasshouse* (15)
inversión *investment* (18)
inversionista *investor* (18)
inversor/a *investor* (18)
invertir (ie) *to invest* (9)
investigación *research; investigation* (16)
investigador/a *researcher* (19)
investigar *to research; to investigate* (16)
invierno *winter* (3)
invitado/a *guest* (18)
invitar *to invite* (20)
involucrado/a *involved* (7)
involucrar *to involve* (13)
ir (irreg.) *to go* (2)
ir a *to be going to* (1)
ir de camping *to go camping* (7)
ir de compras *to go shopping* (4)
ir de copas *to go out for a drink* (15)
Irlanda *Ireland* (10)
ironía *irony* (15)
irse (irreg.) *to leave* (6)
irse del hotel *to check out* (7)
isla *island* (3)
isleño *islander* (10)
istmo *isthmus* (18)
Italia *Italy* (10)
itinerario *itinerary* (7)
izquierda *left* (6)

J

jabón *soap* (16)
jamás *never* (20)
jamón *ham* (8)
Japón *Japan* (10)
japonés *Japanese* (13)
jarabe *syrup* (12)
jarana *revelry; trick; jest* (20)
jardín *garden; yard* (3)
jaula de bateo *batting cage* (7)
jeroglífico *hieroglyphic* (14)
jonrón *home run* (7)
joven *youth* (6)
joya *jewel* (14)
joyería *jewelry* (4)
jubilar *to retire* (19)
judías verdes *green beans* (8)
judío/a *Jewish* (13)
juego *game* (7)
juego de video *video game* (18)
jueves *Thursday* (5)
jugador/a *player* (2)
jugar (ue) *to play* (2)
jugo *juice* (8)
juguete *toy* (4)
juguetería *toy store* (4)
julio *July* (3)
junio *June* (3)
junto/a *together* (6)
justicia social *social justice* (19)
justo/a *fair; just* (18)

juvenil *juvenile* (4)
juventud *youth* (10)

K

kilo *kilogram* (8)

L

laberinto *labyrinth* (17)
lado *side* (5)
ladrillo *brick* (6)
ladrón *thief* (17)
lago *lake* (3)
lamentar *to lament; to be sorry* (20)
lana *wool* (4)
lancha *motorboat* (11)
langosta *lobster* (12)
lapicera *pen* (16)
lápiz *pencil* (16)
largometraje *full-length film; feature film* (16)
lástima *shame; pity* (11)
lata *can* (8)
latino/a *Latino* (2)
latinoamericano/a *Latin American* (2)
lavadora *washing machine* (16)
lavandería *laundromat* (3)
lavar *to wash* (10)
lazo *bond* (4)
lección *lesson* (14)
leche *milk* (8)
lechuga *lettuce* (8)
lector *reader* (13)
lector de CD-Rom *CD-Rom reader* (16)
lectura *reading* (13)
leer *to read* (1)
leer por encima *to skim* (7)
legalización *legalization* (19)
legumbres *legumes* (8)
lejano/a *far* (18)
lejos de *far from* (7)
lengua *language* (13)
lengua extranjera *foreign language* (13)
lengua materna *mother tongue* (13)
lentamente *slowly* (12)
lentes de sol *sunglasses* (4)
lento/a *slow* (7)
leña *wood* (3)
león marino *sea lion* (15)
lesión *injury* (12)
lesionarse *to get hurt; to get injured* (12)
levantar *to lift* (5)
levantarse *to get up* (5)
ley *law* (3)
leyenda *legend* (11)
liberación *release* (5)
liberar *to free* (10)
libertad *freedom* (10)
libre *free* (8) (19)
librería *bookstore* (2)
libreta *notebook* (4)

libro *book* (2)
licencia de conducir *driver's license* (6)
licor *liquor* (4)
licorería *liquor store* (18)
líder *leader* (10)
lienzo *canvas* (5)
liga *league* (6)
ligado/a *linked* (5)
ligero/a *light* (12)
límite *limit* (7)
limón *lemon* (8)
limonada *lemonade* (12)
limpiar *to clean* (3)
limpio/a *clean* (9)
lindo/a *nice* (15); *pretty* (14)
línea *line* (10)
linterna *lantern; lamp* (3)
listo/a *clever; ready; witty* (5)
literario/a *literary* (20)
litro *liter* (5)
llamada *call* (18)
llamar *to call* (3)
llamarse *to be called* (1)
llanuras *plains* (1)
llave *key* (11)
llavero *key ring; key maker* (4)
llegada *arrival* (7)
llegar *to arrive* (1)
llegar a tiempo *to arrive on time* (7)
llegar con retraso *to be delayed* (7)
llegar tarde *to arrive late; to be late* (7)
lleno/a *booked* (7)
llevar *to carry* (6); *to live (a healthy life)* (12); *to wear* (4)
llevar a cabo *to carry out* (16)
llevarse bien/(mal) con *to (not) get along with* (14)
llorar *to cry* (15)
llover (ue) *to rain* (9)
lluvia *rain* (9)
lluvioso/a *rainy* (9)
lobo marino *seal* (20)
localización *location* (7)
localizar *to locate* (1)
loco/a *crazy* (20)
lógico/a *logic* (5)
logotipo *logo* (18)
lograr *to achieve* (6)
lomo *back* (15)
loro *parrot* (3)
lo siento *sorry* (7)
lucha *fight* (11)
luchar *to fight* (6)
lucro *profit* (6)
lúdico/a *playful* (15)
luego *next; then* (8)
lugar *place* (3)
lugareño *villager* (20)
lujoso/a *luxurious* (6)
lunes *Monday* (5)
luz *light* (16)

M

macarrones *macaroni* (8)
madera *wood* (6)
madre *mother* (2)
madrileño/a *resident of Madrid* (15)
madrugada *early morning* (7)
madrugar *to get up early* (3)
madurez *maturity* (14)
maestro/a *teacher* (2)
maíz *corn* (5)
majestuoso/a *majestic* (20)
maldad *wickedness* (14)
malecón *sea wall* (9)
maleducado/a *ill-mannered* (14)
maleta *suitcase* (7)
maletín *briefcase* (17)
malo/a *bad* (4)
malograrse *to break down* (16)
malvado/a *wicked* (11)
mamífero *mammal* (7)
manatí *manatee* (7)
mandar *to send* (6)
mando *command* (11)
manejar *to drive* (6)
manía *mania* (14)
manifestación *demonstration* (10)
manifestar *to show* (10)
mano *hand* (5)
mantel *tablecloth* (20)
mantener *to maintain* (9)
mantequilla *butter* (8)
manto *mantle; cloak* (17)
manualidad *craft* (13)
manzana *apple* (8)
mañana *tomorrow* (7)
maquillarse *to put on makeup* (14)
máquina *machine* (16)
mar *sea; ocean* (3)
maravilla *marvel* (17)
maravilloso/a *marvellous; wonderful* (3)
marcador *marker* (11)
marcar *to dial* (6)
marco *frame; mark* (4)
mareado/a *dizzy* (12)
marearse *to get dizzy* (12)
mareas negras *oil spill; large oil slick* (19)
mareo *dizziness* (12)
marfil *ivory* (17)
marginación *marginalization* (19)
marginado/a *marginalized* (19)
marido *husband* (20)
marihuana *marijuana* (19)
marino *sailor* (20)
marisco *seafood* (8)
marítimo/a *maritime; sea* (7)
mármol *marble* (5)
marrón *brown* (4)
martes *Tuesday* (5)
marzo *March* (3)
más... que *more . . . than* (9)

masaje *massage* (12)
masajista *masseuse* (18)
matar *to kill* (17)
mate *small pot* (4)
matemáticas *mathematics* (14)
máximo *maximum* (11)
mayo *May* (3)
mayordomo *butler* (17)
mayoría *majority* (3)
mayúscula *uppercase letter* (13)
medianoche *midnight* (4)
medicamento *medication* (12)
medicina *medicine* (12)
médico *doctor* (2)
medida *measure* (8)
medioambiental *environmental* (18)
medio ambiente *environment* (9)
mediocridad *mediocrity* (14)
mediodía *noon* (7)
medios de transporte *transportation* (3)
medir (i) *to measure* (12)
meditar *to meditate* (14)
mejillón *mussel* (8)
mejor *the best* (3); *better* (9)
mejorar *to improve; to make better* (5)
melocotón *peach* (8)
memoria *memory* (16)
memorizar *to memorize* (13)
mencionar *to mention* (5)
menos *less* (1)
mensaje *message* (6)
mensajería *courier service* (18)
mensajero/a *courier* (18)
mente *mind* (5)
mentir (ie) *to lie* (19)
mentiroso/a *lying; deceptive* (20)
menú *menu* (8)
mercadeo *marketing* (18)
mercado *market; grocery store* (7)
mercancía *goods; merchandise* (18)
mercardo laboral *labor market* (7)
merecer (zc) *to merit; to be worth* (15)
merendar (ie) *to have a snack* (8)
mes *month* (3)
mesa *table* (2)
mesero/a *waiter/waitress* (2)
meseta *plateau* (3)
mestizo/a *biracial; person of mixed race* (11)
meta *goal* (18)
metal *metal* (16)
método *method* (13)
metro *subway* (3)
metrópoli *metropolis* (15)
mexicano/a *Mexican* (2)
mezcla *mixture* (11)
mezclar *to mix* (5)
microondas *microwave* (16)
miedo *fear* (11)
miedoso/a *fearful; scary* (14)
miembro *member* (5)
mientras *while* (6)

mientras tanto *while* (11)
miércoles *Wednesday* (5)
migración *migration* (9)
migraña *migraine* (12)
mil *thousand* (4)
milenario *millenial* (9)
milenio *millenium* (19)
militar *military* (10)
milla *mile* (16)
millón *million* (4)
millonario/a *millionaire* (17)
minería *mining industry* (18)
mínimo *minimum* (10)
minoría *minority* (13)
minúscula *lowercase letter* (13)
mirada *glance* (15)
mirar *to look* (1)
miseria *misery* (20)
mismo/a *same* (9)
misterio *mystery* (17)
misterioso/a *mysterious* (11)
mitad *half* (1)
mítico/a *mythic* (10)
mito *myth* (2)
mobiliario *furniture* (18)
mochila *backpack* (4)
moda *fashion* (4)
moderadamente *moderately* (12)
moderar *to moderate* (5)
moderno/a *modern* (4)
modesto/a *modest* (20)
modificar *to modify* (18)
mojado/a *wet* (11)
molestar *to bother* (13)
molestarse *to get upset* (20)
molestia *discomfort* (12)
molesto/a *bothersome; tiresome* (20)
monarquía *monarchy* (15)
moneda *currency* (7)
monje/monja *monk/nun* (19)
mono *monkey* (3)
montaña *mountain* (1)
montañismo *mountain climbing* (7)
montañoso/a *mountainous* (12)
montar bicicleta *to ride a bike* (5)
montarse en el tren, avión, autobús *to get on the train, plane, bus* (7)
monte *mountain* (20)
montevideano *resident of Montevideo* (16)
montón *pile; heap; mass* (16)
morado/a *purple* (4)
moreno/a *dark* (2)
morir (ue) *to die* (10)
mostaza *mustard* (8)
mostrar *to show* (1)
motivar *to motivate* (11)
moto *motorcycle* (16)
motocicleta *motorcycle* (20)
movilizado/a *mobilized* (6)
movimiento *movement* (10)

movimiento migratorio *migration movement* (19)

muchas veces *many times* (5)

mudarse *to move* (6)

muebles *furniture* (6)

muela *tooth* (12)

muerte *death* (6)

multiétnico/a *multiethnic* (19)

mundial *worldwide; international* (5)

mundialización *globalization* (19)

mundo *world* (1)

muñeco/a *doll* (16)

muro *wall* (10)

músculo *muscle* (5)

museo *museum* (6)

música *music* (2)

música en vivo *live music* (15)

músico *musician* (2)

muslo *thigh* (5)

N

nacer (zc) *to be born* (10)

nacimiento *birth* (1)

nación *nation* (6)

nacionalidad *nationality* (2)

nacionalizado/a *nationalized* (7)

nada *hardly* (2); *none; not any; nothing* (8)

nadar *to swim* (11)

nadie *no one* (18)

naranja *orange* (4)

narcotráfico *drug trafficking* (19)

nariz *nose* (5)

narración *narration* (11)

narrador/a *narrator* (17)

narrar *to narrate* (11)

natal *native* (9)

naturaleza *nature* (1)

navegador *browser* (16)

navegante *sailor* (6)

navegar *to sail* (3)

Navidad *Christmas* (4)

naviera *shipping company* (20)

necesario/a *necessary* (5)

necesidad *necessity* (6)

necesitar *to need* (4)

negocio *business* (6)

negrita *bold* (2)

negro/a *black* (4)

nervioso/a *nervous* (14)

nevera *refrigerator* (8)

nicaragüense *Nicaraguan* (2)

niebla *fog* (9)

nieve *snow* (9)

ni hablar *no way* (7)

ningún; ninguno/a *none; not any* (8)

niñero/a *babysitter* (18)

niñez *childhood* (10)

nivel *level* (5)

no cabe duda *no doubt* (13)

noche *night; evening* (6)

nocturno/a *nightly* (15)

nómada *nomadic* (11)

nombrar *to name* (5)

nombre *first name* (1)

no me digas *no way* (11)

no obstante *however* (19)

nordeste *northeast* (11)

noroeste *northwest* (12)

norte *north* (3)

noruega *Norwegian* (18)

noticias *news* (1) (15)

novecientos/as *nine hundered* (4)

novedad *novelty* (18)

novedoso/a *novel; new; innovative* (18)

novela *novel* (17)

novela de aventuras *adventure story* (17)

novela de ficción *fiction novel* (17)

novela de misterio *mystery novel* (17)

novelista *novelist* (17)

noventa *ninety* (2)

noviembre *November* (3)

novio/a *boyfriend/girlfriend* (2)

nublado/a *foggy* (9)

nueve *nine* (1)

nuevo/a *new* (4)

nuez *nut* (4)

número *number* (1)

nunca *never* (5)

O

oaxaqueño/a *Oaxacan* (2)

obesidad *obesity* (5)

obligar *to obligate* (20)

obra *work* (5)

obra de arte *work of art* (15)

obra de teatro *(theater) play* (15)

obras públicas *public works* (9)

obrero/a *worker* (20)

observar *to observe* (6)

obtener *to obtain* (5)

ocasionar *to cause* (11)

océano *ocean* (10)

ochenta *eighty* (2)

ocho *eight* (1)

ochocientos *eight hundred* (4)

ocio *leisure* (9)

octubre *October* (3)

ocupado/a *busy* (7)

ocupar *to occupy* (11)

ocuparse (de) *to take care of* (7)

ocurrir *to happen; take place* (9)

odiar *to hate* (14)

odontología *dentistry* (12)

oeste *west* (3)

ofensiva *offensive* (11)

oferta *offer (7); supply* (18)

oferta cultural *entertainment* (15)

ofertas *sales* (7)

oficina *office* (6)

oficinista *office clerk* (6)

ofrecer (zc) *to offer* (1)

oído *ear* (12)

oír *to hear* (17)

ojo *eye* (5)

óleo *oil painting* (5)

olor *smell* (9)

olvidar *to forget* (4) (13)

ómnibus *bus* (3)

once *eleven* (1)

ónix *onyx* (4)

operación *surgery* (12)

operar *to operate on* (12)

operarse (de) *to have surgery* (12)

opinar *to express an opinion* (19)

opinión *opinion* (19)

oportunidad *opportunity* (6)

optimista *optimist* (14)

óptimo/a *optimal* (18)

opuesto/a *opposite* (18)

oración *sentence; prayer* (5)

oralmente *orally* (13)

orden *order* (4)

ordenado/a *orderly* (14)

ordenador *computer* (15)

oreja *ear* (5)

organización no gubernamental (ONG) *nongovernmental organization (NGO)* (6)

organizado/a *organized* (6)

organizar *to organize* (2)

orgulloso/a *proud* (14)

orientación *direction* (17)

oriente *east* (7)

origen *origin* (2)

originario/a *native* (17)

orilla *bank* (3)

oro *gold* (11)

ortografía *spelling* (6)

oscilar *to oscillate* (18)

oscuridad *obscurity* (17)

oscuro/a *dark* (11)

o sea *that is to say* (14)

oso *bear* (3)

oso hormiguero *anteater* (3)

otoño *fall* (3)

ovacionar de pie *to give a standing ovation* (10)

ovalado/a *oval-shaped* (11)

oveja *sheep* (4)

P

pabellón *pavilion; canopy; banner* (15)

paciencia *patience* (6)

paciente *patient* (6)

padecer (zc) *to suffer* (12)

padre *father* (2)

padres *parents* (2)

pagar *to pay* (4)

página *page* (10)

país *country* (1)

país en vías de desarrollo *developing country* (19)
paisaje *landscape* (1)
pájaro *bird* (7)
paje *page; valet; attendant* (4)
palabra *word* (11)
paladar *palate; taste* (8)
pan *bread* (8)
panadería *bakery* (18)
panameño/a *Panamanian* (2)
pánico *panic* (11)
pantalla *monitor* (16); *screen* (1)
pantalones *pants* (4)
paño *cloth* (12)
pañuelo *handkerchief* (4)
Papá Noel *Father Christmas* (4)
papa *potato* (8)
papas fritas *French fries* (4)
papel *paper* (16); *role* (14)
paquete *pack; package* (8)
paraguas *umbrella* (8)
paraguayo/a *Paraguayan* (2)
paraíso *paradise* (3)
paralelo *parallel* (20)
paralizar *to paralyze* (20)
parámetro *parameter* (12)
parapente *paragliding* (7)
para que *for what purpose* (4)
parar *to stop* (8)
parche *patch* (12)
parecer *to appear* (5)
pared *wall* (3)
pareja *pair* (1)
parrilla *grill* (3), (8)
parque *park* (3)
parque de atracciones/diversiones *amusement park* (15)
párrafo *paragraph* (4)
participar *to participate* (1)
partido *game; match* (3)
partido de fútbol *soccer game* (15)
partir *to depart* (10)
pasado *past* (11)
pasado mañana *day after tomorrow* (7)
pasantía *internship* (7)
pasaporte *passport* (7)
pasar *to happen* (19); *to spend* (6)
pasarela *gangplank* (15)
pasar lista *to take attendance* (1)
pasarlo bien *to have a good time* (4)
pasarlo mal *not to have a good time* (4)
pasar vergüenza *to be embarrassed* (20)
pase *come in* (8)
pasear *to take a walk* (3)
pasillo *corridor; hallway* (6)
pasión *passion* (5)
paso *step* (1)
pastel *cake* (4)
pastelería *pastry shop* (4)
pastilla *pill* (12)

pasto *pasture* (10)
pastoreo *grazing* (10)
patata *potato* (8)
patentar *to patent* (16)
patología *pathology* (12)
patria *homeland* (10)
pavo *turkey* (8)
paz *peace* (10)
peaje *toll* (18)
peatón *pedestrian* (9)
pecado *sin* (20)
pecho *breast; chest* (12)
pedantería *pedantry* (14)
pedazo *piece* (8)
pedido *order* (18)
pedir *to order (in a restaurant)* (8)
peinar *to comb* (17)
pelar *to peel* (8)
pelearse *to fight; to have an argument* (20)
película *film* (2)
película de acción *action movie* (15)
película del oeste *western* (15)
película policíaca *detective movie* (15)
película de terror *horror movie* (15)
peligro *danger* (7)
peligroso/a *dangerous* (3)
pelo *hair* (5)
pelota *ball* (4)
peluquería *hairdresser; barber* (3)
pena *grief; sadness; sorrow* (11)
pendiente *earring* (4)
penetrar *to penetrate* (11)
pensamiento *thought* (10)
pensar (en) *to think (about)* (2)
pensión *lodging house* (7)
peor *worse* (8); *the worst* (5)
pepino *cucumber* (8)
pepita *seed* (11)
pequeño/a *small* (1)
pera *pear* (8)
perder *to lose* (10)
pérdida *loss* (10)
perdonar *to pardon* (20)
peregrinación *pilgrimage* (9)
perezoso/a *lazy* (2)
perfeccionar *to perfect* (13)
perfil *profile* (20)
perforación *drilling* (20)
perfumería *perfume store* (4)
periódico *newspaper* (3)
periodista *journalist* (2)
período *period* (11)
permiso *permission* (12)
permiso de conducir *driver's license* (7)
permiso de trabajo *work permit* (7)
permitir *to permit* (6)
pero *but* (1)
persiana *blind; shutter* (16)
personaje *character* (3)
personalidad *personality* (2)
personas sin hogar, sin techo *homeless* (19)

persuadir *to persuade* (20)
pertenecer (zc) *to belong* (10)
pertenencia *belonging* (6)
peruano/a *Peruvian* (2)
pesado/a *boring; slow; tedious* (15); *heavy* (16)
pesar *to weigh* (12)
pescadería *fishmonger; fish market* (8)
pescado *fish* (5)
pesimista *pessimistic* (14)
peso *weight* (2)
pesticida *pesticide* (20)
petróleo *oil; petroleum* (19)
petrolero/a *oil* (18)
pez *fish* (3)
picado/a *ground* (8)
picadura *sting; bite* (12)
picante *hot; spicy* (8)
picar *to itch; to sting* (12)
pico *peak; beak* (3)
pie *foot* (5)
piedra *rock; stone* (10)
piel *skin* (12)
pierna *leg* (5)
pila *battery* (4)
pilar *pillar* (18)
píldora *pill* (12)
pimienta *pepper (spice)* (8)
pimiento *pepper (vegetable)* (8)
pinacoteca *art gallery* (15)
pingüino *penguin* (12)
pintar *to paint* (2)
pintor/a *painter* (2)
pintura *painting* (2)
piña *pineapple* (8)
pionero/a *pioneer* (18)
piragüismo *canoeing* (15)
pirámide *pyramid* (6)
pirata *pirate* (11)
piscina *swimming pool* (3)
pista *clue* (17); *court; rink* (3)
pizca *pinch* (12)
placer *pleasure* (15)
planear *to plan* (15)
planificar *to plan* (15)
plano *map; plan* (7)
plano/a *flat* (3)
planta *floor* (4)
plástico *plastic* (16)
plata *silver* (4)
plataforma *platform* (9)
plátano *banana* (8)
plato *dish* (4)
playa *beach* (1)
plaza *square* (9)
plaza de toros *bullfighting ring* (15)
plazo *period; term; time* (19)
pleno/a *full* (9)
pluma *feather* (14); *pen* (16)
población *population* (1)

poblado/a *populated* (6)
poblador/a *settler* (10)
poblar *to populate* (20)
pobres *poor* (19)
pobreza *poverty* (6)
poco *a little bit* (1)
poder *power* (10)
poder (ue) *to be able to; can* (4)
poderoso/a *powerful* (20)
policía *policeman/woman* (6)
politeísta *polytheist* (14)
política *politics* (1)
político/a *politician* (2)
pollo *chicken* (4)
polución *pollution* (9)
poner (irreg.) *to put* (8)
poner nervioso/a *to make nervous* (13)
ponerse *to become* (20)
ponerse celoso/a *to get jealous* (20)
ponerse contento/a *to get happy* (20)
ponerse enfermo *to get sick* (12)
por aquí cerca *nearby* (3)
porcentaje *percentage* (12)
por consiguiente *therefore; consequently* (20)
por desgracia *unfortunately* (19)
por ejemplo *for example* (5)
por encima de *on top of* (5)
por eso *because of that* (4); *so* (11)
por la mañana *in the morning* (7)
por la noche *in the evening* (7)
por la tarde *in the afternoon* (7)
por lo tanto *therefore* (20)
porque *because* (1)
por supuesto *of course* (3)
portafolio *portfolio* (14)
portavoz *spokesman* (4)
portero/a *goalkeeper* (5)
portugués *Portuguese* (11)
por último *last* (2)
por vía aérea *by air* (9)
por vía fluvial *by water* (9)
posada *inn* (7)
posgrado *postgraduate* (10)
posición *position* (12)
posmoderno/a *postmodern* (14)
posponer (irreg.) *to postpone* (19)
postal *postcard* (7)
postre *dessert* (4)
postular *to run (for office)* (10)
postura *posture* (5)
potenciar *to empower* (13)
practicar *to practice* (2)
práctico/a *convenient; handy* (16)
precio *price* (4)
precioso/a *beautiful* (4); *precious* (8)
precisamente *precisely* (12)
preciso/a *precise* (11)
predecir *to predict* (14)
predicción *prediction* (14)
predominar *to predominate* (6)
preferir *to prefer* (6)

prefijo *prefix* (6)
pregunta *question* (1)
preguntar *to ask questions* (17)
preincaico/a *pre-Inca* (9)
prejuicio *prejudice* (20)
prematuro/a *premature* (20)
premiado/a *prized* (12)
premio *prize; award* (4)
premonición *premonition* (20)
prenda de vestir *garment* (4)
prender *to turn on* (16)
prensa *press* (15)
preocupado/a *worried* (20)
preocupar *to worry* (13)
preocuparse de *to worry about; to care* (20)
preparar *to prepare* (8)
presencia *presence* (19)
presentador *presenter* (19)
presentar *to introduce* (1)
presentarse *to introduce oneself* (1)
presionar *to pressure; to apply pressure* (18)
presión *blood pressure* (5)
préstamo *loan* (6)
prestar *to lend* (12)
prestar atención *to pay attention* (4)
prestar un servicio *to provide a
    service* (18)
prestigio *prestige* (2)
presupuesto *budget* (4)
pretensión *pretension* (2)
prevenir *to prevent* (12)
prever *to foresee* (19)
previo/a *previous* (6)
primavera *spring* (3)
primer/a *first* (1)
prioridad *priority* (5)
prisionero *prisoner* (10)
privado/a *private* (11)
privilegiado/a *privileged* (19)
privilegiar *to privilege* (19)
probar *to try on* (4)
problema *problem* (2)
procesador de textos *word processor* (16)
proclamar *to proclaim* (10)
producir *to produce* (10)
producto interno bruto (PIB) *gross domestic
    product* (18)
productos lácteos *dairy products* (5)
profesión *profession* (2)
profesor/a *professor* (2)
profundamente *deeply* (19)
profundo/a *deep* (5); *profound* (20)
programación *programming* (15)
progresista *progressive; liberal* (10)
prohibir *to forbid* (20); *to prohibit* (19)
proliferar *to proliferate* (12)
promedio *average* (4)
promesa *promise* (19)
promover (ue) *to promote* (18)
pronombre *pronoun* (5)
propietario/a *proprietary* (6)

propina *tip* (8)
propio/a *own* (6)
proponer *to propose* (8)
proporcionar *to provide* (12)
proposición *proposition* (19)
propósito *goal* (6)
propuesta *proposal* (8)
proseguir *to continue; to follow* (20)
próspero/a *prosperous* (12)
protagonista *main actor/actress* (15); *main
    character* (17)
protagonizar *to play the role of* (14)
protectorado *protectorate* (11)
protector solar *sunblock* (3)
proteger *to protect* (8)
protestar *to protest* (18)
protocolo *protocol* (19)
provenir *to come from* (10)
provincia *province* (8)
provocar *to provoke* (11)
próximo/a *next* (7)
proyecto *project* (19)
prueba *proof; evidence* (17)
púa *spine; tooth* (16)
publicidad *advertising* (18)
público/a *public* (6)
pudín *pudding* (8)
pueblo *people; nation* (10); *town* (3)
puente *bridge* (15)
puerta *door* (6) (17)
puerto *harbor* (9); *port* (11)
puertorriqueño *Puerto Rican* (2)
puesto de trabajo *position; job* (6)
puesto que *since* (20)
pulmón *lung* (12)
pulsar *to press* (19)
pulsera *bracelet* (4)
punto *point* (12)
punto de partida *starting point* (7)
puntual *punctual* (11)
puñado *handful* (17)
pureza *purity* (14)

Q

quedar (con) *to make an appointment with* (15)
quedarse *to be (located); to be left,
    to remain* (10); *to stay* (15)
quemadura *burn* (12)
quemar *to burn* (12)
quemarse *to get sunburned* (12)
querer (ie) *to want* (1)
queso *cheese* (8) (18)
quietud *calm; quietness* (16)
química *chemistry* (16)
quince *fifteen* (1)
quinientos/as *five hundred* (4)
quitamanchas *cleaner; stain
    remover* (14)
quitar *to get rid of* (12)
quizá *maybe* (7)

R

racismo *racism* (19)
radicarse *to settle* (20)
raíz *root* (7)
ramo *bunch; branch* (18)
rápidamente *rapidly* (12)
rapidez *rapidity* (18)
rápido/a *fast* (7)
raro/a *weird; odd; strange* (16)
rascacielos *skyscraper* (9)
rato *while; time* (17)
ratón *computer mouse* (16)
rayo *ray* (11)
razón *reason* (4)
razonamiento *reasoning* (19)
reaccionar *to react* (11)
realidad *reality* (11)
realizar *to make* (17)
realizar un pedido *to order* (18)
rebajas *sales* (4)
rebanada *slice* (8)
rebasar *to exceed* (9)
rebelión *rebellion* (10)
recado *message* (6)
recaudar *to collect* (18)
recepción *reception desk* (7)
recepcionista *front-desk attendant* (6); *receptionist* (7)
receta *prescription* (12); *recipe* (8)
recetar *to prescribe* (12)
recibir *to receive* (4)
reciclar *to recycle* (9)
reciente *recent* (9)
recientemente *recently* (5)
reclamar *to claim* (18)
recoger *to pick up* (7)
recomendable *advisable* (5)
recomendación *recommendation* (12)
recomendar *to recommend* (18)
reconocer *to recognize* (11)
recordar *to remind* (6)
recorrer *to travel through* (11)
recoveco *turn; bend* (20)
recto/a *straight* (9)
recuperar *to recuperate* (10)
recursos *resources* (18)
recursos naturales *natural resources* (19)
red *network* (12); *the Web* (16)
redacción *composition* (13)
redactar *to write* (10)
redondo/a *round* (16)
reducir *to reduce* (10)
referente *referent* (18)
referir *to refer* (4)
refinar *to refine* (6)
reflejar *to reflect* (11)
reflexión *reflection* (11)
refresco *soft drink; soda pop* (8)
refugiado/a *refugee* (17)
refugiarse *to take refuge* (11)

refutar *to refute* (19)
regalar *to give a gift* (4)
regalo *gift* (4)
regeneración *regeneration* (19)
régimen *diet* (12)
registro *register* (6)
regla *rule* (5)
regresar *to come back; to return* (10)
regreso *return* (11)
rehén *hostage* (11)
reino *kingdom* (11)
reinversión *reinvestment* (19)
reiterar *to reiterate* (19)
reivindicación *demand* (19)
relajación *relaxation* (5)
relajarse *to relax* (5)
relatar *to tell (a story)* (17)
relato *story; tale* (17)
rellenar *to fill out* (14)
reloj *watch* (4)
remojar *to soak; steep* (8)
remolacha *beet* (8)
rendirse *to surrender* (5)
renovable *renewable* (16)
renunciar a *to renounce; to give up* (20)
reparar *to repair; to fix* (16)
repartir *to diestribute* (14)
reparto *delivery; distribution* (18)
repasar *to review* (9)
repelente *repellent* (3)
repetir *to repeat* (1)
repisa *shelf* (17)
replantearse *to rethink; to reconsider* (20)
reportaje *interview; story; feature* (19)
reposo *repose* (11)
represivo/a *repressive* (11)
reproducir (zc) *to reproduce* (8)
requisito *requirement* (6)
rescribir *rewrite* (17)
resentirse *to resent* (18)
reseña *review* (14)
reservar *to reserve* (3)
resfriado *cold* (12)
resfriarse *to get a cold* (12)
residencia estudiantil *dorm* (9)
residir *to reside* (6)
resolver (ue) *to resolve* (6)
resolver un caso *to solve a case* (17)
respaldar *to back* (18)
respecto a *with respect to* (18)
respetar *to respect* (19)
respirar *to breathe* (20)
responder *to respond* (7)
responsable *responsible* (6)
respuesta *answer* (1)
restante *remaining* (13)
restaurante *restaurant* (8)
restaurar *to restore* (17)
resto *rest* (3)
restringir *to restrict* (19)
resultado *result* (13)

resumen *summary* (11)
resumir *to sum up* (6)
retirarse *to retreat; to withdraw* (11)
reto *challenge* (19)
retórico/a *rhetorical* (19)
retorno *return* (20)
retransmisión *broadcasting* (15)
retraso *delay* (7)
retratar *to portray; to depict* (14)
reunión *meeting* (7)
reunir *to have; to include* (14)
reunirse (con) *to meet* (7)
revelación *revelation* (20)
revelar *to reveal* (3)
revelar fotos *to develop photos* (7)
revestido/a *clad* (11)
revisar *to review* (2)
revisión *revision; review* (12)
revista *magazine* (4)
revolución *revolution* (8)
revolucionario/a *revolutionary* (11)
rey *king* (4)
rico/a *rich* (2); *tasty; delicious* (8)
riesgo *risk* (12)
rígido/a *rigid; inflexible* (20)
rincón *corner* (9)
río *river* (3)
riqueza *richness; wealth* (7)
risa *laughter* (14)
ritmo *rhythm* (8)
robo *robbery* (10)
rodaja *slice* (8)
rodear *to surround* (9)
rodilla *knee* (5)
rojo/a *red* (4)
rollito de primavera *spring roll* 19
rollo *film* (15)
romper *to break* (11)
romperse (algo) *to break (something)* (12)
ron *rum* (8)
roncar *to snore* (14)
ropa *clothing* (3)
ropa interior *underwear* (4)
ropero *closet; wardrobe* (17)
rosa *pink* (4)
rosca *roll (bread)* (8)
rostro *face* (2)
roto/a *broken* (16)
rueda *wheel* (16)
ruido *noise* (9)
ruidoso/a *noisy* (3)
ruina *ruin* (8)
rumbo a *bound for* (11)
ruso/a *Russian* (13)
rústico/a *rustic* (4)
ruta *route* (7)

S

sábado *Saturday* (5)
sábana *sheet* (17)

saber (irreg.) *to know (a fact)* (1)
sabiduría *wisdom; knowledge* (15)
sabor *flavor* (8)
sacar *to take (out)* (5)
sacar conclusiones *to draw conclusions* (19)
sacerdotal *priestly* (10)
sacrificio *sacrifice* (5)
sal *salt* (8)
sala *living room* (6)
salado/a *salty* (8)
salida *departure* (7)
salir *to go out* (15)
salir a cenar *to go out for dinner* (15)
salir con *to go out with* (17)
secuestrar *to kidnap*
sospechar (de) *to suspect*
salir del avión, tren, autobús... *to get off the plane, train, bus . . .* (7)
salón/sala *living room* (6)
salpicado/a *flecked* (11)
saltar *to jump* (5)
salto *jump; leap; gap* (3)
salto de agua *waterfall* (3)
salud *health* (5)
saludable *healthy* (12)
saludar *to greet* (6)
salvadoreño/a *Salvadorean* (2)
salvaje *savage* (12)
salvar las apariencias *to save face* (7)
salvavidas *life preserver* (14)
sandalia *sandal* (4)
sandía *watermelon* (8)
sanitario/a *sanitary* (19)
sano/a *healthy* (5)
santuario *sanctuary* (9)
sartén *frying pan* (8)
satisfacción *satisfaction* (12)
satisfacer *to satisfy* (6)
seco/a *dry* (3)
secuencia *sequence* (5)
secuestro *kidnapping* (17)
secundario/a *secondary* (11)
seda *silk* (16)
seguido de *followed by* (9)
seguir *to continue* (6); *to follow* (2)
según *according to* (2)
segundo/a *second* (1)
seguramente *surely* (12)
seguro *insurance* (18); *safe; certain; a sure thing* (5)
seguro médico *health insurance* (12)
seis *six* (1)
seiscientos/as *six hundred* (4)
seleccionar *to select* (5)
sello *seal; stamp* (17)
selva *jungle* (3)
semáforo *traffic light* (9)
semana *week* (17)
semanal *weekly* (4)
semejante *fellow man* (20)
semestre *semester* (13)

semilla *seed* (6)
senador *senator* (10)
sencillo *simple; plain; modest* (2)
sendero *path* (12)
sensatez *common sense* (14)
sensibilidad *sensitivity* (14)
sensible *sensitive* (14)
sentarse (ie) *to sit down* (5)
sentido del humor *sense of humor* (14)
sentimiento *feeling* (10)
sentir *to be sorry; to feel* (11)
sentirse angustiado/a *to feel anguish/ stress* (20)
señalar *to signal* (12)
señal de tráfico/tránsito *traffic sign* (9)
separarse *to separate* (10)
septiembre *September* (3)
sequía *drought* (19)
ser (irreg.) *to be* (1)
ser aficionado a *to be a regular of; to be a fan of* (15)
ser humano *human being* (16)
serie *TV series* (15)
seriedad *seriousness* (14)
serio/a *reliable; serious* (2)
ser un rollo *to be very boring* (15)
servicio *service* (3)
servicio a domicilio *home delivery* (18)
servicio de emergencias *emergency room* (12)
servidumbre *servitude* (19)
servilleta *napkin* (4)
servir (i) *to serve* (5)
sesenta *sixty* (2)
sesión *session* (17)
setecientos *seven hundred* (4)
setenta *seventy* (2)
seudónimo *pseudonym* (20)
sí *of course* (7); *hello* (6)
si *if* (2)
sida *AIDS* (19)
siempre *always* (5)
sierra *mountains* (9)
siete *seven* (1)
siglo *century* (10)
significado *meaning* (11)
significar *to mean* (1)
siguiente *following* (10)
silencioso/a *silent; quiet* (13)
silla *chair* (4)
sillón *armchair* (6)
símbolo *symbol* (11)
simpatía *sympathy; warmth; charm* (11)
simpático/a *nice* (2)
sinceridad *sincerity* (14)
sincero/a *sincere; genuine; honest* (14)
sin embargo *nevertheless* (4)
sin fines de lucro *nonprofit* (13)
sino *but; but rather* (17)
sinopsis *synopsis* (20)
síntoma *symptom* (12)

sísmico/a *seismic* (6)
sistema de navegación GPS *GPS navigation system* (16)
sistema operativo *operating system* (16)
sitio *site* (3)
situación *situation* (2)
situar *to situate* (6)
soberanía *sovereignty* (10)
sobre *about* (2)
sobreexplotación *overexploitation* (20)
sobrenatural *supernatural* (14)
sobresalir *to stand out; to excel* (8)
sobrevivir *to survive* (7)
sociable *friendly* (20); *sociable* (14)
sociedad *society* (10)
sofá *sofa* (6)
sofisticado/a *sophisticated* (6)
sojuzgar *to subdue* (19)
sol *sun* (9)
soldado *soldier* (11)
soleado/a *sunny* (9)
soledad *solitude; loneliness* (14)
soler (ue) *to usually do something* (13)
solicitante *applicant* (6)
solicitar *to apply for* (6)
solicitar una visa *to apply for a visa* (7)
solicitar un servicio *to request a service* (18)
solicitud *application* (7)
solidaridad *solidarity* (14)
sólido/a *solid* (9)
solitario/a *lonely* (3)
solo/a *alone* (3)
soltero/a *single* (2)
solucionar *to solve* (9)
sombra *shadow* (11)
sonar (ue) *to sound* (20)
sonido *sound* (13)
sonreír *to smile* (17)
sonrisa *smile* (15)
sopa *soup* (8)
sopera *soup tureen* (12)
soportar *to tolerate; to bear; to put up with* (14)
sordo/a *deaf* (17)
sorprendente *surprising* (10)
sorprender *to surprise* (15)
sorprenderse *to be surprised; amazed* (15)
sorprendido/a *surprised* (20)
sorpresa *surprise* (3)
sosiego *calm; peace; quiet* (16)
soso/a *tasteless* (8)
sospechar *to suspect* (17)
sospechoso/a *suspect* (17)
sostener *to sustain* (11)
sostenible *sustainable* (19)
suave *soft* (9)
suavizar *to smooth* (14)
subida *rise; ascent* (3)
subir *to raise; to go up* (1); *to upload* (16)
sublevación *revolt; uprising* (10)
subrayar *to underline* (2)

subsuelo *underground* (14)
suceder *to happen; to follow* (10)
suceso *incident* (5)
sucio/a *dirty* (9)
sucursal *branch* (18)
sudar *to sweat* (12)
sudeste *southeast* (8)
sueco *Swedish* (13)
sueldo/salario *salary; wage* (6)
sueño *dream* (20); *sleep* (5)
suerte *luck* (11)
suéter *sweater* (4)
suficiente *enough* (8)
sufrir *to suffer* (5)
sugerencia *suggestion* (19)
sugerir *to suggest* (17)
sumar *to add; to add up; to amount to* (19)
sumergir *to dip* (8)
sumido/a *absorbed* (11)
superar *to overcome* (14); *to surpass; to excel* (16)
superficie *surface* (7)
superfluo/a *superfluous* (19)
supermercado *supermarket* (4)
superpoblado/a *overpopulated* (9)
supervivencia *survival* (12)
suponer *to suppose* (17)
sureste *southeast* (3)
surgir *to emerge* (18)
suroeste *southwest* (2)
surtido *stock; supply* (18)
suscribir *to sign; to endorse* (10)
sustentar *to sustain; to support; to feed; to nourish* (20)
sustituir *to substitute* (19)
susto *fright* (11)

T

tabaco *tobacco* (8)
tabaquera *tobacco pouch* (8)
taberna *bar* (15)
tabla *table* (12)
tacaño/a *stingy* (20)
tacón *heel* (4)
táctica *tactic* (10)
tala de árboles *tree-felling* (19)
talento *talent* (14)
tales como *such as* (5)
talla *size* (4)
tallado/a *carved* (9)
taller *workshop; car repair* (18)
tal vez *maybe* (15)
tamaño *size* (5)
también *also* (1)
tampoco *neither* (3)
tan... como *as . . . as* (9)
tanto... como *as . . . as* (9)
tapiz *tapestry* (4)
taquilla *box office* (15)
tardar *to be late* (11)
tarde *late* (7)

tarea *task/homework* (1)
tarifa *tariff* (16)
tarjeta de crédito *credit card* (4)
tasa *rate* (12)
tasa de natalidad *birth rate* (1)
tasajo *dried beef* (8)
tatuaje *tattoo* (18)
taxi *cab* (7)
taxista *taxi driver* (6)
taza *cup* (8)
té *tea* (8)
teatro *theater* (2)
tecla *key* (16)
teclado *keyboard* (16)
técnica *technique* (5)
tecnológico/a *technological* (19)
tejedor/a *weaver* (20)
tejer *to weave; to knit* (4)
tela *cloth* (4)
telaraña *spider web* (14)
tele *television* (11)
telediario *news* (15)
teléfono *phone* (1)
teléfono celular/móvil *cell phone* (16)
telenovela *soap opera* (15)
televisor *television* (6)
tema *topic* (1)
templado/a *cool (weather)* (9)
templo *temple* (6)
temporada *season* (15)
temprano *early* (7)
tenacidad *tenacity* (14)
tendencia *trend* (1)
tender (ie) a *to tend to* (5)
tener (ie) *to have* (1)
tener algo en común *to have something in common* (14)
tener celos (de) *to be jealous (of)* (20)
tener curiosidad *to be curious* (13)
tener en cuenta *to keep in mind* (2)
tener exceso de peso *to be overweight* (12)
tener éxito *to be successful* (5)
tener lugar *to take place* (15)
tener miedo (a/de) *to be afraid (of) (about)* (20)
tener que *to have to* (2)
tener razón *to be right* (3)
tener un accidente *to have an accident* (12)
tenis *tennis* (4)
tenista *tennis player* (5)
tensión *blood pressure* (5) (12)
teoría *theory* (17)
tercer; tercero/a *third* (2)
tercio *third* (9)
terminación *ending* (2)
terminar *to end* (8)
termómetro *thermometer* (17)
ternura *tenderness* (14)
terraza *outdoor seating* (15)
terremoto *earthquake* (6)
territorio *territory* (10)

tesis *thesis* (19)
tesoro *treasure* (11)
testarudo *stubborn* (14)
testigo *witness* (17)
tetrapléjico *quadriplegic* (15)
texto *text* (2)
tiburón *shark* (12)
tienda de campaña *tent* (7)
tienda de deportes *sports store* (4)
tienda de juguetes *toy store* (4)
tienda de regalos *gift store* (4)
tienda de ropa *clothing store* (4)
tierno/a *tender; soft* (8)
tierra *land; earth* (11)
tímido/a *shy* (2)
tintorería *dry cleaner* (18)
típico/a *typical* (8)
tirar *to throw; to throw away* (17)
titular *headline* (19)
título *degree* (6)
tocar *to touch* (5)
tocar *to play (instruments)* (2)
tocino *bacon* (8)
todavía *still* (2)
tomar *to take* (3)
tomar (alcohol) *to drink (alcohol)* (5)
tomar el sol *to sunbathe* (3)
tomar en cuenta *to take into account* (19)
tomar fotos *to take pictures* (7)
tomar notas *to take notes* (2)
tomar prestado/a *to borrow* (20)
tomar una decisión *to make a decision* (18)
tomar una copa *to have a drink* (15)
tomate *tomato* (8)
tonificación *toning* (5)
tormenta *storm* (6)
torta *cake* (18)
tortuga *turtle* (3)
tos *cough* (12)
toser *to cough* (12)
toxina *release* (5)
trabajador/a *hardworking* (20); *worker* (18)
trabajar *to work* (1)
trabajo *position; job* (6)
trabajo en equipo *team work* (6)
trabajo escrito *essay; paper* (13)
tradición *tradition* (1)
traducción *translation* (13)
traductor/a *translator* (6)
traer *to bring* (4)
tráfico *traffic* (9)
tragar *to swallow* (12)
traición *betrayal* (20)
traje *suit* (5)
traje de baño *bathing suit* (4)
tranquilidad *calm; peacefulness* (5)
tranquilo/a *calm; quiet* (3)
transformarse *to transform oneself/itself* (20)
transitar *to go through* (20)
transmitir *to transmit* (17)
transportar *to transport* (5)

trascendencia *transcendence* (18)
trastorno *disorder; disturbance* (5)
trasbordador *ferry* (10)
trasero/a *rear* (17)
trasladarse *to move* (10)
trastorno alimenticio *eating disorder* (12)
tratado *treaty* (10)
tratamiento *treatment* (5)
tratar de *to try* (11)
travesía *crossing* (11)
trayecto *journey; route; path* (17)
trayectoria *trajectory* (14)
trece *thirteen* (1)
treinta *thirty* (2)
treinta y dos *thirty-two* (2)
treinta y uno *thirty-one* (2)
tren *train* (3)
tres *three* (1)
trescientos/as *three hundred* (4)
triángulo *triangle* (15)
tribu *tribe* (10)
trimestre *trimester* (13)
triste *sad* (14)
tristeza *sadness* (14)
triunfar *to triumph* (7)
triunfo *triumph* (11)
tronco *trunk* (5)
tropezar (ie) con *to run into* (14)
trozo *piece; fragment; passage* (8)
tumba *tomb* (6)
tumbarse *to lie down* (12)
turco *Turkish* (13)
turismo *tourism* (3)
turrón *type of Christmas candy* (4)

U

ubicación *location* (3)
únicamente *only* (12)
único/a *unique* (12)
Unión Europea *European Union* (10)
Unión Soviética *Soviet Union* (10)
unirse a *to join* (10)
universidad *college; university* (2)
uno *one* (1)
unos/as *some* (2)
urbanización *housing development* (9)
urgencia *emergency* (12)
uruguayo/a *Uruguayan* (2)
uso *use* (11)
usuario/a *user* (18)
utensilio *utensil* (6)
útil *useful* (8)
utilizar *to use* (18)
uva *grape* (8)

V

vaca *cow* (10)
vacaciones *vacation* (1)

vacío/a *empty* (7)
vacuna *vaccine* (16)
valentía *courage* (14)
valer *to be worth* (4)
valiente *brave* (11)
valioso/a *valuable* (19)
valle *valley* (9)
valor *value* (6)
vanidad *vanity* (14)
vascuense *Basque* (13)
vasija *vase* (4)
vaso *glass* (12)
vecino/a *neighbor* (2)
vegetales *vegetables* (8)
vehículo *vehicle* (6)
veinte *twenty* (1)
veinticinco *twenty-five* (2)
veinticuatro *twenty-four* (2)
veintidós *twenty-two* (2)
veintinueve *twenty-nine* (2)
veintiocho *twenty-eight* (2)
veintiséis *twenty-six* (2)
veintisiete *twenty-seven* (2)
veintitrés *twenty-three* (2)
veintiuno *twenty-one* (2)
vejez *old age* (10)
vela *sailing* (3)
vello no deseado *unwanted hair* (12)
velocidad *velocity* (16)
vencer *to overcome; to defeat; to win* (20)
vendedor/a *sales associate* (4)
vender *to sell* (4)
venezolano/a *Venezuelan* (2)
venir *to come* (6)
ventaja *advantage* (9)
ventana *window* (6)
ver *to see* (2)
verano *summer* (3)
verdad *true; right* (9)
verdadero/a *true* (1)
verde *green* (4)
verdor *greenness* (11)
verdura *vegetable* (5)
vergüenza *shame; embarrassment* (13)
verter *to pour* (8)
vestíbulo *lobby; foyer* (17)
vestido *dress* (4)
vestimenta *clothes* (14)
vez *time; instant* (8)
viajar *to travel* (2)
viaje *trip* (1)
viajero/a *traveler* (11)
viajes espaciales *space travels* (19)
vianda *meat* (8)
vicio *vice* (14)
vida *life* (10)
vida nocturna *nightlife* (9)
vidrio *glass* (16)
viento *wind* (9)
viernes *Friday* (5)

vigilar *to watch* (5)
vincular (a) *to link (to)* (17)
viñeta *vignette* (6)
vino *wine* (8)
vinoteca *collection of wines* (4)
violación *violation* (19)
violencia *violence* (9)
violeta *purple* (4)
virtud *virtue* (14)
viruela *smallpox* (10)
visa; visado *visa* (7)
visitante *visitor* (7)
visitar *to visit* (2) (3)
víspera de Navidad *Christmas Eve* (8)
viudo/a *widower/widow* (2)
vivienda *housing* (6)
viviente *living* (8)
vivir *to live* (2)
volar (ue) *to fly* (7)
volcán *volcano* (6)
voltio *volt* (16)
volumen *volume* (5)
voluntad *will* (12)
voluptuosidad *voluptuosity* (5)
volver (ue) *to return* (7)
volverse (ue) *to become* (20)
vomitar *to vomit* (12)
vómito *vomit* (12)
vorágine *whirl* (19)
votación *voting* (5)
voto *vote* (17)
voz *voice* (11)
vuelo *flight* (7)
vuelta *walk* (15)

X

xenofobia *xenophobia* (19)

Y

ya *already* (4)
yacimiento *site* (9)
ya no *no longer* (19)
ya que *since; as* (3)
yogur *yogurt* (8)
yuca *yucca* (8)

Z

zanahoria *carrot* (8)
zapatería *shoe store* (4)
zapato *shoe* (3)
zona peatonal *pedestrian zone* (9)
zona verde *green zone* (9)

ENGLISH TO SPANISH VOCABULARY

A

abandon *abandonar* (11)
ability *capacidad* (6)
abolition *abolición* (10)
about *sobre* (2); *alrededor* (10)
abroad *en el extranjero* (1)
absence *ausencia* (7)
absent-minded *despistado/a* (14)
absolutely not *en absoluto* (14)
absorbed *sumido/a* (11)
absurd *absurdo* (14)
abundance *abundancia* (17)
abuse *abusar, abuso* (20)
access *acceder* (3)
accident *accidente* (10)
acclaim *aclamar* (17)
accomplice *cómplice* (17)
according to *según* (2)
accumulate *acumular* (16)
accumulation *acumulación* (20)
achieve *conseguir (i)* (10); *lograr* (6)
acquire *adquirir (ie)* (4)
across *a tráves de* (5)
act *actuar* (14)
acting *actuación* (15)
action *acción* (11)
activity *actividad* (5)
actor *actor* (2)
actress *actriz* (2)
acute *agudo/a* (12)
ad *anuncio* (3)
add *añadir* (8); *sumar* (19)
addicted *adicto/a* (12)
addiction *adicción* (5)
address *dirección* (7)
adequate *apropiado/a* (13)
adjective *adjetivo* (1)
adjust to *ajustar* (15)
admiral *almirante* (10)
admire *admirar* (14)
adolescent *adolescente* (20)
advance *avance* (14)
advantage *ventaja* (9)
adventure story *novela de aventuras* (17)
adventurous *aventurero/a* (11)
advertising *publicidad* (18)
advice *consejo* (5)
advisable *aconsejable* (20); *recomendable* (5)
advisor *asesor/a* (10)
aesthetic *estética* (15)
affair *asunto* (19)
affect *afectar* (11)
affirm *afirmar* (8)
affluence *afluencia* (20)
affordable *asequible* (12)
after *después (de)* (8)
afterwards *después (de)* (8)

again *de nuevo* (17)
against *contra* (5); *en contra* (19)
age *edad* (9)
agile *ágil* (5)
agree *estar de acuerdo* (3)
agreeable *agradable* (5)
agreement *acuerdo* (10)
agricultural *agrícola* (9); *agropecuario/a* (18)
agriculture *agricultura* (18)
AIDS *SIDA* (19)
air *aire* (9)
air conditioning *aire acondicionado* (3)
airport *aeropuerto* (1)
alarm clock *despertador* (17)
alibi *coartada* (17)
alien *ajeno/a* (7)
allergic *alérgico/a* (12)
allergy *alergia* (12)
alliance *alianza* (11)
almost *casi* (1)
alone *solo/a* (3)
already *ya* (4)
also *también* (1)
although *aunque* (18)
always *siempre* (5)
amazed *abobado/a* (17)
ambitious *ambicioso/a* (11)
among *entre* (3)
amount to *sumar* (19)
amphitheater *anfiteatro* (7)
ample *amplio/a* (6)
amusement park *parque de atracciones/diversiones* (15)
ancestor *antepasado* (11)
ancestry *ascendencia* (2)
anecdote *anécdota* (11)
anger *indignar* (14)
angry *enfadado/a* (20)
anguish *angustia* (20)
angular *anguloso/a* (11)
animation *animación* (15)
anise *anís* (8)
annexation *anexión* (10)
annihilate *aniquilar* (16)
announce *anunciar* (10)
answer *respuesta* (1)
anteater *oso hormiguero* (3)
anthropologist *antropólogo/a* (10)
anticipate *anticipar* (18)
antiquated *anticuado/a* (18)
antique *antigüedad* (4)
anti-theft *antirobo* (14)
anxiety *ansiedad* (5)
any *cualquier* (1)
apartment *apartamento* (3)
apologize *disculparse* (18)
appear *parecer* (5)

appearance *apariencia* (14)
appetizer *aperitivo* (8)
applaud *aclamar* (17)
apple *manzana* (8)
applicant *solicitante* (6)
application *aplicación* (16); *solicitud* (7)
apply *aplicar* (9)
apply for *solicitar* (6)
apply pressure *presionar* (18)
appointment *cita* (15)
appreciate *apreciar* (7)
appreciation *apreciación* (13)
approach *acercamiento* (3)
appropriate *adecuado/a* (4)
approve *aprobar* (14)
approximately *aproximadamente* (2)
April *abril* (3)
apron *delantal* (17)
aquarium *acuario* (15)
arabic *árabe* (13)
archaeological *arqueológico/a* (8)
archipelago *archipiélago* (11)
architect *arquitecto* (2)
architecture *arquitectura* (2)
Argentinian *argentino/a* (2)
argue *discutir* (5)
arithmetic *aritmética* (9)
arm *brazo* (5)
armchair *sillón* (6)
around *alrededor* (10); *en torno a* (20)
arrest *detención* (17)
arrival *llegada* (7)
arrive *llegar* (1)
art *arte* (2)
art collection *colección de arte* (15)
art gallery *pinacoteca* (15)
artisan work *artesanía* (4)
artist *artista* (2)
as . . . as *igual... de; tan... como, tanto... como* (9)
as a child *de niño/a* (14)
ascend *ascender* (9)
ascent *ascenso* (5); *subida* (3)
as expected *como era de esperar* (17)
as for *en cuanto a* (16)
ash *ceniza* (20)
ashamed *avergonzado/a* (17)
ashtray *cenicero* (8)
ask questions *hacer preguntas* (13); *preguntar* (17)
assassination *asesinato* (10)
assault *atropellar* (20)
assemble *ensamblar* (18)
assembly *asamblea* (10)
assign *destinar* (9)
assistance *asistencia* (19)
assistant *asistente* (6)
associate *asociar* (20)
assure *asegurar* (12)

asthma *asma* (12)
astonished *boquiabierto/a* (14)
asylum *asilo* (17)
at least *al menos* (5)
atmosphere *ambiente* (8); *atmósfera* (16)
at night *de noche* (7)
atom *átomo* (20)
at once *enseguida* (17)
attack *atacar* (11); *ataque* (10)
attend *acudir (a)* (15); *asistir* (2)
attendant *paje* (4)
attentively *atentamente* (13)
at the beginning of *a principios de* (20)
at the same time *al mismo tiempo* (15)
attract *atraer(se)* (4)
attraction *atracción* (8)
attractive *atractivo/a* (9)
August *agosto* (3)
austere *austero/a* (2)
author *autor/a* (11)
authoritarian *autoritario/a* (14)
authority *autoridad* (17)
authorize *autorizar* (19)
automate *automatizar* (16)
automated teller machine *cajero automático* (19)
available *disponible; dispuesto* (6)
avalanche *avalancha* (8)
avaricious *avaro/a* (14)
average *promedio* (4)
aviary *aviario* (15)
avocado *aguacate* (8)
avoid *evitar* (12)
awake *despierto/a* (17)
award *premio* (4)
awareness *conciencia* (6)

B

babysitter *niñero/a* (18)
back *espalda* (5); *fondo* (17); *respaldar* (18)
backache *dolor de espalda* (12)
backpack *mochila* (4)
bacon *tocino* (8)
bad *malo/a* (4)
bakery *panadería* (18)
balance *equilibrio* (5)
ball *pelota* (4)
banana *plátano* (8)
bank *banco* (3); *orilla* (3)
bank clerk *cajero/a* (4)
banker *banquero/a* (19)
banking *banca* (18)
banner *pabellón* (15)
baptize *bautizar* (11)
bar *barra* (12); *taberna* (15)
barber *peluquería* (3)
Baroque *barroco/a* (14)
barrier *barrera* (14)
baseball *béisbol* (5)
basketball *baloncesto* (3)

basket making *cestería* (4)
Basque *euskera* (15); *vascuense* (13)
bathing suit *traje de baño* (4)
bathroom *baño* (6)
battery *batería* (16); *pila* (4)
batting cage *jaula de bateo* (7)
battle *batalla* (11)
be *estar* (1); *ser (irreg.)* (1)
be (located) *quedarse* (10)
be able to *poder (ue)* (4)
beach *playa* (1)
be a fan of *ser aficionado a* (15)
be afraid (of) (about) *tener miedo (a/de)* (20)
be against *estar en contra* (14)
beak *pico* (3)
bean *grano* (17)
beans *frijoles* (8)
bear *oso* (3); *soportar* (14)
beat *batir* (8)
be at the point of *estar a punto de* (7)
beautiful *bello/a* (3); *bonito/a* (1); *precioso/a* (4)
beauty *belleza* (3); *hermosura* (14)
be born *nacer* (10)
be called *llamarse* (1)
because *porque* (1)
because of that *por eso* (4)
become *convertirse en* (10); *hacerse (irreg.)* (20); *ponerse (irreg.)* (20); *volverse (ue)* (20)
become accustomed *acostumbrarse* (17)
become depressed *deprimirse* (11)
become independent *independizar* (10)
be curious *tener curiosidad* (13)
bed *cama* (6)
be delayed *llegar con retraso* (7)
bedroom *cuarto* (6); *dormitorio* (6)
bee *abeja* (12)
beef jerky *cecina* (8)
be embarrassed *pasar vergüenza* (20)
beer *cerveza* (4)
beet *remolacha* (8)
be fed up with *estar harto/a de* (17) (20)
be fit *estar en forma* (5)
before *antes (de)* (3)
before breakfast *ayunas* (12)
begin *comenzar (ie)* (5); *empezar (ie)* (6)
be going to *ir a* (1)
behind *detrás de* (12)
be ignorant *ignorar* (19)
be in a good/bad mood *estar de buen/mal humor* (20)
be in shape *estar en forma* (5)
be jealous (of) *tener celos (de)* (20)
be late *llegar tarde* (7); *tardar* (11)
believe *creer* (6)
belong *pertenecer (zc)* (10)
belonging *pertenencia* (6)
below *abajo* (5); *bajo/a* (6)
belt *cinturón* (4)
be mad (at) *estar enfadado/disgustado (con)* (20)

bend *doblar* (5); *flexionar* (5); *recoveco* (20)
beneficial *beneficioso/a* (12)
benefit *beneficiar* (18)
benefit from *aprovechar* (13)
be on a diet *estar a dieta* (5)
be on sale *estar de rebajas* (4)
be overweight *tener exceso de peso* (12)
be owing to *deberse* (6)
be part of *formar parte (de)* (11)
be pleasing to *gustar* (3)
be present at *asistir* (2)
be right *tener razón* (3)
be seated *estar sentado* (5)
besides *además* (5)
be sorry *lamentar* (20); *sentir* (11)
be successful *tener éxito* (5)
be surprised *sorprenderse* (15)
be tired of *estar harto/a (de)* (17)
betrayal *traición* (20)
better *mejor* (9)
be used up *agotarse* (19)
be very boring *ser un rollo* (15)
be worth *merecer (zc)* (15); *valer* (4)
be wrong *equivocarse* (14)
bicycle *bicicleta* (3)
big *grande* (1)
big house *casona* (9)
bilingual *bilingüe* (6)
bill *cuenta* (8)
biodiversity *biodiversidad* (12)
biography *biografía* (10)
biologist *biólogo/a* (16)
biometric *biométrico/a* (19)
biracial *mestizo/a* (11)
bird *ave* (6); *pájaro* (7)
birth *nacimiento* (1)
birth certificate *certificado de nacimiento* (7)
birthday *cumpleaños* (4)
birthplace *cuna, lugar de nacimiento* (7)
birth rate *tasa de natalidad* (1)
bite *picadura* (12)
bitterness *amargura* (14)
black *negro/a* (4)
blind (window) *persiana* (16)
block *cuadra* (9)
blood pressure *presión/tensión* (5)
blood type *grupo sanguíneo* (12)
blouse *blusa* (4)
blow *fundirse* (16)
blue *azul* (4)
board *embarcar* (11)
boat *barco* (3); *buque* (18)
body *cuerpo* (5)
bodyguard *guardaespaldas* (17)
boil *hervir (ie)* (8)
bold *negrita* (2)
Bolivian *boliviano/a* (2)
bond *lazo* (4)
book *libro* (2)
booked *lleno/a* (7)
bookstore *librería* (2)

boot *bota* (4)
border *frontera* (13)
boring *aburrido/a* (1) (7); *pesado/a* (15)
borrow *tomar prestado/a* (20)
both *ambos* (13)
bother *fastidiar, molestar* (13)
bothersome *molesto/a* (20)
bottle *botella* (8)
bottle opener *abrebotellas* (8)
bound *forrado/a* (4)
bound for *rumbo a* (11)
box *caja* (8)
boxing *boxeo* (19)
box office *taquilla* (15)
boyfriend/girlfriend *novio/a* (2)
bracelet *pulsera* (4)
brain *cerebro* (12)
brake *frenar* (12); *freno* (16)
branch *ramo* (18); *sucursal* (18)
brave *valiente* (11)
bread *pan* (8)
break *romper* (11)
break (something) *romperse (algo)* (12)
break down *averiarse* (16); *estropearse* (16); *malograrse* (16)
breakfast *desayuno* (5)
break out *estallar* (10)
breast *pecho* (12)
breathe *respirar* (20)
brick *ladrillo* (6)
bridge *puente* (15)
brief *breve* (2)
briefcase *maletín* (17)
bring *traer* (4)
British *británico/a* (10)
broadcasting *retransmisión* (15)
brochure *folleto* (7)
broken *roto/a* (16)
bronchitis *bronquitis* (12)
bronze *bronce* (5)
brother/sister *hermano/a* (2)
brown *marrón* (4)
browser *navegador* (16)
budget *presupuesto* (4)
build *construir (irreg.)* (6)
builder *albañil* (6)
building *edificio* (3)
bulletproof *antibalas* (14)
bullfighting ring *plaza de toros* (15)
bunch *ramo* (18)
bureaucracy *burocracia* (10)
burn *quemadura* (12); *quemar* (12); *arder* (17)
burning sensation *escozor* (12)
bus *autobús; bus; ómnibus* (3)
business *empresa* (6); *negocio* (6)
business-related *comercial; empresarial* (18)
busy *ocupado/a* (7)
but *pero* (1); *sino* (17)
butler *mayordomo* (17)
butter *mantequilla* (8)

button *botón* (16)
buy *comprar* (4)
buying and selling *compraventa* (10)
by air *por vía aérea* (9)
by foot *a pie* (11)
by the way *a propósito* (17)
by water *por vía fluvial* (9)

C

cab *taxi* (7)
cabin *cabaña* (3)
cake *pastel* (4); *torta* (18)
calendar *calendario* (14)
call *llamada* (18); *llamar* (3)
calm *calmar* (5); *tranquilidad* (5); *tranquilo/a* (3)
camel *camello* (4)
camera *cámara de fotos* (7)
camp *campamento* (3)
campaign *campaña* (12)
can *lata* (8)
can (be able to) *poder (ue)* (4)
Canada *Canadá* (18)
cancel *cancelar* (7)
cancellation *cancelación* (7)
cancer *cáncer* (12)
candidate *candidato/a* (6)
candy *bombón* (18); *dulce* (5)
canned *enlatado* (12)
cannon *cañón* (11)
cannonshot *cañonazo* (11)
canoeing *piragüismo* (15)
can opener *abrelatas* (8)
canopy *pabellón* (15)
canvas *lienzo* (5)
cap *gorra* (3)
capable *capaz* (16)
captain *capitán* (5)
captivate *cautivar* (12)
car *carro* (4); *coche* (4); *automóvil* (6)
card *ficha* (2)
cardboard *cartón* (16)
care *cuidado* (12); *preocuparse de* (20)
career *carrera* (10)
care for *cuidar* (12)
Caribbean *caribeño/a* (8)
car repair *taller* (18)
carrot *zanahoria* (8)
carry *llevar* (6)
carry out *llevar a cabo* (16)
carved *tallado/a* (9)
cash *en efectivo* (17)
cashier *cajero/a* (4)
casserole *cazuela* (8)
castle *castillo* (11)
casual *deportivo/a* (3); *informal* (4)
Catalan *catalán* (15)
catarata *waterfall* (4)
catastrophe *catástrofe* (6)
catastrophic *catastrófico/a* (5)

Catholic *católico/a* (19)
cauliflower *coliflor* (8)
cause *causa* (5); *causar* (6); *ocasionar* (11)
cave *cueva* (11)
CD-Rom reader *lector de CD-Rom* (16)
celebrate *celebrar* (11); *festejar* (20)
celery *apio* (8)
cell phone *teléfono celular/móvil* (16)
central *céntrico/a* (6)
century *siglo* (10)
ceramicist *ceramista* (2)
certain *cierto/a; seguro* (5)
certainly *ciertamente* (14)
certificate *certificado* (7)
chain *cadena* (3)
chair *silla* (4)
challenge *desafío; reto* (19)
champagne *champaña* (19)
championship *campeonato* (5)
change *cambiar* (2); *cambio* (4)
chaos *caos* (9)
character *personaje* (3); *carácter* (14)
characteristic *característica* (5)
characterize *caracterizar* (15)
charge *cargar* (16)
charged *embestido/a* (20)
charm *encanto* (9); *simpatía* (11)
charming *encantador/a* (15)
chat *charlar* (14)
chauffer *chofer* (17)
cheap *barato/a* (4)
check *comprobar* (18); *cuenta* (8)
check luggage *facturar la(s) maleta(s)* (7)
check out *irse del hotel* (7)
cheese *queso* (8)
chef *cocinero/a* (2)
chemistry *química* (16)
chest *pecho* (12)
chicken *pollo* (4)
chief *cacique* (11)
childhood *infancia; niñez* (10)
Chilean *chileno/a* (2)
Chinese *chino/a* (13)
choice *elección* (9)
cholesterol *colesterol* (12)
choose *elegir (i)* (1) (3)
Christmas *Navidad* (4)
Christmas Eve *víspera de Navidad; Nochebuena* (8)
chronological *cronológico/a* (10)
church *iglesia* (3)
cigar *cigarro* (8)
cigar/cigarette case *cigarrera* (4)
cigar/cigarette maker or vendor *cigarrera* (4)
cigar cutter *cortapuro* (8)
cigarette *cigarrillo* (12)
cinema *cine* (1)
cinnamon *canela* (8)
circulation of blood *circulación sanguínea* (5)
circumstance *circunstancia* (11)
cite *citar* (18)
citizenship *ciudadanía* (10)

city *ciudad* (1)
city center *centro* (3)
city hall *alcaldía* (3); *ayuntamiento* (7)
civil rights *derechos civiles* (10)
claim *reclamar* (18); *reivindicación* (19)
clarify *aclarar* (17)
clash *chocar* (20)
class *clase* (10)
classic *clásico/a* (4)
classify *clasificar* (11)
classmate *compañero/a de clase* (1)
classroom *aula* (13)
clean *limpiar* (3); *limpio/a* (9)
cleaner *quitamanchas* (14)
clever *listo/a* (5)
cleverness *habilidad* (17)
climate *clima* (6); *entorno* (3)
climate change *cambio climático* (19)
climatic *climático/a* (19)
climb *ascender* (9)
climbing *escalada* (18)
cloak *manto* (17)
close *cerrar* (1)
closed *cerrado/a* (7)
closet *armario* (6); *ropero* (17)
cloth *paño* (12); *tela* (4)
clothes *vestimenta* (14)
clothing *ropa* (3)
clothing store *tienda de ropa* (4)
clue *pista* (17)
coast *costa* (10)
coast guard *guardacostas* (14)
coat *abrigo* (4)
coca grower *cocalero* (17)
coca plant *coca* (17)
cocktail *cóctel* (8)
coconut *coco* (8)
code *código* (1)
coffee *café* (8)
coffee grower *cafetalero/a* (8)
coffee shop *cafetería* (9)
coffee tree *cafeto* (8)
coherence *coherencia* (14)
cold (illness) *resfriado* (12)
cold (temperature) *frío* (9)
collaborate *colaborar* (10)
colleague *colega* (11)
collect *coleccionar* (2); *recaudar* (18)
collection *colección* (7)
college *universidad* (2)
college campus *ciudad universitaria* (9)
Colombian *colombiano/a* (2)
colonist *colonizador/a* (11)
colonization *colonización* (10)
colony *colonia* (11)
colorful *colorido/a* (9)
column *columna* (5)
comb *peinar* (17)
come *venir* (6)
come back *regresar* (10)
come from *provenir* (10)

come in *pase* (8)
comfort *comodidad* (9)
comfortable *cómodo/a* (3)
comma *coma* (13)
command *mando* (11)
commander *comandante* (11)
commemorate *conmemorar* (20)
commemorative *conmemorativo/a* (18)
comment *comentar* (6)
commerce *comercio* (18)
commercialize *comercializar* (16)
commitment *compromiso* (5)
common sense *sensatez* (14)
community *comunidad* (6)
compact disc *disco compacto* (16)
companion *acompañante* (7)
company *compañía* (6)
comparison *comparación* (9)
compete *competir* (18)
complex *complejo/a* (7)
complicated *complicado/a* (5)
compose *componer* (5)
composer *compositor* (15)
composition *redacción* (13)
computer *computador/a* (16); *ordenador* (15)
computer mouse *ratón* (16)
computer science *informática* (6)
computing *computación* (4)
conceited *engreído/a* (14)
conceive *concebir* (17)
concert *concierto* (15)
conclude *concluir* (6)
concrete *hormigón* (6)
condemn *condenar* (10)
conference *encuentro* (15)
confidence *confianza* (20)
confirm *comprobar* (18)
confront *enfrentar* (5)
connection *conexión* (4)
conqueror *conquistador* (10)
conquest *conquista* (10)
conscious *consciente* (5)
consequence *consecuencia* (19)
consequently *por consiguiente* (20)
conservation *conservación* (8)
conservative *conservador/a* (10)
conserve *conservar* (2)
consider *considerar* (8)
consultant *asesor/a* (10)
consulting service *asesoría* (18)
consumer *comsumidor* (18); *consumidor/a* (8)
consumer goods *bienes de consumo* (19)
consumption *consumo* (5)
contact *comunicar* (11)
container *contenedor* (18); *envase* (8)
contemptuous *despectivo/a* (13)
contents *contenido* (6)
contest *concurso* (15); *festival* (1)
continue *seguir* (6); *continuar* (11)
contract *contrato* (6)
contradict *contradecir (irreg.)* (19)

contradiction *contradicción* (19)
contribute *contribuir* (2)
contribution *aporte* (9)
convalescent *convaleciente* (20)
convenience *comodidad* (16)
convenient *conveniente* (5); *práctico/a* (16)
conversation *conversación* (2)
converse *conversar* (8)
convert *convertir* (15)
convince *convencer* (6)
convincing *convincente* (11)
cook *cocinar* (2); *cocinero/a* (2)
cooked *cocido/a* (12)
cooking *cocina* (8)
cool (weather) *templado/a* (9)
cool down *enfriar* (8)
copper *cobre* (16)
copy *copia* (4)
copy machine *fotocopiadora* (16)
corn *maíz* (5)
corner *esquina* (16); *rincón* (9)
correct *corregir* (10)
correct oneself *corregirse* (13)
corridor *pasillo* (6)
cosmetics *cosméticos* (18)
cost *costar (ue)* (4)
Costa Rican *costarricense* (2)
costly *costoso/a* (4)
cotton *algodón* (16)
cough *tos; toser* (12)
counselor *consejero/a* (5)
count on *contar (ue) con* (6)
country *país* (1)
country house *granja* (18)
countryside *campo* (3)
coup d'état *golpe de estado* (10)
coupon *cupón* (4)
courage *valentía* (14)
courier *mensajero/a* (18)
courier service *mensajería* (18)
course *curso* (1)
court *pista* (3); *cancha* (9)
courtesy *cortesía* (6)
cover *cubrir* (5)
covet *codiciar* (19)
cow *vaca* (10)
cowardliness *cobardía* (14)
cowardly *cobarde* (11)
craft *artesanía* (4); *manualidad* (13)
crazy *loco/a* (20)
cream *crema* (12)
create *crear* (6)
creativity *creatividad* (14)
creature *criatura* (20)
credit card *tarjeta de crédito* (4)
crib *cuna* (7)
crime *delincuencia* (9)
critique *criticar* (9)
cross *atravesar* (12); *cruzar* (12)
crossing *travesía* (11)
cruise *crucero* (3)

cry *llorar* (15)
Cuban *cubano/a* (2)
cucumber *pepino* (8)
culinary *culinario/a* (17)
culture *cultura* (1)
cup *taza* (8)
currency *moneda* (7)
currently *actualmente* (2)
custom *costumbre* (10)
cut *cortar* (8)
cut one's hair *cortarse el pelo* (18)
CV *currículo* (6)
cycle *ciclo* (19)

D

daily *diurno/a* (9)
daily activity *cotidianidad* (2); *a diario* (8)
dairy products *productos lácteos* (5)
damage *daño* (12); *estropear* (18)
dance *bailar* (2); *baile* (1); (classic or traditional) *danza* (2); *danzar* (17)
danger *peligro* (7)
dangerous *espinoso* (18); *peligroso/a* (3)
dare *atreverse* (19)
dark *moreno/a* (2); *oscuro/a* (11)
date *cita* (15); *datar* (11); *dato* (10); *fecha* (7)
date (fruit) *dátil* (8)
date back to *datar de* (11)
dawn *amanecer (cz)* (15)
day after tomorrow *pasado mañana* (7)
day before yesterday *anteayer, antes de ayer* (7)
daycare *guardería* (9)
daydream *ensueño* (15)
deaf *sordo/a* (17)
dean *decanato* (9)
death *muerte* (6)
debatable *discutible* (14)
debate *debatir* (19)
decade *década* (5)
December *diciembre* (3)
decent *digno/a* (6); *honesto/a* (11)
deceptive *mentiroso/a* (20)
decide *decidir* (6)
declare *declarar* (10)
decode *descifrar* (16)
decomposition *descomposión* (16)
dedicate oneself *dedicarse* (2)
deep *profundo/a* (5)
deeply *profundamente* (19)
defeat *vencer* (20)
defect *defecto* (14)
defender *defensor/a* (11)
definitively *definitivamente* (14)
deforestation *deforestación* (19)
deform *deformar* (5)
degree *grado* (12); *título* (6)
deify *deificar* (10)
delay *retraso* (7)
delete *borrar* (14)
delicious *delicioso/a* (8); *rico/a* (8)

deliver *entregar* (10)
delivery *entrega* (18); *reparto* (18)
demand *demanda* (18)
dementia *demencia* (20)
demonstrate *demostrar (ue)* (8)
demonstration *manifestación* (10)
denounce *denunciar* (10)
dentist *dentista* (7)
dentistry *odontología* (12)
deodorant *desodorante* (4)
depart *partir* (10)
departure *salida* (7)
depend *depender* (13)
dependable *confiable* (18)
depict *retratar* (14)
depress *deprimir* (14)
depressed *deprimido/a* (5)
depression *depresión* (5)
derive *derivar* (11)
descend *descender* (14)
descendent *descendiente* (11)
descent *ascendencia* (2)
describe *describir* (7)
desert *desierta* (14)
design *diseñar* (6) (14)
designer *diseñador/a* (7)
desire *desear* (11)
desk *escritorio* (6)
dessert *postre* (4)
destination *destino* (3)
destiny *destino* (10)
destroy *destruir* (6)
destruction *destrucción* (19)
detailed *detallado/a* (4)
detain *detener* (11)
detection *detección* (16)
detective movie *película policíaca* (15)
detention *detención* (17)
deteriorate *deteriorar* (12)
determine *determinar* (20)
devastate *devastar* (11)
devastating *devastador/a* (20)
develop *desarrollar* (10) (18); *desarrollar(se)* (13); develop photos *revelar fotos* (7)
developed *desarrollado/a* (19)
developing country *país en vías de desarrollo* (19)
development *desarrollo* (17)
device *aparato* (16); *dispositivo* (16)
diagnose *diagnosticar* (19)
dial *marcar* (6)
diarrhea *diarrea* (12)
dictator *dictador* (11)
dictatorship *dictadura* (10)
die *morir (ue)* (10)
diet *dieta* (8); *régimen* (12)
difficult *difícil* (1); *espinoso* (18)
difficulty *dificultad* (8)
digital camera *cámara digital* (16)
digitalization *digitalización* (19)

digitalize *digitalizar* (16)
digitalized *digitalizado/a* (16)
diligence *diligencia* (11)
dine *cenar* (6)
dining room *comedor* (3)
dinner *cena* (2)
dip *sumergir* (8)
direct *dirigir* (10); *guiar* (4)
direction *orientación* (17)
dirty *sucio/a* (9)
disadvantage *desventaja* (18)
disagreement *desacuerdo* (3)
disappear *desaparecer* (10)
disappearance *desaparición* (17)
disappointed *decepcionado/a* (20)
disapproval *desaprobación* (13)
disapprove *desaprobar* (14)
disaster *desastre* (11)
discard *descartar* (19); *desechar* (16)
discharge *descarga* (16)
discomfort *molestia* (12)
disconcerting *desconcertante* (20)
disconnect *desconectar* (16)
discontent *descontento/a* (20)
discount *descuento* (4)
discover *descubrir* (7)
discovery *descubrimiento* (9)
discrimination *discriminación* (19)
disembark *desembarcar* (11)
disguise oneself (as) *disfrazarse (de)* (17)
dish *plato* (4)
dishonest *deshonesto/a* (18)
disintegrate *desintegrar* (10)
dismiss *destituir* (10)
disorder *transtorno* (5)
disorderly *desordenado/a* (14)
disorganized *desorganizado/a* (20)
displacement *desplazamiento* (10)
disposed *dispuesto* (6)
disrespectful *irrespetuoso* (14)
distant *lejano/a* (7)
distress *angustiar* (14)
distribute *distribuir* (10); *repartir* (14)
distribution *distribución* (2); *reparto* (18)
district *distrito* (15)
distrustful *desconfiado/a* (19)
disturbance *transtorno* (5)
dive *bucear* (7)
diving *buceo* (3)
divorce *divorciarse* (10)
divorced *divorciado/a* (2)
dizziness *mareo* (12)
dizzy *mareado/a* (12)
do *hacer (irreg.)* (2)
do business *comerciar* (18)
docile *dócil* (20)
doctor *médico* (2)
doctor's office *consulta* (12)
documentary *documental* (15)
doll *muñeco/a* (16)
dollar *dólar* (16)

dolphin *delfín* (7)
dolphinarium *delfinario* (15)
dome *cúpula* (4)
domestic *casero/a* (8)
domicile *domicilio* (18)
dominate *dominar* (11)
Dominican *dominicano/a* (2)
donation *donación* (6)
door *puerta* (6) (17)
dorm *residencia estudiantil* (9)
doubt *dudar* (11)
download *bajar* (16)
downtown *centro* (3)
do yoga *hacer yoga* (5)
dozen *docena* (8)
draftsman *dibujante* (2)
draw *dibujar* (2)
draw conclusions *sacar conclusiones* (19)
drawing *dibujo* (2)
dream *sueño* (20)
dress *vestido* (4)
dried beef *cecina* (8); *tasajo* (8)
drilling *perforación* (20)
drink *beber* (5); *bebida* (5); *copa* (15)
drink (alcohol) *tomar (alcohol)* (5)
drive *conducir* (7); *manejar* (6)
driver *conductor* (10)
driver's license *licencia de conducir* (6);
 permiso de conducir (7)
drought *sequía* (19)
drug *droga* (12)
drug addictions *drogadicciones* (12)
drug trafficking *narcotráfico* (19)
drum *bombo* (4)
dry *seco/a* (3)
dry cleaner *tintorería* (18)
due to *debido a* (3); *a causa de* (20)
duplication *duplicación* (16)
duration *duración* (7)
during *durante* (7)
during the day *de día* (7)
Dutch *holandés/a* (10)
DVD player *DVD (reproductor de)* (16)
dwell *habitar* (11)
dynamic *dinámico/a* (6)
dynasty *dinastía* (11)

E

each *cada* (1)
ear *oído* (12); *oreja* (5)
earache *dolor de oídos* (12)
early *temprano* (7)
early morning *madrugada* (7)
earn *ganar* (6)
earring *pendiente* (4)
earth *tierra* (11)
earthquake *terremoto* (6)
ease *facilidad* (17)
east *este* (3); *oriente* (7)
easy *fácil* (1)

eat *comer* (2)
eating disorder *trastorno alimenticio* (12)
ecologist *ecologista* (19)
ecology *ecología* (9)
economy *economía* (18)
ecosystem *ecosistema* (12)
Ecuadorian *ecuatoriano/a* (2)
edification *edificación* (3)
education *formación* (6)
effect *efecto* (6)
effective *efectivo/a* (5)
efficiency *eficiencia* (18)
effort *esfuerzo* (12)
egg *huevo* (8)
eggplant *berenjena* (8)
egoism *egoísmo* (14)
Egyptian *egipcio/a* (14)
eight *ocho* (1)
eighteen *dieciocho* (1)
eight hundred *ochocientos* (4)
eighty *ochenta* (2)
elaborate *elaborar* (8)
elbow *codo* (5)
elect *elegir (i)* (3)
elections *elecciones* (10)
electric *eléctrico/a* (16)
electrician *electricista* (18)
electricity *electricidad* (16)
electronic agenda *agenda electrónica* (16)
electronic appliances *electrodomésticos* (4)
elegant *elegante* (4)
elevate *elevar* (16)
elevator *ascensor* (6)
eleven *once* (1)
eliminate *eliminar* (8)
elude *eludir* (20)
embark *embarcar* (11)
embarrass *dar vergüenza* (13)
embarrassment *vergüenza* (13)
embassador *embajador/a* (14)
embrace *abrazar* (20)
embroidery *bordado* (20)
emerge *surgir* (18)
emergency *urgencia* (12)
emergency room *servicio de emergencias* (12)
emigrant *emigrante* (7)
emigrate *emigrar* (12)
emigration *emigración* (14)
emotional *emotivo/a* (20)
emphasis *énfasis* (12); *hincapié* (5)
emphasize *destacar* (5)
empire *imperio* (9)
employ *emplear* (5)
employee *empleado/a* (6)
employment *empleo* (6)
empower *potenciar* (13)
empty *vacío/a* (7)
encourage *animar* (12)
end *cabo* (5); *terminar* (8)
ending *terminación* (2)
endorse *suscribir* (10)

enemy *enemigo/a* (11)
energy *energía* (16)
engineer *ingeniero/a* (20)
engineering *ingeniería* (12)
English *inglés/inglesa* (11)
enjoy *disfrutar* (3)
enjoyment *diversión* (8)
enjoy oneself *divertirse (ie)* (3)
enmity *enemistad* (20)
enormous *enorme* (15)
enough *bastante* (5); *suficiente* (8)
enrich *enriquecer* (13)
enroll *enrolar* (10); *inscribirse* (13)
enter *entrar* (19)
entertaining *entretenido/a* (15)
entertainment *entretenimiento* (9); *oferta
 cultural* (15)
entry *entrada* (6)
envious *envidioso/a* (14)
environment *entorno* (3); *medio ambiente* (9)
environmental *ambiental* (9);
 medioambiental (18)
envy *envidia* (14)
epidemic *epidemia* (10)
epoch *época* (10)
equal *igual* (8)
equality *igualdad* (19)
equally *igual de* (7)
equinox *equinoccio* (20)
equip *aparejar* (18)
era *época* (10)
erase *borrar* (14)
erect *erguido/a* (5)
eradication *erradicación* (19)
escape *escapar* (10); *fugarse* (17); *huir* (11)
Eskimo *esquimal* (17)
especially *especialmente* (18)
essay *ensayo* (13); *trabajo escrito* (13)
essence *esencia* (19)
essentially *esencialmente* (13)
establish *establecer* (6); *instaurar* (10)
estate *hacienda* (10)
estimate *estimar* (6)
etching *grabado* (11)
eternal *eterna* (12)
ethical *ético/a* (19)
ethnic *étnico/a* (11)
ethnic group *etnia* (10)
European *europeo/a* (2)
European Union *Unión Europea* (10)
euthanasia *eutanasia* (19)
evaluate *evaluar* (8)
even *incluso* (19)
evening *noche* (6)
event *acontecimiento* (10)
everyday *cotidiano/a* (11)
evidence *prueba* (17)
exactly *efectivamente* (13); *exactamente* (14)
exaggerated *exagerado/a* (5)
examine *examinar* (4)
exceed *rebasar* (9)

excel *sobresalir* (8); *superar* (16)
excellent *excelente* (8)
excess *exceso* (5)
excessively *excesivamente* (12)
exchange *intercambio* (2)
excite *emocionar* (14)
exciting *emocionante* (15)
exclusive *excluyente* (19)
excuse *dispensar* (20)
excuse me *disculpe* (8)
excuse oneself *excusarse* (15)
exercise *ejercicio; hacer ejercicio* (5)
exert *ejercer* (20)
exhale *exhalar* (5)
exhibition *exposición* (15)
exist *existir* (8)
exotic *exótico/a* (3)
expectancy *esperanza* (12)
expedient *expediente* (6)
expedition *expedición* (10)
expel *expulsar* (11)
expensive *caro/a* (4)
experience *experiencia* (6)
expert *experto* (20)
explain *explicar* (5)
explanation *explicación* (13)
explorer *explorador/a* (10)
export *exportar* (7)
exportation *exportación* (18)
exports *exportación* (18)
expose *exponer* (5)
exposition *exposición* (5)
express *expresar* (18); *exprimir* (12)
express an opinion *opinar* (19)
expressivity *expresividad* (15)
extend *estirar* (5); *extenderse* (14)
extension *ampliación* (18)
extermination *exterminio* (10)
extract *extraer* (11)
extraction *ascendencia* (2)
extraordinary *genial* (15)
extraterrestrial *extraterrestre* (11)
extrovert *extrovertido/a* (14)
eye *ojo* (5)
eyeglasses *anteojos* (4)

F

fabulous *fabuloso/a* (3)
face *cara* (5); *rostro* (2)
face (of a clock) *esfera* (7)
face down *boca abajo* (7)
face to face *cara a cara* (7)
facilitate *facilitar* (9)
facilities *instalaciones* (3) (5)
fact *hecho* (10)
faction *facción* (2)
faint *desmayarse* (12)
fair *equitativo/a* (6); *feria* (15); *justo/a* (18)
fair trade *comercio justo* (19)
fairy tale *cuento de hada* (17)

faithful *fiel* (14)
fall *caer* (10); *otoño* (3)
fall asleep *dormirse (ue)* (5)
fall down *caer(se)* (11)
falling apart *desvencijado/a* (20)
fall in love with *enamorarse de* (10)
fame *fama* (6)
famous *célebre* (11)
fan *aficionado/a* (5)
fantasy *ensueño* (15)
far *lejano/a* (18)
far from *lejos de* (7)
farm *granja* (18)
farming *agropecuario/a* (18)
fashion *moda* (4)
fast *rápido/a* (7)
fat *gordo/a* (5); *grasa* (5)
fatality *fatalidad* (20)
father *padre* (2)
Father Christmas *Papá Noel* (4)
fault *defecto* (14)
fear *miedo* (11)
fearful *miedoso/a* (14)
feather *pluma* (14)
feature *reportaje* (19)
feature film *largometraje* (16)
February *febrero* (3)
fed up (with) *harto/a (de)* (18)
fed up with *estar harto/a (de)* (17)
feed *alimentar* (5); *sustentar* (20)
feed (oneself) *alimentarse* (11)
feel *sentir* (11)
feel anguish/stress *sentirse angustiado/a* (20)
feeling *sentimiento* (10)
feel like doing *apetecer* (15)
feel sorry for someone/something *dar lástima* (20)
fellow man *semejante* (20)
ferry *trasbordador* (10)
fervent *ferviente* (11)
festivity/party *fiesta* (1)
fever *fiebre* (10)
fiber *fibra* (4)
fiction novel *novela de ficción* (17)
fidelity *fidelidad* (14)
field *campo* (7)
field trip *excursión* (3)
fifteen *quince* (1)
fifty *cincuenta* (2)
fight *lucha* (11); *luchar* (6); *pelearse* (20)
figure *cifra* (18)
file *archivo* (16)
fill out *rellenar* (14)
film *filmar* (16); *película* (2); *rollo* (15)
film critic *cineasta* (16)
film enthusiast *cineasta* (16)
filter *filtro* (12)
finally *finalmente* (2); *al final* (8)
finances *finanzas* (19)
financial *financiero/a* (18)

find *hallar* (20)
find hard to *costar (ue)* (13)
find oneself *encontrarse (ue)* (12)
find out *averiguar* (2); *encontrar (ue)* (3); *enterarse* (17)
fine *fino/a* (2)
Finnish *finlandés* (13)
fire *despedir (i)* (6); *fuego* (8); *incendio* (16)
fireman/woman *bombero/a* (6)
firewater *aguardiente* (5)
firm *compañía; empresa* (6)
firmness *firmeza* (5)
first *primer/a* (5)
first name *nombre* (1)
fish *pescado* (5); *pez* (3)
fish market *pescadería* (8)
fishmonger *pescadería* (8)
fit *caber* (13)
five *cinco* (1)
five hundred *quinientos/as* (4)
fix *componer* (5); *fijar* (13); *reparar* (16); *arreglar* (16)
flag *bandera* (11)
flannel *franela* (17)
flat *plano/a* (3)
flavor *sabor* (8)
flecked *salpicado/a* (11)
fledged *emplumado/a* (11)
flexible *ágil* (5)
flight *huida* (11); *vuelo* (7)
flight attendant *azafato/a* (17)
float *flotar* (5)
floodgate *compuerta* (18)
floor *planta* (4)
florist's shop *floristería* (18)
flour *harina* (8)
flourish *florecer* (9)
flow *flujo* (20)
flower *flor* (18)
flower shop *florería* (4)
flu *gripe* (5)
fluency *fluidez* (10)
flute *flauta* (4)
fly *volar (ue)* (7)
focus *enfoque* (14)
fog *niebla* (9)
foggy *nublado/a* (9)
follow *seguir* (2); *suceder* (10)
followed by *seguido de* (9)
following *siguiente* (10)
food *alimentación* (18); *alimento* (8); *comida* (1)
food poisoning *intoxicación* (12)
foot *pie* (5)
forbid *prohibir* (20)
forehead *frente* (5)
foreigner *extranjero/a* (2)
foreign language *lengua extranjera* (13)
foresee *prever* (19)

forest *bosque* (3)
for example *por ejemplo* (5)
forget *olvidar* (4); *olvidarse de* (13)
form *formulario* (17)
format *formato* (18)
formula *fórmula* (19)
formulate *formular* (14)
fortress *fortaleza* (11)
fortunate *afortunado/a* (14)
forty *cuarenta* (2)
for what purpose *para que* (4)
found *fundar* (10)
founded *fundado/a* (7)
four *cuatro* (1)
four hundred *cuatrocientos/as* (4)
fourteen *catorce* (1)
fourth *cuarto* (6)
foyer *vestíbulo* (17)
fragile *frágil* (20)
fragment *trozo* (8)
frame *marco* (4)
France *Francia* (12)
free *gratis* (7); *libre* (8); *liberar* (10);
   gratuito (12)
freedom *libertad* (10)
freeze *congelarse* (20)
French *francés* (13)
French fries *papas fritas* (4)
frequently *frecuentemente* (12)
fresh *fresco/a* (4)
Friday *viernes* (5)
fried *frito/a* (8)
friend *amigo/a* (2)
friendliness *amabilidad* (18)
friendly *sociable* (14)
friendship *amistad* (10)
fright *susto* (11)
frighten *asustar* (17); *dar
   medio* (13)
fritter *buñuelo* (8)
from where *de dónde* (4)
front-desk attendant *recepcionista* (6)
frozen *congelado/a* (18)
fruit *fruta* (5)
fruit dish *frutero* (8)
fruit seller *frutero* (8)
fry *freír (i)* (8)
frying pan *sartén* (8)
fulfillment *desempeño* (12)
full *pleno/a* (9)
full-length film *largometraje* (16)
full-time *a tiempo completo* (6)
fun *diversión; divertido/a* (1)
function *funcionar* (5)
fund *financiar* (18); *fondo* (6)
funny *chistoso/a* (11); *gracioso/a* (11);
   divertido/a (14)
furnish *amueblar* (6)
furnished *amueblado/a* (6)
furniture *mobiliario* (18); *muebles* (6)
furthermore *es más* (15)

G

gain weight *engordar* (5)
Galician *gallego* (15)
game *juego* (7); *partido* (3)
gangplank *pasarela* (15)
gap *brecha* (19); *salto* (3)
garage *garaje* (17)
garbage *basura* (9)
garden *jardín* (3)
garlic *ajo* (8)
garment *prenda de vestir* (4)
gas station *gasolinera* (9)
gas station (Perú) *grifo* (9)
generate *generar* (12)
generation *generación* (10)
generosity *generosidad* (14)
generous *generoso/a* (14)
genetic code (DNA) *código genético
   (ADN)* (16)
genetic engineering *ingeniería genética* (19)
genius *genio* (19)
genre *género* (14)
genuine *sincero/a* (14)
geography *geografía* (1)
germ *germen* (5)
German *alemán* (13)
Germany *Alemania* (18)
gestation *gestación* (20)
gesture *ademán* (17); *gesto* (13)
get a cold *resfriarse* (12)
get all mixed up *hacerse un lío* (13)
get along (poorly) with *llevarse bien/(mal)
   con* (14)
get along with *conectarse; entenderse con* (20)
get angry *enojarse* (20)
get bored *aburrirse* (9)
get cold *enfriarse* (8)
get damaged *estropearse* (16)
get discouraged *desanimarse* (13)
get dizzy *marearse* (12)
get engaged *comprometerse* (10)
get frustrated *frustrarse* (13)
get happy *ponerse contento/a* (20)
get hold of *agarrar* (11)
get hurt *lesionarse* (12)
get injured *lesionarse* (12)
get jealous *ponerse celoso/a* (20)
get married *casarse* (10)
get on *montarse en* (7)
get out *bajar* (13)
get ready *alistar* (17)
get rid of *quitar* (12)
get sick *enfermarse; ponerse enfermo* (12)
get sunburned *quemarse* (12)
get tired *cansarse* (12)
get up *levantarse* (5)
get up early *madrugar* (3)
get upset *molestarse* (20)
giant *gigante* (17)
gift *regalo* (4)

gift store *tienda de regalos* (4)
gigantic *gigantesco/a* (7)
give *dar* (1); *entregar* (10)
give a gift *hacer un regalo, regalar* (4)
give a standing ovation *ovacionar de pie* (10)
given *dado/a/os/as* (20)
given that *dado que* (20)
give the floor *ceder la palabra* (13)
give up *renunciar a* (20)
glance *mirada* (15)
glass *vaso* (12); *cristal* (16); *vidrio* (16)
glasses *gafas* (16)
glasshouse *invernadero* (15)
globalization *globalización; mundialización* (19)
global warming *calentamiento global* (19)
globe *globo* (20)
gloves *guantes* (4)
go *ir (irreg.)* (2)
goal *meta* (18); *propósito* (6)
goalkeeper *portero/a* (5)
go camping *acampar; ir de camping* (7)
go down *bajar* (13)
go for a walk *dar una vuelta* (17)
gold *oro* (11)
golf player *golfista* (5)
good *bueno/a* (2)
good-looking *guapo/a* (2)
goodness *bondad* (14)
goods *mercancía* (18)
go out *salir* (15)
go out for a drink *ir de copas* (15)
go out for dinner *salir a cenar* (15)
go out with *salir con* (17)
go shopping *ir de compras* (4)
go through *transitar* (20)
go to bed *acostarse (ue)* (5)
go up *subir* (1)
govern *gobernar* (11)
government *gobierno* (11)
government official *funcionario/a* (11)
government-related *gubernamental* (18)
governor *gobernador* (10)
GPS navigation system *sistema de navegación
   GPS* (16)
grade *calificación* (9)
graft *injerto* (12)
gram *gramo* (8)
grandfather/grandmother *abuelo/a* (2)
grandparents *abuelos* (2)
grant *dispensar* (20)
grape *uva* (8)
graphic *gráfico* (12)
graphic arts *artes gráficas* (18)
gravity *gravedad* (11)
gray *gris* (4)
grazing *pastoreo* (10)
great *genial* (15)
Great Britain *Gran Bretaña* (10)
Greece *Grecia* (18)
greed *avaricia* (14)
Greek *griego* (13)

green *verde* (4)
green beans *habichuelas* (8); *judías verdes* (8)
greenhouse *invernadero* (15)
Greenland *Groenlandia* (10)
greenness *verdor* (11)
green zone *zona verde* (9)
greet *saludar* (6)
grief *pena* (11)
grill *parilla* (3) (8)
grocery store *mercado* (7)
gross domestic product *producto interno bruto (PIB)* (18)
ground *picado/a* (8)
group *grupo* (1)
grow *crecer (zc)* (1); *cultivar* (8)
growing *cultivo* (5); *en crecimiento* (18)
growth *crecimiento* (9)
grow up *crecer (zc)* (10)
grumpy *gruñón/a* (3)
guarantee *garantizar* (12)
Guatemalan *guatemalteco/a* (2)
guess *adivinar* (1)
guest *invitado/a* (18)
guide *guía* (3); *guiar* (4)
gum *chicle* (12)
gym *gimnasio* (3)

H

habit *costumbre* (5)
habitación *hábito* (8)
hair *pelo* (5)
hairdresser *peluquería* (3)
half *mitad* (1)
hallway *pasillo* (6)
halt *detener(se)* (11)
ham *jamón* (8)
hamburger *hamburguesa* (20)
hand *mano* (5)
handful *puñado* (17)
handkerchief *pañuelo* (4)
hand over *entregar* (10)
handsome/pretty *guapo/a* (2)
handy *práctico/a* (16)
hang *colgar (ue)* (16)
happen *ocurrir* (9); *suceder* (10); *pasar* (19)
happiness *alegría* (14); *felicidad* (14)
happy *alegre* (2); *feliz* (10)
harbor *puerto* (9)
hard *duro/a* (8)
hard liquor *aguardiente* (5)
hardly *nada* (2)
hardness *dureza* (8)
hardworking *trabajador/a* (20)
harm *daño* (12)
harshness *dureza* (8)
harvest *cosecha* (6)
hat *gorro* (4)
hate *odiar* (14)
have *tener (ie)* (1)
have (in compound tenses) *haber* (1)

have a cold *estar resfriado/a* (12)
have a drink *tomar una copa* (15)
have a good time *pasarlo bien* (4)
have an accident *tener un accidente* (12)
have an argument *pelearse* (20)
have a snack *merendar (ie)* (8)
have breakfast *desayunar* (5)
have fun *divertirse (ie)* (15)
have just *acabar de* (7)
have something *disponer de algo* (9)
have something in common *tener algo en común* (14)
have surgery *operarse (de)* (12)
have to *tener que* (2)
havoc *embestido/a* (20)
Hawaii *Hawai* (10)
hazelnut *avellana* (8)
head *cabeza* (5)
headache *dolor de cabeza* (12)
headline *titular* (19)
health *salud* (5)
health insurance *seguro médico* (12)
healthy *sano/a* (5); *saludable* (12)
heap *montón* (16)
hear *oír* (17)
heart *corazón* (3)
heart attack *ataque al corazón* (12)
heat *calentar (ie)* (8); *calor* (9)
heavy *pesado/a* (16)
Hebrew *hebreo* (13)
hectare *hectárea* (3)
heel *tacón* (4)
height *altura* (12)
heir/heiress *heredero/a* (8)
hell *infierno* (17)
hello *aló* (6); *bueno* (6); *diga* (6); *hola* (1); *sí* (6)
helmet *casco* (5)
help *ayudar* (6); *echar una mano* (17)
hemisphere *hemisferio* (18)
here *acá* (12)
heritage *herencia* (3)
hero *héroe* (10)
heroine *heroína* (11)
hidden *escondido/a* (11)
hide *esconder* (18)
hieroglyphic *jeroglífico* (14)
high *alto/a* (1)
highway *autopista* (6); *carretera* (3)
hike *caminata* (7)
hill *colina* (11)
hip *cadera* (5)
hire *contratar* (6)
Hispanic *hispano/a* (2)
Hispaniola *Española* (10)
historic district *casco antiguo* (9)
history *historia* (1)
hit *golpear* (17)
hobby *interés* (1)
hold *caber* (13)
hole *agujero* (19)

home *hogar* (6)
home delivery *servicio a domicilio* (18)
homeland *patria* (10)
homeless *personas sin hogar/sin techo* (19)
homemade *casero/a* (8)
home run *jonrón* (7)
Honduran *hondureño/a* (2)
honest *sincero/a* (14); *honesto/a* (11)
honesty *honestidad* (14)
honorable *digno/a* (6)
hope *esperanza* (12); *esperar* (4)
horror movie *película de terror* (15)
horse *caballo* (4)
hostage *rehén* (11)
hot *caliente* (8); *picante* (8)
hot (weather) *caluroso/a* (9)
hotel *hotel* (3)
hotel business; hotel management *hostelería* (18)
hour *hora* (5)
house *albergar* (9); *casa* (6)
housing *vivienda* (6)
housing development *urbanización* (9)
however *no obstante* (19)
how many; how much *cuánto(s)* (2)
huge *enorme* (15)
human being *ser humano* (16)
humid *húmedo/a* (3)
hummingbird *colibrí* (3)
hundred *centenar* (8)
hundreds *cientos* (4)
hunger *hambre* (12)
hunting *caza* (19)
hurricane *huracán* (6)
hurt *doler (ue)* (11)
hurt oneself *hacerse daño* (12)
husband *marido* (20)
husband/wife *esposo/a* (2)
hybrid *híbrido/a* (16)
hydrating *hidratante* (12)
hygienic *higiénico* (18)
hypocrisy *hipocresía* (14)
hypocritical *hipócrita* (14)
hypothesis *hipótesis* (10)

I

ice cream *helado* (4)
ice cream shop *heladería* (4)
idealist *idealista* (20)
identify *identificar* (6)
idol *ídolo* (15)
if *si* (2)
ignorance *ignorancia*; *desconocimiento* (12)
ill *enfermo/a* (4)
illegal *ilegal* (20); *ilícito/a* (12)
ill-mannered *maleducado/a* (14)
illness *enfermedad* (12)
illustrate *ilustrar* (16)
illustration *ilustración* (20)
illustrious *ilustre* (11)

image *imagen* (3)
imagine *fingir* (14); *imaginar* (19)
imbued *imbuido/a* (20)
imitate *imitar* (13)
immediately *inmediatamente* (11)
immersion *inmersión* (13)
immigrant *inmigrante* (4)
immigration *inmigración* (11)
impatience *impaciencia* (14)
imported *importado/a* (16)
imports *importación* (18)
imposition *imposición* (19)
impoverish *empobrecer* (20)
impress *imprimir* (17)
impression *impresión* (19)
impressive *impresionante* (15)
improve *mejorar* (5)
in a hurry *apurado/a* (5)
in any case/event *de cualquier forma; de todas maneras; de todos modos; en cualquier caso* (19)
in/as a consequence *en/como consecuencia* (20)
inauguration *inauguración* (18)
incapable *incapaz* (20)
incident *suceso* (5)
include *abarcar* (11); *incluir* (4); *reunir* (14)
including *incluso* (19)
income *ingresos* (6)
in conclusion *en conclusión* (6)
in contrast to *a diferencia de* (7)
incorporate *incorporar* (8)
increase *aumentar* (10); *aumento* (18); *incrementar* (18)
incredible *increíble* (3)
independence *independencia* (10)
independent *independiente* (11)
index *índice* (12)
indicate *indicar* (9)
indigenous *autóctono/a* (11)
indigenous person *indígena* (2)
indigestion *indigestión* (12)
industry *industria* (18)
inequality *desigualdad* (19)
inexpensive *económico/a* (16)
infatuation *enamoramiento* (20)
in favor of *a favor* (19)
infection *infección* (12)
infidelity *infidelidad* (14)
inflammation *inflamación* (12)
inflexible *rígido/a* (20)
influential *influyente* (4)
inform *avisar* (16); *comunicar* (11)
information *información* (5)
infrastructure *infraestructura* (18)
in front of *delante de* (17); *enfrente (de)* (17)
infuriate *enfurecer* (20)
ingenuity *ingenio* (20)
inhabit *habitar* (11)
inhabitant *habitante* (1)
inhale *inhalar* (5)

injury *lesión* (12)
injustice *injusto* (17)
inn *posada* (7)
innovate *innovar* (18)
innovative *innovador/a* (15); *novedoso/a* (18)
innovator *innovador* (2)
in other words *en otras palabras* (5); *es decir* (1)
insecure *inseguro/a* (14)
insecurity *inseguridad* (9)
in short *en resumen* (6)
inside *dentro de* (8)
insomnia *insomnio* (12)
inspire *inspirar* (6)
install *instalar* (9)
instant *instante* (10); *vez* (8)
instantaneity *instantaneidad* (17)
instead of *en vez de* (3)
instrument *instrumento* (2)
insurance *seguro* (18)
insurmountable *infranqueable* (17)
intelligence *inteligencia* (14)
intelligent *inteligente* (2)
intend *intentar* (14)
intensity *intensidad* (17)
interest *afición* (2); *interesar* (3); *interés* (11)
interesting *interesante* (1)
intern *internar* (20)
international *mundial* (5)
internship *pasantía* (7)
interrupt *interrumpir* (10)
interview *entrevistar* (1); *reportaje* (19)
in the afternoon *de la tarde; por la tarde* (7)
in the early morning *de la madrugada* (7)
in the evening *de la noche; por la noche* (7)
in the face of *en vista de* (7)
in the first place *en primer lugar* (6)
in the morning *de la mañana; por la mañana* (7)
in the second place *en segundo lugar* (6)
in the third place *en tercer lugar* (6)
intolerable *insoportable* (20)
introduce *presentar* (1)
introduce oneself *presentarse* (1)
introverted *introvertido/a* (14)
inundate *inundar* (18)
invade *invadir* (10)
invent *inventar* (10)
inventiveness *ingenio* (20)
invest *invertir (ie)* (9)
investigate *investigar* (16)
investigation *investigación* (16)
investment *inversión* (18)
investor *inversionista* (18); *inversor/a* (18)
invite *invitar* (20)
involve *involucrar* (13)
involved *involucrado/a* (7)
Ireland *Irlanda* (10)
irony *ironía* (15)
island *isla* (3)
islander *isleño* (10)

isolated *aislado/a* (3)
isthmus *istmo* (18)
Italy *Italia* (10)
itch *picar* (12)
itinerary *itinerario* (7)
it is cold *hace frío* (9)
it is hot *hace calor* (9)
it is sunny *hace sol* (9)
it is windy *hace viento* (9)

J

jacket *chaqueta* (4)
January *enero* (3)
Japan *Japón* (10)
Japanese *japonés* (13)
jealous *celoso/a* (20); *envidioso/a* (14)
jealousy *celos* (20)
jest *jarana* (20)
jeweler *joyería* (4)
jewelry *joya* (14)
Jewish *judío/a* (13)
job *cargo* (6); *empleo* (6); *puesto de trabajo* (6); *trabajo* (6)
join *ensamblar* (18); *unirse a* (10)
joke *burla* (5)
journalist *periodista* (2)
journey *camino* (20); *trayecto* (17)
juice *jugo* (8)
July *julio* (3)
jump *saltar* (5); *salto* (3)
June *junio* (3)
jungle *selva* (3)
junk food *comida basura* (5)
just *equitativo/a* (6); *justo/a* (18)
juvenile *juvenil* (4)

K

keep *guardar* (16)
keep in mind *tener en cuenta* (2)
keep/remain quiet *callarse* (13)
key *cayo* (3); *clave* (5); *llave* (11); *tecla* (16)
keyboard *teclado* (16)
key maker *llavero* (4)
key ring *llavero* (4)
kidnap *secuestrar* (17)
kidnapping *secuestro* (17)
kill *matar* (17)
killing *asesinato* (10)
kilogram *kilo* (8)
kind *amable* (2)
king *rey* (4)
kingdom *reino* (11)
kiss *besar* (14)
kitchen *cocina* (6)
knee *rodilla* (5)
knife *cuchillo* (4)
knock down *atropellar* (20)
know (be familiar with) *conocer (zc)* (1)
know (a fact) *saber (irreg.)* (1)

knowledge *conocimiento* (13);
    sabiduría (15)
known *conocido/a* (10)
Korean *coreano* (13)

L

label *etiqueta* (1)
labor market *mercado laboral* (7)
labyrinth *laberinto* (17)
lack *faltar* (9)
lake *lago* (3)
lamb *cordero* (8)
lament *lamentar* (20)
lamp *linterna* (3)
land *aterrizar* (7); *tierra* (11)
landscape *paisaje* (1)
language *idioma* (1); *lengua* (13)
lapse *caducidad* (12)
laptop *computadora portátil* (4)
large (river) *caudaloso* (3)
large oil slicks *mareas negras* (19)
last *por último* (2); *durar* (7); *en último
    lugar* (15)
last name *apellido* (1)
last night *anoche* (10)
late *tarde* (7)
lantern *linterna* (3)
Latin American *latinoamericano/a* (2)
Latino *latino/a* (2)
laughter *risa* (14)
laundromat *lavandería* (3)
law *ley* (3); *derecho* (10)
lawyer *abogado/a* (2)
lazy *perezoso/a* (2)
lead *conducir* (7)
leader *líder* (10)
leaf *hoja* (6)
league *liga* (6)
lean *inclinar* (5)
leap *salto* (3)
learn *aprender* (1)
learner *aprendiz* (13)
learning *aprendizaje* (13)
leather *cuero* (4)
leave *dejar; irse (irreg.)* (6)
left *izquierda* (6)
leg *pierna* (5)
legalization *legalización* (19)
legal residence *domicilio* (18)
legend *leyenda* (11)
legumes *legumbres* (8)
leisure *ocio* (9)
lemon *limón* (8)
lemonade *limonada* (12)
lend *prestar* (12)
lend a hand *echar una mano* (17)
less *menos* (1)
less fortunate *desafortunado/a* (19)
lesson *lección* (14)
letter *carta* (4)

lettuce *lechuga* (8)
level *nivel* (5)
liberal *progresista* (10)
library *biblioteca* (2)
lie *mentir (ie)* (19)
lie down *tumbarse* (12)
life *vida* (10)
life expectancy *esperanza de vida* (19)
life preserver *salvavidas* (14)
lift *levaentar* (5)
light *ligero/a* (12); *luz* (16)
lightbulb *bombilla* (4)
lighter *encendedor* (8)
like *gustar* (3)
like a lot *amar* (20); *encantar* (3)
like/dislike someone *caer bien/mal* (20)
likewise *asimismo* (14)
limit *límite* (7)
line *línea* (10)
lined *forrado/a* (4)
link *vincular* (8); *vínculo* (8); *enlace* (16);
    vincular (a) (17)
linked *ligado/a* (5)
liquor *aguardiente* (5); *licor* (4)
liquor store *licorería* (18)
listen *escuchar* (1)
liter *litro* (5)
literacy *alfabetización* (16)
literary *literario/a* (20)
little bit *poco* (1)
live *vivir* (2)
live (a healthy life) *llevar* (12)
liveliness *animación* (15)
lively *animado/a* (15)
live music *música en vivo* (15)
livestock *ganadería* (18)
live with *convivir con* (19)
living *viviente* (8)
living room *salón; sala* (6)
loan *préstamo* (6)
lobby *vestíbulo* (17)
lobster *langosta* (12)
locate *localizar* (1)
location *ubicación* (3)
lock *cerradura* (16); *esclusa* (18)
lock down *encerrar* (11)
locksmith *cerrajero/a* (18)
locksmith's shop *cerrajería* (18)
lock up *encerrar* (11)
lodge *alojarse (en)* (3)
lodging *albergue* (3); *alojamiento* (3)
lodging house *pensión* (7)
logic *lógico/a* (5)
logo *logotipo* (18)
loneliness *soledad* (14)
lonely *solitario/a* (3)
long-lasting *duradero/a* (16)
look *mirar* (1)
look for *buscar* (1)
lose *perder (ie)* (6)
lose weight *adelgazar* (5)

loss *pérdida* (10)
love *amor* (10); *amar* (20)
lover *amante* (12); *enamorado/a* (9)
low *bajo/a* (6)
lowercase letter *minúscula* (13)
loyal *fiel* (14)
loyalty *fidelidad* (14)
luck *suerte* (11)
luggage *equipaje* (7)
lung *pulmón* (12)
luxurious *lujoso/a* (6)
lying *mentiroso/a* (20)

M

macaroni *macarrones* (8)
machine *máquina* (16)
magazine *revista* (4)
main actor/actress *protagonista* (15)
main character *protagonista* (17)
maintain *mantener* (9)
majestic *majestuoso/a* (20)
majority *mayoría* (3)
make *hacer (irreg.)* (2)
make a decision *tomar una decisión* (18)
make a face *hacer muecas* (7)
make an appointment *concertar una
    cita* (15)
make an appointment with *quedar
    (con)* (15)
make an excuse *dar una excusa* (15)
make a reservation *hacer una reservación* (7)
make better *mejorar* (5)
make laugh *dar risa* (14)
make mistakes *cometer errores* (13)
make nervous *poner nervioso/a* (13)
make onself comfortable *acomodarse* (17)
make progress *avanzar* (17)
make up *constituir* (2); *inventar* (10)
make worse *agravar* (19)
making *fabricación* (8)
mammal *mamífero* (7)
management *gestión* (10)
manager *gerente* (6)
manatee *manatí* (7)
mania *manía* (14)
mantle *manto* (17)
many times *muchas veces* (5)
map *plano* (7)
marble *marfil* (17); *mármol* (5)
March *marzo* (3)
marginalization *marginación* (19)
marginalized *marginado/a* (19)
marijuana *marihuana* (19)
marital status *estado civil* (2)
maritime *marítimo/a* (7)
mark *marco* (4)
marker *marcador* (11)
market *mercado* (7)
marketing *mercadeo* (18)
married *casado/a* (2)

marry someone *casarse con alguien* (10)
marvel *maravilla* (17)
marvellous *maravilloso/a* (3)
mass *montón* (16)
massage *masaje* (12)
masseuse *masajista* (18)
mastery *dominio* (6)
match *fósforo* (16); *partido* (3)
mathematics *matemáticas* (14)
matter *importar* (12)
maturity *madurez* (14)
maximum *máximo* (11)
May *mayo* (3)
maybe *quizá* (7); *tal vez* (15)
mayor *alcalde/sa* (9)
mean *significar* (1)
meaning *significado* (11)
means *expediente* (6)
meanwhile *entre tanto* (17)
measure *medida* (8); *medir (i)* (12)
meat *carne* (5)
mechanism *dispositivo* (16)
medical checkup *chequeo médico* (5)
medication *medicamento* (12)
medicine *medicina* (12)
mediocrity *mediocridad* (14)
meditate *meditar* (14)
meet *reunirse (con)* (7)
meeting *reunión* (7)
melting pot *crisol* (4)
member *miembro* (5)
member of Congress *congresista* (11)
membership fees *cuota* (19)
memorize *memorizar* (13)
memory *memoria* (16)
mention *mencionar* (5)
menu *menú* (8)
merchandise *mercancía* (18)
merchant *comerciante* (20)
merit *merecer (zc)* (15)
mess *desorden* (14)
message *mensaje* (6); *recado* (6)
metal *metal* (16)
method *método* (13)
metropolis *metrópoli* (15)
Mexican *mexicano/a* (2)
microwave *microondas* (16)
midnight *medianoche* (4)
migraine *migraña* (12)
migration *migración* (9)
migration movement *movimiento
   migratorio* (19)
mile *milla* (16)
military *ejército* (10); *militar* (10)
milk *leche* (8)
millenial *milenario* (9)
millenium *milenio* (19)
million *millón* (17)
millionaire *millonario/a* (17)
mind *mente* (5)
mineral water *agua mineral* (4)

minimum *mínimo* (10)
mining industry *minería* (18)
minority *minoría* (13)
mint *hierbabuena* (8)
mirror *espejo* (6)
miserly *avaro/a* (14)
misery *miseria* (20)
mistake *error* (13)
mix *mezclar* (5)
mixture *mezcla* (11)
mobilized *movilizado/a* (6)
moderate *moderar* (5)
moderately *moderadamente* (12)
modern *moderno/a* (4)
modest *modesto/a* (20)
modify *modificar* (18)
monarchy *monarquía* (15)
Monday *lunes* (5)
money *dinero* (3)
money order *giro postal* (7)
monitor *pantalla* (16)
monkey *mono* (3)
monk/nun *monje/monja* (19)
month *mes* (3)
moreover *además* (4)
more . . . than *más... que* (9)
mortgage *hipotecario/a* (18)
mother *madre* (2)
mother tongue *lengua materna* (13)
motivate *motivar* (11)
motorboat *lancha* (11)
motorcycle *moto* (16);
   motocicleta (20)
mountain *montaña* (1)
mountain climbing *montañismo* (7)
mountainous *montañoso/a* (12)
mountain range *cordillera* (3)
mountains *sierra* (9)
mouth *boca* (5)
move *mudarse* (6); *trasladarse* (10)
move forward *avanzar* (17)
movement *movimiento* (10)
movie guide *cartelera* (15)
movies *cine* (1)
movie theater *cine* (1)
moving *conmovedor/a* (15)
multiethnic *multiétnico/a* (19)
murder *asesinar* (10)
muscle *músculo* (5)
museum *museo* (6)
mushroom *champiñón* (8)
music *música* (2)
musician *músico* (2)
mussel *mejillón* (8)
mustache *bigote* (8)
mustard *mostaza* (8)
mysterious *misterioso/a* (11)
mystery *misterio* (17)
mystery novel *novela de misterio* (17)
myth *mito* (2)
mythic *mítico/a* (10)

N

name *nombrar* (5)
napkin *servilleta* (4)
narrate *narrar* (11)
narration *narración* (11)
narrator *narrador/a* (17)
narrow *estrecho/a* (9)
narrow-minded *cerrado/a* (20)
nation *nación* (6); *pueblo* (10)
nationality *nacionalidad* (2)
nationalized *nacionalizado/a* (7)
native *indígena* (2); *natal* (9);
   originario/a (17)
natural resources *recursos naturales* (19)
nature *naturaleza* (1)
navy *armada* (11)
near *cerca de* (7)
nearby *cercano/a; por aquí cerca* (3)
necessary *necesario/a* (5)
necessity *necesidad* (6)
neck *cuello* (5)
necklace *collar* (4)
need *necesitar* (4)
neighbor *vecino/a* (2)
neighborhood *barrio* (9)
neither *tampoco* (3)
nervous *nervioso/a* (14)
network *red* (12)
never *nunca* (5); *jamás* (20)
nevertheless *sin embargo* (4)
new *nuevo/a* (4); *novedoso/a* (18)
news *noticias* (1) (15); *telediario* (15)
newspaper *periódico* (3)
next *a continuación* (8); *después (de)* (8);
   luego (8); *próximo/a* (7)
Nicaraguan *nicaragüense* (2)
nice *agradable* (2); *amable* (2); *lindo/a* (15);
   simpático/a (2)
night *noche* (6)
nightlife *vida nocturna* (9)
nightly *nocturno/a* (15)
nine *nueve* (1)
nine hundred *novecientos/as* (4)
nineteen *diecinueve* (1)
ninety *noventa* (2)
no doubt *no cabe duda* (13)
noise *bullicio* (20); *ruido* (9)
noisy *ruidoso/a* (3)
no longer *ya no* (19)
nomadic *nómada* (11)
none *ningún; ninguno/a* (8)
nongovernmental organization (NGO)
   organización no gubernamental (ONG) (6)
non-profit *sin fines de lucro* (13)
noon *mediodía* (7)
no one *nadie* (18)
north *norte* (3)
northeast *nordeste* (11)
northwest *noroeste* (12)
Norwegian *Noruega* (18)

nose *nariz* (5)
not any *nada* (8); *ningún; ninguno/a* (8)
note *anotar* (5)
notebook *cuaderno* (17)
nothing *nada* (8)
notice *advertir (ie) (de)* (12); *apreciar* (7); *fijarse en* (7)
not know *ignorar* (19)
not to have a good time *pasarlo mal* (4)
nourish *sustentar* (20)
novel *novedoso/a* (18); *novela* (17)
novelist *novelista* (17)
novelty *novedad* (18)
November *noviembre* (3)
now *ahora* (11)
no way *de ninguna manera* (3); *ni hablar* (7); *no me digas* (11)
number *número* (1)
nut *nuez* (4)

O

Oaxacan *oaxaqueño/a* (2)
obesity *obesidad* (5)
object *complemento* (8)
obligate *obligar* (20)
obscurity *oscuridad* (17)
observe *observar* (6)
obtain *conseguir (i)*; *obtener* (5)
occupy *ocupar* (11)
occur *celebrarse* (15)
ocean *mar* (3); *océano* (10)
October *octubre* (3)
odd *extraño/a* (10); *raro/a* (16)
of course *cómo no* (3); *claro* (7); *desde luego* (7); *por supuesto* (3); *sí* (7)
of course not *claro que no* (7); *desde luego que no* (7)
offensive *ofensiva* (11)
offer *oferta* (18); *ofrecer (zc)* (1)
office *consultorío/a* (18); *despacho* (6); *oficina* (6)
office clerk *oficinista* (6)
often *a menudo* (5)
of the mind *anímico/a* (5)
oil *aceite* (8); *petróleo* (19); *petrolero/a* (18)
oil painting *óleo* (5)
oil spill *mareas negras* (19)
okay *de acuerdo* (13)
old *añejo/a* (19); *antiguo/a* (3)
old age *vejez* (10)
old-fashioned *anticuado/a* (20)
once in a while *de vez en cuando* (5)
one *uno* (1)
one hundred *cien* (2)
one-way ticket *boleto de ida* (7)
onion *cebolla* (8)
only *únicamente* (12)
on the contrary *al contrario* (14)
on the dot *en punto* (7)
on the part of *de parte de* (6)

on the verge of *a punto de* (18)
on top *encima* (8)
on top of *por encima de* (5)
onyx *ónix* (4)
open *abrir* (7); *dialogante* (20)
opening *apertura* (8)
open-minded *abierto/a* (20); *dialogante* (20)
operate on *operar* (12)
operating system *sistema operativo* (16)
opinion *opinión* (19)
opportunity *oportunidad* (6)
opposite *opuesto/a* (18)
oppress *agobiar* (20)
optimal *óptimo/a* (18)
optimist *optimista* (14)
orally *oralmente* (13)
orange *anaranjado/a* (4); *naranja* (4)
order *orden* (4)
order (in a restaurant) *pedir* (8)
orderly *ordenado/a* (14)
organize *organizar* (2)
organized *organizado/a* (6)
origin *origen* (2)
oscillate *oscilar* (18)
outdoor seating *terraza* (15)
outgoing *extrovertido/a* (2)
outline *esquema* (13)
out loud *en voz alta* (18)
out-of-date *anticuado/a* (18)
outpatient department *ambulatorio* (9)
outside *afuera* (16)
outside of *fuera de* (6)
outsider *forastero/a* (13)
outskirts *alrededores* (9)
outstanding *impresionante* (3)
oval-shaped *ovalado/a* (11)
overcome *superar* (14); *vencer* (20)
overexploitation *sobreexplotación* (20)
overpopulated *superpoblado/a* (9)
owing to *debido a* (6)
own *propio/a* (6)
owner *dueño/a* (8)
ox *buey* (15)
ozone layer *capa de ozono* (14)

P

pack *envasar* (12); *hacer la(s) maleta(s)* (7); *paquete* (8)
package *paquete* (8)
pack up *empacar* (18)
page *página* (10); *paje* (4)
pain *dolor* (12)
paint *pintar* (2)
painter *pintor/a* (2)
painting *cuadro* (5); *pintura* (2)
pair *pareja* (1)
palate *paladar* (8)
palmtop computer *computadora de bolsillo* (16)
Panamanian *panameño/a* (2)
panic *pánico* (11)

pants *pantalones* (4)
paper *papel* (16); *trabajo escrito* (13)
parade *desfile* (17)
paradise *paraíso* (3)
paragliding *parapente* (7)
paragraph *párrafo* (4)
Paraguayan *paraguayo/a* (2)
parallel *paralelo* (20)
paralyze *paralizar* (20)
parameter *parámetro* (12)
pardon *dispensar* (20); *perdonar* (20)
parents *padres* (2)
park *estacionar* (17); *parque* (3)
parking *estacionamiento* (6)
parking lot *aparcamiento* (9); *estacionamiento* (6)
parrot *loro* (3)
participate *participar* (1)
part-time *a tiempo parcial* (6)
paso *step* (1)
passage *trozo* (8)
passion *pasión* (5)
passport *pasaporte* (7)
past *pasado* (11)
pastry shop *pastelería* (4)
pasture *pasto* (10)
patch *parche* (12)
patent *patentar* (16)
path *sendero* (12); *trayecto* (17)
pathology *patología* (12)
patience *paciencia* (6)
patient *paciente* (6)
pavilion *pabellón* (15)
pay *pagar* (4)
pay attention *prestar atención* (4)
pay attention to *hacer caso a* (20)
peas *guisantes* (8)
peace *paz* (10); *sosiego* (16)
peacefulness *tranquilidad* (5)
peach *melocotón* (8)
peak *pico* (3)
pear *pera* (8)
peasant *campesino/a* (6)
pedantry *pedantería* (14)
pedestrian *peatón* (9)
pedestrian zone *zona peatonal* (9)
peel *pelar* (8)
pen *bolígrafo* (12)
pen *lapicera* (16); *pluma* (16)
pencil *lápiz* (16)
penetrate *penetrar* (11)
penguin *pingüino* (12)
people *gente* (1); *pueblo* (10)
pepper (spice) *pimienta* (8)
pepper (vegetable) *pimiento* (8)
percentage *porcentaje* (12)
perfect *perfeccionar* (13)
perform *actuar* (14)
performance *actuación* (15); *desempeño* (12); *interpretación* (14)
perfume store *perfumería* (4)

period *período* (11); *plazo* (19)
permission *permiso* (12)
permit *dejar* (8); *permitir* (6)
personality *personalidad* (2)
persuade *persuadir* (20)
Peruvian *peruano/a* (2)
pessimistic *pesimista* (14)
pesticide *pesticida* (20)
petroleum *petróleo* (19)
pharmacology *farmacología* (14)
pharmacy *farmacia* (3)
phase *fase* (7)
phenomenon *fenómeno* (3)
Philippines *Filipinas* (18)
philosopher *filósofo* (19)
philosophy *filosofía* (14)
phone *teléfono* (1)
photocopier *fotocopiadora* (16)
photographer *fotógrafo/a* (2)
physical *físico/a* (5)
pick up *recoger* (7)
picture *fotografía* (1)
piece *pedazo* (8); *trozo* (8)
piece of information *dato* (10)
pile *montón* (16)
pilgrimage *peregrinación* (9)
pill *pastilla* (12); *píldora* (12)
pillar *pilar* (18)
pinch *pizca* (12)
pineapple *piña* (8)
pink *rosa* (4)
pioneer *pionero/a* (18)
pirate *pirata* (11)
place *lugar* (3)
place before *anteponer* (14)
plain *sencillo* (2)
plains *llanuras* (1)
plan *planear, planificar* (15)
plane *avión* (3)
plastic *plástico* (16)
plateau *meseta* (3)
plated *chapado/a* (6)
platform *plataforma* (9)
play *hacer deporte* (5); *jugar (ue)* (2);
   (instruments) *tocar* (2)
play (theater) *obra de teatro* (15)
player *jugador/a* (2)
playful *lúdico/a* (15)
play the role of *hacer de* (8); *protagonizar* (14)
pleasant *agradable* (2)
please *encantar* (13)
pleasure *placer* (15)
plot *argumento* (15)
plug *enchufe* (16)
plug in *enchufar* (16)
pocket *bolsillo* (10)
point *apuntar* (18); *punto* (12)
poison *envenenamiento* (12)
policeman/woman *policía* (6)
police station *comisaría* (17)
politician *político/a* (2)

politics *política* (1)
pollute *contaminar* (9)
pollution *contaminación* (9); *polución* (9)
polytheist *politeísta* (14)
poor *pobres* (19)
populate *poblar* (20)
populated *poblado/a* (6)
population *población* (1)
pork *cerdo* (8)
port *puerto* (11)
portfolio *portafolio* (14)
portray *retratar* (14)
Portuguese *portugués* (11)
position *cargo* (6); *puesto de trabajo* (6);
   posición (12)
postal carrier *cartero/a* (6)
postcard *postal* (7)
poster *cartel* (4)
postgraduate *posgrado* (10)
postmodern *posmoderno/a* (14)
postpone *posponer (irreg.)* (19)
posture *postura* (5)
pot *cazuela* (8)
potato *papa / patata* (8)
pour *verter* (8)
poverty *pobreza* (6)
power *poder* (10)
powerful *poderoso/a* (20)
practice *practicar* (2)
practice sports *hacer deporte* (5)
praise *alabar* (20)
prayer *oración* (5)
precious *precioso/a* (8)
precise *preciso/a* (11)
precisely *precisamente* (12)
predict *predecir* (14)
prediction *predicción* (14)
predominate *predominar* (6)
prefer *anteponer* (14); *preferir* (6)
prefix *prefijo* (6)
pregnant *embarazada* (12)
pre-Inca *preincaico/a* (9)
prejudice *prejuicio* (20)
premature *prematuro/a* (20)
premonition *premonición* (20)
prepare *aparejar* (18); *preparar* (8)
prepare outlines *hacer esquemas* (13)
preschool *guardería* (9)
prescribe *recetar* (12)
prescription *receta* (12)
presence *presencia* (19)
presenter *presentador* (19)
preservative *conservante* (12)
press *prensa* (15); *pulsar* (19)
pressure *presionar* (18)
prestige *prestigio* (2)
pretend *fingir* (14)
pretension *pretensión* (2)
pretty *bonito/a* (1); *lindo/a* (14)
prevent *prevenir* (12)
previous *previo/a* (6)

price *precio* (4)
priestly *sacerdotal* (10)
print *huella* (2)
printed *impreso/a* (18)
printer *impresora* (16)
priority *prioridad* (5)
prisoner *prisionero* (10)
private *privado/a* (11)
privilege *privilegiar* (19)
privileged *privilegiado/a* (19)
prize *premio* (4)
prized *premiado/a* (12)
problem *problema* (2)
proclaim *proclamar* (10)
produce *producir* (10)
production *fabricación* (8)
profession *profesión* (2)
professor *profesor/a* (2)
profile *perfil* (20)
profit *lucro* (6)
profound *profundo/a* (20)
programming *programación* (15)
progress *avanzar* (17)
progressive *progresista* (10)
prohibit *prohibir* (19)
project *proyecto* (19)
proliferate *proliferar* (12)
promise *promesa* (19)
promote *ascender* (9); *promover (ue)* (18)
promote *fomentar* (19)
promotor *empresario* (15)
pronoun *pronombre* (5)
proof *prueba* (17)
proposal *propuesta* (8)
propose *proponer* (8)
proposition *proposición* (19)
proprietary *propietario/a* (6)
prospect *folleto* (7)
prosperous *próspero/a* (12)
protect *proteger* (5)
protectorate *protectorado* (11)
protest *protestar* (18)
protocol *protocolo* (19)
proud *orgulloso/a* (14)
provide *proporcionar* (12)
provide a service *prestar un servicio* (18)
province *provincia* (8)
provoke *provocar* (11)
pseudonym *seudónimo* (20)
public *público/a* (6)
public works *obras públicas* (9)
publish *editar* (16)
publishing company *editorial* (18)
pudding *pudín* (8)
Puerto Rican *puertorriqueño* (2)
pull out *arrancar* (17)
pumpkin *calabaza* (4)
punctual *puntual* (11)
purity *pureza* (14)
purple *morado/a* (4); *violeta* (4)
purse *bolso* (4)

push *empujar* (19)
push-up *flexión* (5)
put *poner (irreg.)* (8)
put down *agobiar* (20)
put on makeup *maquillarse* (14)
put up with *aguantar a* (20)
pyramid *pirámide* (6)

Q

quadriplegic *tetrapléjico* (15)
qualification *calificación* (9)
quality *calidad* (4)
quantity *cantidad* (2)
quarter *cuarto* (7)
question *pregunta* (1); *interrogar* (17); *interpelar* (19)
questioning *interrogatorio* (17)
questionnaire *cuestionario* (6)
quiet *tranquilo/a* (3); *callado/a* (5); *silencioso/a* (13); *sosiego/a* (16)
quite a lot *bastante* (8)
quotation mark *comilla* (13)
quote *cotizar* (5)

R

race *etnia* (10)
racism *racismo* (19)
rafting *descenso de rápidos* (12)
railroad *ferrocarril* (18)
rain *llover (ue)* (9); *lluvia* (9)
raincoat *impermeable* (3)
rainy *lluvioso/a* (9)
raise *subir* (1)
rapidity *rapidez* (18)
rapidly *rápidamente* (12)
rare *escaso/a* (19)
rate *tasa* (12)
rating *calificación* (9)
raw *crudo/a* (8)
ray *rayo* (11)
reach *alcance* (16); *alcanzar* (7)
react *reaccionar* (11)
read *leer* (1)
reader *lector* (13)
reading *lectura* (13)
ready *listo/a* (5); *dispuesto* (6); *a punto* (18)
real estate-related *inmobiliario/a* (18)
reality *realidad* (11)
realize *darse cuenta de* (10)
really *de verdad* (11); *efectivamente* (13)
rear *trasero/a* (17)
reason *razón* (4)
reasoning *razonamiento* (19)
rebellion *rebelión* (10)
receive *recibir* (4)
recent *reciente* (9)
recently *recientemente* (5)
reception desk *recepción* (7)
receptionist *recepcionista* (7)

recipe *receta* (8)
recognize *reconocer* (11)
recommend *recomendar* (18)
recommendation *recomendación* (12)
reconsider *replantearse* (20)
record *grabar* (16)
recuperate *recuperar* (10)
recycle *reciclar* (9)
red *rojo/a* (4)
redactar *editar/corregir* (10)
reduce *reducir* (10)
reduction *disminución* (10)
refer *referir* (4)
referent *referente* (18)
refine *refinar* (6)
reflect *reflejar* (11)
reflection *reflexión* (11)
refrigerator *nevera* (8)
refugee *refugiado/a* (17)
refute *refutar* (19)
regeneration *regeneración* (19)
register *inscribirse* (7); *registro* (6)
registered *inscrito/a* (7)
regret *arrepentirse (ie)* (15)
reinvestment *reinversión* (19)
reiterate *reiterar* (19)
reject *desechar* (16)
relative *familiar* (2)
relax *relajarse* (5)
relaxation *relajación* (5)
release *liberación* (5); *toxina* (5)
reliable *serio/a* (2)
remain *quedarse* (10)
remaining *restante* (13)
remember *acordarse (ue) de* (13)
remind *recordar* (6)
removal *borrado* (12)
remove *destituir* (10)
renewable *renovable* (16)
renounce *renunciar a* (20)
rent *alquilar* (3); *alquiler* (6)
repair *arreglar, reparar* (16)
repeat *repetir* (1)
repellent *repelente* (3)
report *informe* (1)
repose *reposo* (11)
repressive *represivo/a* (11)
reproduce *reproducir (zc)* (8)
request a service *solicitar un servicio* (18)
requirement *requisito* (6)
research *investigación* (16); *investigar* (16)
researcher *investigador/a* (19)
resent *resentirse* (18)
reserve *reservar* (3)
reside *residir* (6)
resident of Madrid *madrileño/a* (15)
resident of Montevideo *montevideano* (16)
resign *dimitir* (10)
resolve *resolver (ue)* (6)
resources *recursos* (18)
respect *respetar* (19)

respond *responder* (7)
responsible *responsable* (6)
rest *descansar* (3); *resto* (3); *descanso* (5)
restaurant *restaurante* (8)
restore *restaurar* (17)
restrict *restringir* (19)
result *resultado* (13)
résumé *currículo* (6)
rethink *replantearse* (20)
retire *jubilar* (19)
retreat *retirarse* (11)
return *devolver (ue)* (6); *volver (ue)* (7); *regresar* (10); *regreso* (11); *retorno* (20)
reveal *revelar* (3)
revelation *revelación* (20)
revelry *jarana* (20)
review *revisar* (2); *crítica* (2); *repasar* (9); *revisión* (12); *reseña* (14)
revision *revisión* (12)
revolt *sublevación* (10)
revolutionary *revolucionario/a* (11)
revolution *revolución* (8)
rewrite *rescribir* (17)
rhetorical *retórico/a* (19)
rhythm *ritmo* (8)
rib *costilla* (8)
rice *arroz* (8)
rich *rico/a* (2)
richness *riqueza* (7)
rickety *desvencijado/a* (20)
ride a bike *montar bicicleta* (5)
right *derecha* (6); *verdad* (9)
right away *enseguida* (17)
rigid *rígido/a* (20)
ring *anillo* (8)
rink *pista* (3)
rise *subida* (3)
risk *riesgo* (12)
river *río* (3)
road *carretera* (3); *camino* (20)
roast *asado* (8); *asar* (8)
roasted *asado/a* (8)
robbery *robo* (10)
rock *piedra* (10)
role *papel* (14)
roll (bread) *rosca* (8)
room *cuarto* (6); *habitación* (3)
root *raíz* (7)
round *redondo/a* (16)
round trip *ida y vuelta* (3)
round-trip ticket *boleto de ida y vuelta* (7)
route *ruta* (7); *trayecto* (17)
rubber *caucho* (15)
ruin *desolar* (11); *ruina* (8)
rule *regla* (5)
rum *ron* (8)
run *correr* (2)
run (for office) *postular* (10)
run aground *encallar* (20)
run away *huir* (11)
run into *tropezar (ie) con* (14)

running of the bulls *corridas de toros* (19)
run out *agotarse* (19)
Russian *ruso/a* (13)
rustic *rústico/a* (4)

S

sacrifice *sacrificio* (5)
sad *triste* (14)
sadness *pena* (11); *tristeza* (14)
safe *seguro* (5)
sail *navegar* (3)
sailing *vela* (3)
sailor *marino* (20); *navegante* (6)
salad *ensalada* (4)
salary *salario; sueldo* (6)
sales *ofertas* (7); *rebajas* (4)
sales associate *vendedor/a* (4)
salt *sal* (8)
salty *salado/a* (8)
Salvadorean *salvadoreño/a* (2)
same *igual* (8); *mismo/a* (9)
sanctuary *santuario* (9)
sandal *sandalia* (4)
sanitary *sanitario/a* (19)
satellite dish *antena parabólica* (7)
satisfaction *satisfacción* (12)
satisfy *satisfacer* (6)
Saturday *sábado* (5)
savage *salvaje* (12)
save *ahorrar* (4)
save face *salvar las apariencias* (7)
savings *ahorro* (16)
say *decir (irreg.)* (1)
say goodbye to *despedirse (i) de* (7)
scale *escala* (10)
scan *buscar en el texto* (7); *escanear* (12)
scanner *escáner* (16)
scar *cicatriz* (12)
scare *dar miedo* (13)
scared *asustado/a* (20)
scene *escena* (17)
scenic *escénico/a* (15)
schedule *horario* (5)
scheme *esquema* (11)
scholarship *beca* (11)
school *escuela* (7); *facultad* (10)
science *ciencia* (14)
science fiction *ciencia ficción* (15)
scientific advance *adelanto científico* (19)
scientist *científico/a* (2)
scope *alcance* (16)
screen *pantalla* (1)
script *guión* (15)
scriptwriter *guionista* (20)
scruples *escrúpulo* (11)
sculptor *escultor/a* (5)
sculpture *escultura* (2)
sea *mar* (3); *marítimo/a* (7)
seafood *marisco* (8)
sea gull *gaviota* (12)

seal (animal) *lobo marino* (20)
sea lion *león marino* (15)
search *buscar* (1); *búsqueda* (17)
season *estación* (3); *temporada* (15)
seat *asiento* (14)
sea wall *malecón* (9)
second *segundo/a* (1)
secondary *secundario/a* (11)
security guard *guardia de seguridad* (6)
see *ver* (2)
seed *pepita* (11); *semilla* (6)
seismic *sísmico/a* (6)
select *seleccionar* (5)
self-assessment *autoevaluación* (13)
selfish *egoísta* (2)
sell *vender* (4)
semester *semestre* (13)
senator *senador* (10)
send *enviar* (4); *mandar* (6)
sense of humor *sentido del humor* (14)
sensitive *sensible* (14)
sensitivity *sensibilidad* (14)
sentence *frase* (4); *oración* (5)
separate *separarse* (10)
September *septiembre* (3)
sequence *secuencia* (5)
serious *grave* (9); *serio/a* (2)
seriously *en serio* (11)
seriousness *seriedad* (14)
serve *servir (i)* (5)
service *servicio* (3)
servitude *servidumbre* (19)
session *sesión* (17)
setting *entorno* (3)
settle *radicarse* (20)
settle down *instalarse* (9)
settlement *asentamiento* (6); *colonización* (10)
settler *poblador/a* (10); *colono* (11)
seven *siete* (1)
seven hundred *setecientos* (4)
seventeen *diecisiete* (1)
seventy *setenta* (2)
severe *grave* (9)
sew *coser* (13)
shadow *sombra* (11)
shame *lástima* (11); *vergüenza* (13)
share *compartir* (1)
shark *tiburón* (12)
sharp *en punto* (7)
sheathed *enfundado/a* (17)
sheep *oveja* (4)
sheet *sábana* (17)
shelf *estante, estantería* (6); *repisa* (17)
shine *brillar* (5)
ship *barco* (3); *buque* (18)
shipping company *naviera* (20)
shirt *camisa* (4)
shock *descarga* (16)
shoe *zapato* (3)
shoe store *zapatería* (4)
shopping mall *centro comercial* (4)

short *corto/a* (7)
short film *cortometraje* (15)
short story *cuento* (7)
shout *gritar* (20)
show *mostrar* (1); *manifestar* (10); *espectáculo* (15)
shower *ducharse* (5)
shrimp *camarón* (8); *gamba* (8)
shy *tímido/a* (2); *introvertido/a* (14)
sick *enfermo/a* (4)
sickness *enfermedad* (12)
side *costado* (9); *lado* (5)
sign *firmar* (10); *suscribir* (10); *cifra* (12)
signal *señalar* (12)
signature *firma* (10)
silent *callado/a* (5); *silencioso/a* (13)
silk *seda* (16)
silver *plata* (4)
similarly *de modo similar* (14)
simple *sencillo* (2)
sin *pecado* (20)
since *ya que* (3); *puesto que* (20)
sincere *sincero/a* (14)
sincerity *sinceridad* (14)
since when *desde cuándo* (4)
singer *cantante* (1)
single *soltero/a* (2)
sit down *sentarse (ie)* (5)
site *sitio* (3); *yacimiento* (9); *emplazamiento* (17)
situate *situar* (6)
situation *situación* (2)
six *seis* (1)
six hundred *seiscientos/as* (4)
sixteen *dieciséis* (1)
sixty *sesenta* (2)
size *talla* (4); *tamaño* (5)
skeptical *escéptico/a* (19)
skepticism *escepticismo* (19)
ski *esquiar* (5)
skill *destreza* (6); *habilidad* (17)
skim *leer por encima* (7)
skim/glance through *hojear* (17)
skin *piel* (12)
skirt *falda* (4)
skyscraper *rascacielos* (9)
slave *esclavo* (10)
slavery *esclavitud* (10)
sleep *dormir (ue)* (2); *sueño* (5)
sleeplessness *insomnio* (12)
slender *delgado/a* (2)
slice *rebanada; rodaja* (8)
slogan *eslogan* (12)
slow *despacio* (1); *lento/a* (7)
slowly *lentamente* (12)
sluice *compuerta* (18)
small *pequeño/a* (1)
small pot *mate* (4)
smallpox *viruela* (10)
smell *olor* (9)
smile *sonrisa* (15); *sonreír* (17)

smoke *fumar* (5); *humo* (9)
smoker *fumador/a* (12)
smooth *suavizar* (14)
snore *roncar* (14)
snow *nieve* (9)
snowflake *copo* (17)
so *así que* (3) ; *por eso* (11); *entonces* (20)
soak *remojar* (8)
soap *jabón* (16)
soap opera *telenovela* (15)
soccer *fútbol* (2)
soccer game *partido de fútbol* (15)
sociable *sociable* (14)
social class *clase social* (19)
social justice *justicia social* (19)
society *sociedad* (10)
sock *calcetín* (4)
soda pop *refresco* (8)
sofa *sofá* (6)
soft *blando/a* (8); *suave* (9); *tierno/a* (8)
soft drink *refresco* (8)
solar energy *energía solar* (16)
soldier *soldado* (11)
solid *sólido/a* (9)
solidarity *solidaridad* (14)
solitude *soledad* (14)
solve *solucionar* (9)
solve a case *resolver un caso* (17)
some *alguno/a* (10); *unos/as* (2)
someone *alguien* (17)
something *algo* (11)
son/daughter *hijo/a* (2)
song *canción* (14)
sophisticated *sofisticado/a* (6)
sorrow *pena* (11)
sorry *lo siento* (7)
soul *alma* (1)
sound *sonido* (13); *sonar (ue)* (20)
soundtrack *banda sonora* (15)
soup *sopa* (8)
soup tureen *sopera* (12)
source *fuente* (8)   (17)
southeast *sureste* (3); *sudeste* (8)
southwest *suroeste* (3)
sovereignty *soberanía* (10)
Soviet Union *Unión Soviética* (10)
spa *balneario* (12)
space exploration *exploración del espacio* (19)
space travels *viajes espaciales* (19)
spaghetti *espaguetis* (8)
Spaniard/Spanish *español/a* (2)
Spanish *castellano* (13); *español* (11)
Spanish speaker *hispanohablante* (14)
spatial *espacial* (10)
speak *hablar* (1)
speaker *hablante* (2)
special *especial* (7)
specialize (in) *especializarse (en)* (14)
species *especie* (6)
specific *específico/a* (11)

specify *especificar* (20)
speculation *especulación* (19)
speech *discurso* (10)
speechless *boquiabierto/a* (14)
spell *deletrear* (1)
spellbound *abobado/a* (17)
spelling *ortografía* (6)
spend *gastar* (3); *pasar* (6)
spicy *picante* (8)
spider web *telaraña* (14)
spill *derramar* (20)
spin *hilar* (20)
spinach *espinaca* (8)
spine *púa* (16)
splendourous *esplendoro/a* (14)
spokesman *portavoz* (4)
spontaneously *espontáneamente* (13)
spoon *cuchara* (10)
sport *deporte* (1)
sportsman/sportswoman *deportista* (2)
sports store *tienda de deportes* (4)
sporty *deportivo/a* (3)
spread *difundir* (8)
spring *primavera* (3)
spring roll *rollito de primavera* (19)
square *plaza* (9); *cuadrado/a* (16)
stability *estabilidad* (5)
stable *estable* (12)
stadium *estadio* (9)
stage *etapa* (6)
stain remover *quitamanchas* (14)
staircase *escalera* (5)
stamp *sello* (17); *estampilla* (14)
standard *estándar* (14)
stand out *destacar* (5); *sobresalir* (8)
star *estrella* (5)
start *comenzar (ie)* (5); *empezar (ie)* (6); *iniciar* (10); *arrancar* (17)
starting point *punto de partida* (7)
state *estado* (1); *estatal* (12)
statement *declaración* (17)
statesman *estadista* (11)
station *estación* (16)
statistical *estadístico/a* (12)
stay *estadía* (7); *quedarse* (15)
steak *bistec* (8)
steep *remojar* (8)
stellar *estelar* (15)
stereo *estéreo* (6)
stereotype *estereotipo* (14)
stereotypical *estereotípico/a* (14)
stew *cocido* (8); *guiso* (8)
still *todavía* (2)
sting *picadura* (12); *picar* (12)
stinging *escozor* (12)
stingy *tacaño/a* (20)
stock *surtido* (18)
stock market *bolsa* (20)
stomach *barriga* (12)
stomachache *dolor de barriga / estómago* (12)
stone *piedra* (10)

stop *detener* (11); *parar* (8)
stop doing something *dejar de* (12)
storage room *almacén* (5) (18)
store *almacenar* (18)
store clerk *dependiente/a* (8)
storm *tormenta* (6)
story *relato* (17); *reportaje* (19)
straight *recto/a* (9)
strain *colar (ue)* (8)
strange *extraño/a* (10); *raro/a* (16)
stranger *desconocido/a* (13)
strategic *estratégico/a* (11)
strategy *estrategia* (13)
strawberry *fresa* (8)
stream *arroyo* (20)
street *calle* (3)
strength *fuerza* (20)
strengthening *fortalecimiento* (5)
stress *estrés* (5)
stretch *extenderse* (14)
stretch *estirar* (5)
strict *estricto/a* (7)
strike *huelga* (20)
strong *fuerte* (5)
strong man *caudillo* (10)
structure *estructura* (10)
stubborn *testarudo* (14)
student *estudiante* (2); *estudiantil* (18)
studio *estudio* (6)
study *estudiar* (1)
stupidity *estupidez* (14)
style *estilo* (2)
subdue *sojuzgar* (19)
substitute *sustituir* (19)
subway *metro* (3)
success *éxito* (2)
successful *exitoso/a* (14)
such as *como por ejemplo* (16)
suddenly *de repente* (11); *de golpe* (15); *de pronto* (17)
suffer *sufrir* (5); *padecer (zc)*
sugar *azúcar* (5)
suggest *sugerir* (17)
suggestion *sugerencia* (19)
suit *traje* (5)
suitcase *maleta* (7)
summary *resumen* (11)
summer *verano* (3)
summit *cima* (3); *cumbre* (11)
sum up *en suma* (19); *resumir* (6)
sun *sol* (9)
sunbathe *tomar el sol* (3)
sunblock *protector solar* (3)
Sunday *domingo* (5)
sunglasses *lentes de sol* (4)
sunny *soleado/a* (9)
sunset *anochecer* (15)
sunstroke *insolación* (12)
superfluous *superfluo/a* (19)
supermarket *supermercado* (4)
supernatural *sobrenatural* (14)

supply *oferta; surtido* (18)
support *apoyar; apoyo* (11)
suppose *suponer* (17)
sure *claro* (7)
surely *seguramente* (12)
surface *superficie* (7)
surgeon *cirujano/a* (12)
surgery *cirugía* (12); *operación* (12)
surpass *superar* (16)
surprise *sorprender* (15); *sorpresa* (3)
surprised *sorprendido/a* (20)
surprising *sorprendente* (10)
surrender *rendirse* (5)
surround *rodear* (9)
surrounding *circundante* (3)
surroundings *alrededores* (9)
survey *encuesta* (3)
survival *supervivencia* (12)
survive *sobrevivir* (7)
suspect *sospechar, sospechoso/a* (17)
suspicious (of) *desconfiado/a* (19)
sustain *sostener* (11)
sustainable *sostenible* (19)
swallow *tragar* (12)
sweat *sudar* (12)
sweater *suéter* (4)
Swedish *sueco* (13)
sweep along *arrastrar* (19)
sweet *dulce* (5)
sweeten *azucarar* (8)
sweetness *dulzura* (14)
swelling *inflamación* (12)
swim *nadar* (11)
swimming pool *piscina* (3)
Swiss chard *acelga* (8)
symbol *símbolo* (11)
sympathy *simpatía* (11)
symptom *síntoma* (12)
synopsis *sinopsis* (20)
syrup *almíbar* (8); *jarabe* (12)

T

table *mesa* (2); *cuadro* (11); *tabla* (12)
tablecloth *mantel* (20)
tablespoon *cucharada* (12)
tactic *táctica* (10)
take *tomar* (3); *agarrar* (11)
take (out) *sacar* (5)
take advantage of *aprovecharse de* (13)
take a quick look *echar un vistazo a* (15)
take attendance *pasar lista* (1)
take a walk *pasear* (3); *dar un paseo* (5)
take care of *ocuparse (de)* (7)
take care of oneself *cuidarse* (12)
take in account *tomar en cuenta* (19)
take notes *tomar notas* (2)
take off *despegar* (7)
take pictures *tomar fotos* (7)
take place *ocurrir* (9); *tener lugar* (15)
take possession of *apoderarse (de)* (11)

take refuge *refugiarse* (11)
tale *cuento* (7); *relato* (17)
talent *talento* (14)
talkative *hablador/a* (14)
tapestry *tapiz* (4)
tariff *tarifa* (16)
task/homework *tarea* (1)
taste *degustar* (8)
tasteless *soso/a* (8)
tasting *degustación* (8)
tasty *bueno/a* (5); *rico/a* (8)
tattoo *tatuaje* (18)
taxes *impuestos* (18)
taxi driver *taxista* (6)
tea *té* (8)
teacher *maestro/a* (2)
teaching *enseñanza* (13)
team *equipo* (3)
team work *trabajo en equipo* (6)
technique *técnica* (5)
technological *tecnológico/a* (19)
tedious *pesado/a* (15)
television *tele* (11); *televisor* (6)
tell (a story) *contar (ue)* (3); *relatar* (17)
temple *templo* (6)
ten *decena* (17); *diez* (1)
tenacity *tenacidad* (14)
tender *tierno/a* (8)
tender *cariñoso/a* (5)
tenderness *ternura* (14)
tend to *tender (ie) a* (5)
tennis *tenis* (4)
tennis player *tenista* (5)
tense with pain *crispar* (20)
tent *tienda de campaña* (7)
tenth *décima* (2)
term *plazo* (19)
territory *territorio* (10)
text *texto* (2)
thank *agradecer (cz)* (15)
thanks; thank you *gracias* (1)
that is to say *o sea* (14)
theater *teatro* (2)
the best *mejor* (3)
then *entonces* (11); *luego* (8)
theory *teoría* (17)
there *allá* (4); *allí* (2)
there are *hay* (1)
therefore *así pues* (15); *por consiguiente* (20);
    por lo tanto (20)
there is *hay* (1)
thermometer *termómetro* (17)
these days *hoy en día* (19)
thesis *tesis* (19)
the way someone is *forma de ser* (20)
the Web *red* (16)
the worst *peor* (5)
thief *ladrón* (17)
thigh *muslo* (5)
thin *delgado/a* (2)
thing *cosa* (1)

think (about) *pensar (en)* (2)
thinning *adelgazamiento* (16)
third *tercer; tercero/a* (2); *tercio* (9)
thirteen *trece* (1)
thirty *treinta* (2)
thirty-one *treinta y uno* (2)
thirty-two *treinta y dos* (2)
thorn *espina* (18)
thorny *espinoso* (18)
thought *pensamiento* (10)
thousand *mil* (4)
thread *hilo* (16)
threaten *amenazar* (19)
three *tres* (1)
three hundred *trescientos/as* (4)
thrilling *emocionante* (15)
through *a través de* (5)
throw *arrojar* (17); *tirar* (17)
throw away *botar* (19); *tirar* (17)
throw out *expulsar* (11)
Thursday *jueves* (5)
ticket *boleto* (3); *entrada* (15)
tie *corbata* (4)
time *vez* (8); *rato* (17)
timeless *intemporal* (2)
tip *propina* (8)
tired *cansado/a* (5)
tiredness *cansancio* (12)
tiresome *molesto/a* (20)
tobacco *tabaco* (8)
tobacco pouch *tabaquera* (8)
together *junto/a* (6)
toilet *baño* (6)
tolerate *soportar* (14)
toll *peaje* (18)
tomato *tomate* (8)
tomb *tumba* (6)
tomorrow *mañana* (7)
toning *tonificación* (5)
tool *herramienta* (16)
too many, too much *demasiado/a* (5)
tooth *diente* (18)
toothache *dolor de muelas* (12)
topic *tema* (1)
topic sentence *frase temática* (4)
to the left *a la izquierda* (6)
to the right *a la derecha* (6)
touch *tocar* (5); *emocionar* (14)
tourism *turismo* (3)
toward *hacia* (7)
town *pueblo* (3)
toy *juguete* (4)
toy store *juguetería; tienda de juguetes* (4)
trace *huella* (2)
trade *comerciar; comercio* (18)
tradition *tradición* (1)
traffic *tráfico* (9)
traffic jam *embotellamiento* (9)
traffic light *semáforo* (9)
traffic sign *señal de tráfico/tránsito* (9)
train *entrenar* (5); *tren* (3)

trainer *entrenador/a* (17)
training *entrenamiento* (5); *formación* (6)
trajectory *trayectoria* (14)
transcendence *transcendencia* (18)
transform oneself/itself *transformarse* (20)
translation *traducción* (13)
translator *traductor/a* (6)
transmit *transmitir* (17)
transport *transportar* (5)
transportation *medios de transporte* (3)
travel *viajar* (2)
traveler *viajero/a* (11)
traveling *ambulante* (18)
travel through *recorrer* (11)
tray *bandeja* (8)
treasure *tesoro* (11)
treatment *tratamiento* (5)
treaty *tratado* (10)
tree *árbol* (2)
tree-felling *tala de árboles* (19)
trend *tendencia* (1)
triangle *triángulo* (15)
tribe *tribu* (10)
trill *gorjear* (11)
trimester *trimestre* (13)
trip *viaje* (1)
triumph *triunfar* (7); *triunfo* (11)
truck *camión* (11)
true *verdadero/a* (1); *verdad* (9); *cierto/a* (13)
trunk *tronco* (5)
trust *confiar* (14)
try *tratar de* (11); *intentar* (14)
try on *probar* (4)
t-shirt *camiseta* (4)
Tuesday *martes* (5)
turkey *pavo* (8)
Turkish *turco* (13)
turn *girar* (16); *giro* (20); *recoveco* (20)
turn off *apagar* (16)
turn on *encender* (16); *prender* (16)
turn up *acudir (a)* (15)
turtle *tortuga* (3)
TV channel *canal* (15)
TV network *cadena* (15)
TV series *serie* (15)
twelve *doce* (1)
twenty *veinte* (1)
twenty-eight *veintiocho* (2)
twenty-five *veinticinco* (2)
twenty-four *veinticuatro* (2)
twenty-nine *veintinueve* (2)
twenty-one *veintiuno* (2)
twenty-seven *veintisiete* (2)
twenty-six *veintiséis* (2)
twenty-three *veintitrés* (2)
twenty-two *veintidós* (2)
two *dos* (1)
two hundred *doscientos/as* (4)
typical *típico/a* (8)

U

umbrella *paraguas* (8)
unbearable *insoportable* (20)
unbridgeable *infranqueable* (17)
unbridled *desenfrenado/a* (19)
uncertain *incierto/a* (8)
uncomfortable *incómodo/a* (3)
unconscious *inconsciente* (12)
under *debajo de* (3)
underground *subsuelo* (14)
underline *subrayar* (2)
understand *comprender* (7); *entender* (1)
understanding *comprensivo/a* (20)
undertake *emprender* (20)
underwear *ropa interior* (4)
unemployed *desempleado/a* (19)
unemployment *desempleo* (9) (19)
unevenness *desnivel* (3)
unexpected *inesperado/a* (20)
unforeseen *imprevisto/a* (11)
unforgettable *inolvidable* (3)
unfortunate *desafortunado/a* (19)
unfortunately *desafortunadamente; por desgracia* (19)
unfriendly *antipático/a* (2)
unique *único/a* (12)
unite *incorporar* (8)
United States *Estados Unidos* (10)
university *universidad* (2)
unknown *desconocido/a* (10); *incógnito/a* (11)
unmistakeable *inconfundible* (5); *inequívoco/a* (14)
unpack *deshacer* (7)
unpleasant *antipático/a* (2)
unplug *desenchufar* (16)
untidy *desordenado/a* (14)
until *desde* (5); *hasta* (10)
until when *hasta cuándo* (4)
unwanted hair *vello no deseado* (12)
upload *subir* (16)
uppercase letter *mayúscula* (13)
uprising *sublevación* (10)
ups and downs *altibajos* (14)
upsetting *desconcertante* (20)
Uruguayan *uruguayo/a* (2)
U.S. citizen/from the U.S. *estadounidense* (2)
use *uso* (11); *utilizar* (18)
useful *útil* (8)
user *usuario/a* (18)
usually do something *soler (ue)* (13)
utensil *utensilio* (6)

V

vacation *vacaciones* (1)
vaccine *vacuna* (16)
vain *engreído/a* (14)

valet *paje* (4)
valley *valle* (9)
valuable *valioso/a* (19)
value *valor* (6)
vanity *vanidad* (14)
vase *vasija* (4)
vegetable *verdura* (5)
vegetables *vegetales* (8)
velocity *velocidad* (16)
Venezuelan *venezolano/a* (2)
verify *constatar* (17)
vice *vicio* (14)
video camera *cámara de video* (7)
video game *juego de video* (18)
vignette *viñeta* (6)
villager *lugareño* (20)
violation *violación* (19)
violence *violencia* (9)
virtue *virtud* (14)
visa *visa; visado* (7)
visit *visitar* (2) (3)
visitor *visitante* (7)
voice *voz* (11)
volcano *volcán* (6)
volt *voltio* (16)
volume *volumen* (5)
voluptuosity *voluptuosidad* (5)
vomit *vomitar* (12); *vómito* (12)
vote *voto* (17)
voting *votación* (5)

W

wage *sueldo; salario* (6)
waist *cintura* (5)
wait *esperar* (4)
waiter/waitress *camarero/a* (2); *mesero/a* (2)
wait in line *hacer cola/fila* (7)
wake up *despertarse (ie)* (5)
walk *caminar* (5); *vuelta* (15)
wall *muro* (10); *pared* (3)
wallet *cartera* (4)
want *querer (ie)* (1)
war *guerra* (5)
wardrobe *ropero* (17)
warehouse *almacén* (18); *almacenar* (18)
warm *acogedor/a* (9); *cálido/a* (9); *caliente* (8)
warmth *simpatía* (11)
warn *advertir (ie) (de)* (12); *avisar* (16)
warning *advertencia* (12)
wash *lavar* (10)
washing machine *lavadora* (16)
wasp *avispa* (12)
waste *desecho* (20)
watch *reloj* (4); *vigilar* (5)
water *agua* (1)
waterfall *cascada; catarata; salto de agua* (3)
watermelon *sandía* (8)

water sports *deportes acuáticos* (3)
wealth *riqueza* (7)
weapon *arma* (1)
wear *llevar* (4)
weather *clima* (6)
weave *tejer* (4)
weaver *tejedor/a* (20)
Wednesday *miércoles* (5)
week *semana* (17)
weekend *fin de semana* (4)
weekly *semanal* (4)
weigh *pesar* (12)
weight *peso* (5)
weird *raro/a* (16)
welcoming *acogedor/a* (9)
well *bien* (11)
well/badly located *bien/mal situado/a* (9)
well-being *bienestar* (2)
well-educated; well-mannered
  educado/a (14)
Welsh *galés/galesa* (13)
west *oeste* (3)
western *película del oeste* (15)
wet *mojado/a* (11)
whale *ballena* (17)
wheel *rueda* (16)
when *cuándo* (4)
where *dónde* (4)
which *cuál* (4)
while *mientras* (6); *mientras tanto* (11);
  rato (17)
whirl *vorágine* (19)
white *blanco/a* (4)
whitish *blanquecino/a* (17)

wicked *malvado/a* (11)
wickedness *maldad* (14)
widower/widow *viudo/a* (2)
will *voluntad* (12)
win *ganar* (2); *vencer* (20)
wind *viento* (9)
window *ventana* (6)
wine *vino* (8)
wine collection *vinoteca* (4)
wine glass *copa* (8)
wine store *bodega* (4)
winner *ganador* (4)
winter *invierno* (3)
wireless *inalámbrico/a* (16)
wisdom *sabiduría* (15)
wish *deseo* (9)
witch *bruja* (15)
withdraw *retirarse* (11)
with me *conmigo* (9)
with respect to *en cuanto a* (13);
  respecto a (18)
with you *contigo* (9)
witness *testigo* (17)
witty *listo/a* (5)
wonderful *maravilloso/a* (3)
wood *leña* (3); *madera* (6)
wool *lana* (4)
word *palabra* (11)
word processor *procesador de textos* (16)
work *trabajar* (1); *funcionar* (5); *obra* (5)
worker *obrero/a* (20); *trabajador/a* (18)
work of art *obra de arte* (15)
work permit *permiso de trabajo* (7)
workshop *taller* (18)

world *mundo* (1)
world affairs *asunto de interés mundial* (19)
worldwide *mundial* (5)
worried *preocupado/a* (20)
worry *preocupar* (13)
worry about *preocuparse de* (20)
worse *peor* (5)
write *escribir* (1)
write down *apuntar* (18)
writer *escritor/a* (2)
written *escrito/a* (13)

X

xenophobia *xenofobia* (19)

Y

yard *jardín* (3)
year *año* (12)
yell *grito* (20)
yellow *amarillo/a* (4)
yesterday *ayer* (7)
yogurt *yogur* (8)
youth *joven* (6); *juventud* (10)
yucca *yuca* (8)

Z

zero *cero* (17)
zipper *cierre* (16)

CREDITS

Text Credits

p. 301 "En el país de las maravillas," by Victor Montoya; p. 265 "Un hermoso cambio de registro," by Alex Ramirez; p. 283 "Un uruguayo desembarca en Hollywood tras destruir Montevideo con robots gigantes," by Ecoprensa S.A.; p. 319 "La ampliación del Canal de Panamá abre sus compuertas a un nuevo desarrollo económico," by Portal Universia S.A.

Photo Credits

p. 2 Duncan Walker/iStock/Getty Images; p. 4 (1) Ciro Cesar La Opinion Photos/Newscom; p. 4 (2) Chico Sanchez/Alamy; p. 4 (3) Capricornis Photographic Inc./Shutterstock; p. 4 (4) Christian Sumner/iStock/Getty Images; p. 4 (5) Lidian Neeleman/Dreamstime LLC; p. 4 (6) Liem Bahneman/Shutterstock; p. 4 (7) Keith Binns/iStock/Getty Images; p. 4 (8) Nick Tzolov/iStock/Getty Images; p. 4 (9) Nat Girish/iStock/Getty Images; p. 7 (1) Bavarel/MITI/Visual/ZUMAPRESS/Newscom; p. 7 (2) Suljo/Dreamstime LLC; p. 7 (3) Nick Ut/AP Images; p. 7 (4) RD/Leon/Retna/Retna Ltd./Corbis; p. 7 (5) ZUMA Press, Inc./Alamy; p. 7 (6) Johns PkI/Splash News/Newscom; p. 9 (1) Lubilub/iStock/Getty Images; p. 9 (2) Andrzej Gibasiewicz/iStock/Getty Images; p. 9 (3) Jgz/Fotolia; p. 9 (4) Stockcam/iStock/Getty Images; p. 9 (5) gary718/Shutterstock; p. 9 (6) Rafael Ramirez Lee/Shutterstock; p. 15 (1) Natalia Bratslavsky/Dreamstime LLC; p. 15 (2) Therese McKeon/iStock/Getty Images; p. 15 (3) Emmanuel Dunand/Getty Images; p. 15 (4) Celso Diniz/Getty Images; p. 15 (5) Joshua Haviv/Shutterstock; p. 15 (bottom left) Carrie-Anne Gonzalez/iStock/Getty Images; p. 15 (bottom right) Hazim Sahib Jalil Al-hakeem/iStock/Getty Images; p. 20 Duncan Walker/iStock/Getty Images; p. 20 (1) Steven Senne/AP Images; p. 20 (2) Marco Ugarte/AP Images; p. 20 (3) J. Emilio Flores/Getty Images; p. 20 (4) Ron Sachs/Pool/Corbis; p. 20 (5) Associated Press; p. 20 (6) Ken Babolocsay/Globe Photos/ZUMAPRESS/Newscom; p. 24 Carolgaranda/Shutterstock; p. 28 (1) Johnson Space Center/NASA; p. 28 (2) Eric Gay/AP Images; p. 28 (3) Nancy Kaszerman/ZUMA Press, Inc./Alamy; p. 28 (4) Michael Tran/FilmMagic/Getty Images; p. 28 (5) Kevin Winter/Getty Images; p. 28 (6) Doug Pensinger/Getty Images; p. 28 (7) Andy Lyons/Getty Images; p. 28 (8) The Bakersfield Californian/Zuma Press, Inc./Alamy; p. 28 (9) Epa european pressphoto agency b.v./Alamy; p. 28 (10): ZUMA Press, Inc./Alamy; p. 31 (left) Corbis; (right) Latin American Masters Gallery; p. 33 (left) Susan Van Etten/PhotoEdit Inc; (right) Monica Rodriguez/Getty Images; p. 38 (top) Duncan Walker/iStock/Getty Images; p. 38 (1) Photoshot; p. 38 (2) Jeff Luckett/iStock/Getty Images; p. 38 (3) Kristina Mahlau/Dreamstime LLC; p. 38 (4) Dea/G.Sioen/Getty Images; p. 38 (5) Patrick Keen/iStock/Getty Images; p. 40 (1) KazantsevAlexander/Fotolia; (2) Ken Brown/Getty Images; (3) Meskolo/Fotolia; (4) Chris Hill/Shutterstock; (5) Jorg Hackemann/Shutterstock; (6) Leon Weggelaar/Shutterstock; (7) Ian 2010/Fotolia; (8) Krysek/Fotolia; (9) You Touch Pix of EuToch/Shutterstock; (10) Byheaven/Fotolia; (11) Leoks/Shutterstock (12) Marc Xavier/Fotolia; p. 40 (left) Pavel Losevsky/Fotolia; (center) Gstockstudio/Fotolia; (right) Todor Tsvetkov/E+/Getty images; p. 46 Kevin Schafer/Getty Images; p. 47 (Robert Wroblewski/Shutterstock); p. 49 (top) Janne Hamalainen/Shutterstock; (bottom) Anthony Aneese Totah Jr/Dreamstime LLC; p. 51 (top) Juan Silva/Getty

Images; (bottom) Walt Disney Co/Everett Collection; p. 56 (top) Duncan1890/iStock/Getty Images; (bottom) Haltner Thomas/Glow images; p. 59 (right) Andrzej Rostek/Fotolia; (left) Gary Yim/Shutterstock; p. 63 Cristianl/iStock/Getty Images; p. 67 José Fuste Raga/AGE Fotostock; p. 69 Rica/Newscom; p. 74 Duncan1890/iStock/Getty Images; p. 74 (1) Mauricio Lima/AFP/Getty Images; (2) RAY STUBBLEBINE/Reuters/Corbis; (3) Juan Mabromata/AFP/Getty Images; (4) Joel Saget/AFP/Getty Images (5) Miguel Riopa/AFP/Getty Images; p. 75 Stephen Coburn/Shutterstock; p. 77 Danilo Sanino/Shutterstock; p. 81 Travis Lindquist/Getty Images; p. 85 Fanthomme Hubert/Paris Match/Getty Images; p. 87 (left) Atsushi Tomura/AFLO/Newscom; (right) Allstar Picture Library/Alamy; p. 92 Duncan Walker/iStock/Getty Images; p. 93 (top and bottom) Karamysh/Shutterstock; p. 99 (left) Jose Cabezas/AFP/Getty Images; (center and right) D. Donne Bryant Stock Photography; p. 110 (top) Duncan Walker/iStock/Getty Images; 110 (1) Alain Lacroix/Dreamstime LLC; (2) Rafa Irusta/Shutterstock; (3) Franck Boston/Shutterstock (4) Marie C Fields/Shutterstock (5) Alexey Stiop/Shutterstock; (6) Lesniewski/Fotolia; p. 111 (1) Salazar/Fotolia; (2) Chudodejkin/Fotolia; (3) nadifri/iStock/Getty Images; (4) Nick Hanna/Alamy; p. 112 Roman Sigaev/Fotolia; p. 121 Andreas Meyer/Shutterstock; p. 123 (top) Photononstop/SuperStock; (center) Adam Jones, Ph. D. (bottom) ARCHIVO PARTICULAR/El Tiempo de Colombia/Newscom; p. 128 Duncan1890/Getty Images; p. 128 (1) Analia Valeria Urani/Shutterstock; (2) Felipex/Getty Images; (3) Monkey Business Images/Shutterstock; (4) Tony Freeman/PhotoEdit; (5) Fotolia; (6) Linda Whitwam/DK Images; p. 133 Robert Paul Van Beets/Shutterstock; p. 135 Age fotostock/Superstock; p. 136 ©Jimy Dorantes/LatinFocus.com; p. 138 (1) Photos.com/Getty Images; (2) Regien Paassen/Shutterstock; (3) Joel Blit/Shutterstock; (4) BasPhoto/Shutterstock; p. 139 ©Jimmy Dorantes/LatinFocus.com; p. 141 (top) Clyde Westall Hensley; (bottom) Ulf Andersen/Getty Images; p. 146 Duncan Walker/Getty Images; p. 146 (top) 3523studio/Shutterstock; (center) Yory Frenklakh/iStock/Getty Images; (bottom) Agap/Shutterstock; p. 149 (left) ©Jimmy Dorantes/LatinFocus.com; (right) Dr. Morley Read/Shutterstock; p. 150 YinYang/Getty Images; p. 153 Christian Vinces/Shutterstock; 159 (top) Oscar Pinto Sánchez/Fotolia; (bottom) ©Arturo Fuentes/LatinFocus.com; p. 164 Duncan1890/Getty Images; p. 164 (1) Yaroslav Gerzhedovich/iStock/Getty Images; (2) Larry1235/Shutterstock; (3) Comstock/Getty Images; (4) Photos.com/Getty Images; (5) Photos.com/Getty Images; (6) John Neubauer/PhotoEdit; p. 165 (1) Sourabh Jain/Dreamstime LLC; (2) Enrico Battilana/Dreamstime LLC; (3) Jason Speros/Shutterstock; (4) David Gee 4/Alamy; p. 167 RODRIGO ARANGUA/AFP/Getty Images; p. 169 (left) Chris Howarth/Chile/Alamy; (right) Julio Etchart/Alamy; p. 170 (1) Julien Tromeur/Fotolia; (2) Binkski/Fotolia; (3) Alexander Zhiltsov/Dreamstime LLC; (4) Jojje/Shutterstock; (5) MiquelMunill/Getty Images; (6) Alena Yakusheva/Fotolia; p. 175 Walter Bibikow/Getty Images; p. 177 Mark Van Overmeire/Shutterstock; p. 182 Duncan Walker/E+/Getty Images; p. 183 USGS; p. 184 (left) SuperStock; (right) Mark Green/Alamy; p. 185 Bettmann/CORBIS; p. 187 Bettmann/Corbis; p. 190 Cindy Karp/The LIFE Images Collection/Getty Images; p. 192 (left) Photos.com/Getty Images; (right) Photos.com/Getty Images; p. 193 © LatinFocus.com; p. 195 (top) Bettmann/Corbis; (bottom) LongShots/iStock/

INDEX